D0414203

Du même auteur, aux éditions Bragelonne :

Dette d'Os – une préquelle à *L'Épée de Vérité*

www.bragelonne.fr

Terry Goodkind

La Machine à présages

L'Épée de Vérité – livre douze

Traduit de l'anglais (États-Unis) par Jean Claude Mallé

Bragelonne

Collection dirigée par Stéphane Marsan et Alain Névant

Titre original : *The Omen Machine*
Copyright © 2011 by Terry Goodkind
Publié avec l'accord de l'auteur,
c/o BAROR International, INC.,
Armonk, New York, États-Unis

© Bragelonne 2012, pour la présente traduction

Illustration de couverture :
Raphael Lacoste

ISBN : 978-2-35294-568-0

Bragelonne
60-62, rue d'Hauteville – 75010 Paris

E-mail : info@bragelonne.fr
Site Internet : www.bragelonne.fr

Chapitre premier

— **L**es ténèbres… Il y a les ténèbres…, murmura le gamin.

Richard fronça les sourcils, doutant d'avoir bien entendu. Puis il jeta un coup d'œil par-dessus son épaule. Visiblement inquiète, Kahlan paraissait déconcertée, tout comme lui.

Le gamin reposait sur un tapis posé à même le sol devant une tente couverte de colliers de perles colorées. Ces derniers temps, le marché en plein air qui s'étendait au pied du palais était devenu une petite cité où se pressaient des centaines de pavillons, de chariots et d'étalages. Les milliers de gens venus des quatre coins du pays – et parfois de plus loin que ça – pour la célébration du grand mariage, la veille, s'étaient aujourd'hui rués sur le marché. Pris d'une frénésie d'achat, ils acquéraient aussi bien des souvenirs que du pain frais, de la viande rôtie, des boissons et des potions exotiques et, justement, des colliers de perles colorées.

Le souffle dangereusement court, le garçon gardait les yeux fermés. Se penchant un peu plus vers lui, Richard murmura :

— Les ténèbres ?

Le gamin acquiesça presque imperceptiblement.

— Oui, les ténèbres sont partout…

Bien entendu, il n'en était rien. De beaux rayons de soleil matinaux venaient réchauffer les badauds qui déambulaient dans le labyrinthe de « rues » qui s'était naturellement créé entre les divers étals et les véhicules. Mais le gamin, Richard l'aurait parié, n'avait sûrement pas conscience de l'atmosphère festive qui l'entourait.

Ses propos, apparemment dépourvus d'agressivité, avaient un sens caché. En eux, on sentait comme une noirceur qui concernait un tout autre endroit que le paisible marché.

Du coin de l'œil, Richard vit des promeneurs ralentir le pas pour mieux regarder le seigneur Rahl et la Mère Inquisitrice accroupis devant un jeune garçon malade et sa mère. Tout autour, la musique entraînante des artistes des rues peinait à couvrir le brouhaha des conversations, des éclats de rire et d'une multitude d'âpres marchandages. Pour la plupart des gens, voir en chair et en os le seigneur Rahl et la Mère Inquisitrice était une expérience rare et inoubliable. Un moment de leur vie qu'ils raconteraient encore dans dix ou vingt ans, une fois retournés chez eux.

Des gardes de la Première Phalange se tenaient un peu à l'écart. Mais eux, ils s'intéressaient à la foule, attentifs au moindre détail inquiétant. Et bien qu'il n'y eût aucune raison de redouter des problèmes, ils faisaient en sorte que les curieux n'approchent pas trop du couple qu'ils avaient mission de protéger.

Cela dit, tout le monde était d'excellente humeur. Après les années de guerre, une période de malheur et de souffrance, la paix revenue apportait avec elle des promesses de prospérité et de bonheur. Le mariage de la veille, aux yeux de tous, marquait le début d'une nouvelle ère. Le prologue à un monde empli de merveilles que nul n'aurait jamais osé imaginer.

Au milieu de tant d'allégresse, les sombres paroles du gamin paraissaient déplacées – un discours qui n'appartenait pas vraiment au monde réel.

Dans sa robe blanche chatoyante, le symbole même de son statut de Mère Inquisitrice, Kahlan semblait nimbée d'une aura, comme si elle était un esprit du bien venu visiter l'humanité par cette belle matinée de début du printemps. Alors que le Sourcier soulevait la tête du garçon, sa compagne tendit une gourde d'eau vers sa bouche aux lèvres craquelées.

—Tu peux essayer de boire une gorgée?

Le gamin fit mine de ne pas avoir entendu, et il ne manifesta pas la moindre intention de se désaltérer.

—Je suis seul…, souffla-t-il d'une voix brisée. Si seul…

Émue par tant de détresse, Kahlan tapota l'épaule décharnée du gamin.

—Mais non, tu n'es pas seul…, affirma Richard avec un optimisme qu'il n'était déjà plus très certain de ressentir. Il y a plein de gens autour de toi. Et ta mère est là.

Derrière ses paupières closes, les yeux de l'enfant roulèrent furieusement, comme s'il cherchait quelque chose dans les ténèbres.

—Pourquoi m'ont-ils tous abandonné?

Kahlan posa une main sur la poitrine du gamin, dont le souffle était de plus en plus heurté.

—Abandonné? De quoi parles-tu?

—Pourquoi m'ont-ils laissé seul dans les ténèbres et le froid?

—Qui t'a abandonné? demanda Richard, concentré au maximum pour capter et comprendre les paroles du garçon. Et où t'a-t-on abandonné?

—J'ai fait des rêves…, dit le gamin, le ton un peu plus affirmé.

Richard plissa le front, surpris par ce brusque changement de sujet.

—Quel genre de rêves, petit?

—Pourquoi ai-je fait ces rêves? souffla le gamin, de nouveau paniqué.

Une question qu'il s'adressait à lui-même et qui n'appelait pas de réponse, comprit Richard.

—Nous ne comprenons pas ce que…, commença Kahlan, résolue à essayer d'en savoir plus, même si elle partageait l'analyse du Sourcier.

—Le ciel est-il toujours bleu?

Kahlan échangea un bref regard avec Richard.

—D'un bleu magnifique, oui, répondit-elle.

Mais le garçon ne parut pas avoir entendu.

Continuer à bombarder le gamin de questions n'avait aucun sens, décida Richard. À l'évidence, il était gravement malade et il délirait. Dans ces conditions, à quoi bon tenter d'en savoir plus long?

La petite main du garçon se referma soudain sur l'avant-bras de Richard.

Entendant le bruit de l'acier qui frotte contre du cuir, le Sourcier leva une main, sans se retourner, pour ordonner aux soldats de remettre leur arme au fourreau.

— Pourquoi m'ont-ils abandonné? demanda de nouveau le garçon.

Richard se pencha un peu plus. Avec un peu de chance, il parviendrait à calmer l'enfant.

— Où t'ont-ils abandonné?

Le gamin ouvrit les yeux si brusquement que Richard et Kahlan en sursautèrent de surprise. Comme s'il essayait de sonder son âme, le petit malade riva son regard dans celui du Sourcier. Et sa main exerça sur l'avant-bras de Richard une pression étonnamment forte, pour un gamin si fragile.

— Les ténèbres sont dans le palais…

Un frisson glacé courut le long de l'échine de Richard. Refermant les yeux, le garçon se laissa retomber sur sa paillasse improvisée. Malgré sa volonté de se montrer rassurant et doux, le Sourcier parla d'un ton presque cassant:

— Que racontes-tu donc? Dans le palais, des ténèbres? Quelles ténèbres?

— Les ténèbres cherchent… les ténèbres…, murmura le gamin avant de marmonner quelques mots inintelligibles.

Sourcils de plus en plus froncés, Richard tenta de trouver une logique dans ce délire verbal.

— Que veux-tu dire? Les ténèbres cherchent les ténèbres? C'est…

— Il me trouvera… Je sais qu'il me trouvera…

Comme s'il n'avait plus la force de lever le bras, la main du garçon glissa du poignet de Richard. Celle de Kahlan vint

8

la remplacer tandis que les deux époux, silencieux, attendaient que l'enfant reprenne la parole. Mais il ne parut pas en avoir l'intention.

Pour le seigneur Rahl et la Mère Inquisitrice, il était temps de rentrer au palais, où des gens les attendaient sûrement.

De toute façon, songea Richard, même si le garçon parlait de nouveau, ça ne risquait guère d'être plus clair… Debout près de lui, la mère se tordait nerveusement les mains.

—Quand il est comme ça, souffla-t-elle, il me fait peur… Seigneur Rahl, je ne voulais pas vous déranger, et… Oh! je suis vraiment désolée!

On eût dit une femme prématurément vieillie par l'inquiétude…

—Vous ne m'avez pas dérangé, parce que c'est mon devoir… Je suis venu ici pour voir les gens qui n'ont pas pu assister au mariage, hier. Beaucoup d'entre vous ont parcouru de très grandes distances, je le sais… La Mère Inquisitrice et moi tenons à vous manifester notre gratitude. Nous sommes touchés que vous vous soyez déplacés pour fêter l'union de nos amis.

» Je n'aime pas voir des gens souffrir comme vous souffrez, votre fils et vous. Nous allons dénicher un guérisseur, pour qu'il vienne déterminer ce qui ne va pas… Qui sait, une potion fera peut-être des miracles?

La femme secoua la tête.

—J'ai consulté beaucoup de guérisseurs, mais ils sont impuissants…

—Vous en êtes sûre? demanda Kahlan. Ici, certains sont très doués, vous savez?

—Je l'ai déjà montré à une femme très puissante, loin d'ici, dans la trace de Kharga. Une Pythie-Silence…

—Une Pythie-Silence? De quel genre de guérisseuse s'agit-il?

Détournant le regard, la mère du gamin hésita un moment.

—Eh bien, c'est une femme dotée de très grands talents… Enfin, c'est ce qu'on m'a dit… Les Pythies-Silence ont des pouvoirs remarquables, et j'ai pensé qu'elle pouvait m'aider.

Mais Jit – c'est son nom, Jit – a dit qu'Henrik est « spécial ». Spécial, mais pas malade…

—Et il a souvent des crises de ce type ? demanda Kahlan.

La femme referma une main sur le devant de sa robe toute simple, torturant le tissu.

—C'est rare, mais ça arrive… Il voit des choses. À travers les yeux des autres, je crois…

Kahlan posa la main sur le front du garçon, l'y laissa un moment, puis passa les doigts dans les cheveux du petit malade.

—Et si c'était la fièvre, tout simplement ? Il est brûlant… Des cauchemars provoqués par la fièvre, oui…

La femme acquiesça.

—C'est vrai, quand il voit des choses à travers les yeux des autres, il a la fièvre et des nausées, et… (La mère d'Henrik regarda Richard.) Ce sont des prédictions, je pense… Quand il est malade comme ça, il prédit l'avenir…

Comme Kahlan, Richard penchait plutôt pour un délire induit par la fièvre, mais il le garda pour lui. La pauvre femme semblait assez bouleversée comme ça…

De plus, le Sourcier n'avait aucune affinité pour les augures, présages et autres prophéties. En fait, il les détestait autant qu'il abominait les énigmes et les charades. Selon lui, les gens faisaient toute une affaire de babillages sans intérêt…

—Le tableau n'a pas l'air si spécial que ça, se décida-t-il quand même à dire. Pour moi, c'est l'effet de la fièvre. Les enfants y sont très sensibles.

La mère d'Henrik n'en crut pas un mot, c'était visible, mais elle ne sembla pas décidée à contredire le seigneur Rahl en personne. Dans un passé somme toute récent, le maître de D'Hara était redouté de tous ses sujets, qui avaient d'excellentes raisons de ne pas le contrarier.

Comme les vieilles rancunes, les anciennes peurs avaient la peau dure.

—Il a peut-être mangé quelque chose qui ne lui a pas réussi, hasarda Kahlan.

—Non, nous avons pris le même repas, très exactement…

(La mère d'Henrik dévisagea longuement ses interlocuteurs.) Mais les molosses se sont de nouveau attaqués à lui…

— Que voulez-vous dire ? s'enquit Richard, de plus en plus perplexe.

La femme s'humecta les lèvres du bout de la langue.

— Des molosses… enfin, plutôt des chiens sauvages, sont venus rôder autour de notre tente, hier. J'étais allée acheter une miche de pain, et Henrik surveillait nos colliers de perles. Quand il a vu les chiens, il s'est caché sous la tente, mort de peur. À mon retour, j'ai vu ces sales bêtes rôder autour, tous les poils hérissés. Ces chiens reniflaient comme s'ils étaient en chasse, mais je les ai fait déguerpir avec un bâton. Et ce matin, Henrik était… comme ça.

Richard voulut dire quelque chose, mais Henrik s'assit soudain, les yeux fous, et griffa férocement l'air comme s'il était un fauve acculé par des chasseurs.

Le Sourcier se leva d'un bond, tirant sa femme en arrière. De nouveau, les soldats dégainèrent leur arme.

Vif et rapide comme un lièvre, Henrik se leva et s'enfonça dans la foule, se faufilant entre les jambes des passants. Deux soldats le prirent immédiatement en chasse, mais il se glissa sous un chariot, ressortant très vite de l'autre côté. Trop grands pour l'imiter, les deux hommes durent faire le tour du véhicule, et lui concéder ainsi dix bonnes longueurs d'avance.

Connaissant les membres de la Première Phalange, Richard ne crut pas un instant que ça suffirait à les semer.

Henrik et ses poursuivants furent bientôt hors de vue.

Baissant les yeux, Richard s'avisa que le gamin avait réussi à griffer Kahlan.

— Ce n'est qu'une égratignure, sur le dos de ma main, le rassura la Mère Inquisitrice. Je vais bien, mais sa réaction m'a surprise, c'est tout…

Richard inspecta sa propre main et vit qu'elle saignait aussi.

— Inutile de t'inquiéter pour moi non plus…, soupira-t-il.

Le capitaine de son escorte, épée au poing, vint se camper devant lui.

—Nous le trouverons, seigneur Rahl... Dans les plaines d'Azrith, il n'y a guère d'endroit où se cacher. Ne vous inquiétez pas, il n'ira pas loin...

Malgré ses propos rassurants, l'homme ne semblait pas heureux qu'on ait osé faire saigner le seigneur Rahl. Et qu'il s'agisse d'un enfant ne l'apaisait pas le moins du monde.

—Ce sont des égratignures, comme l'a dit la Mère Inquisitrice... Mais capitaine, j'aimerais que vous retrouviez ce petit...

Tous les gardes se tapèrent du poing sur le cœur.

—Considérez que c'est chose faite, seigneur Rahl..., assura l'officier.

—Parfait... Quand vous lui aurez mis la main dessus, ramenez-le à sa mère. Il y a des guérisseurs sur ce marché, parmi les colporteurs et les marchands. Choisissez-en un et voyez s'il peut aider Henrik.

Pendant que l'officier chargeait une partie de ses hommes de traquer l'enfant, Kahlan approcha de Richard et souffla :

—Il faudrait retourner au palais... Nos invités nous attendent...

Richard acquiesça puis se tourna vers la mère d'Henrik.

—J'espère que votre fils se rétablira très vite...

Sur ces mots, le Sourcier se dirigea vers l'imposant haut plateau sur lequel trônait le Palais du Peuple. Son fief, hérité en même temps que la couronne de D'Hara. Un pays, se souvint-il, dont il avait ignoré l'existence pendant presque toute sa vie. Et par bien des aspects, un empire dont il était le maître, mais qui continuait à être un mystère pour lui...

Chapitre 2

— Un sou pour te dire ton avenir, messire ?

Richard s'arrêta pour mieux regarder la vieille femme assise en tailleur à l'entrée d'un des innombrables grands couloirs du palais. Adossée à un mur, au pied d'une arche de marbre à la hauteur vertigineuse, afin de ne pas être sur le chemin des promeneurs, la femme essayait de deviner si elle venait de se gagner un client. Un baluchon reposait à côté d'elle, près de sa canne de marche. Vêtue d'une robe de laine grise très simple mais impeccable, la devineresse des rues portait un châle couleur crème pour se protéger des ultimes rigueurs de l'hiver. Si on était officiellement au printemps, les promesses du renouveau tardaient à se réaliser.

Sans doute pour se rendre présentable, la vieille femme lissa les mèches de cheveux châtain grisonnant qui ondulaient sur ses tempes. Ayant remarqué ses yeux légèrement voilés, sa façon d'incliner la tête sans river le regard sur lui et ses mouvements hésitants, Richard aurait juré qu'il avait affaire à une aveugle. Contrainte de se fier à son ouïe, elle n'avait pas pu reconnaître le seigneur Rahl et son épouse. Dans le même ordre d'idées, elle n'avait aucun moyen d'appréhender la grandeur des lieux où elle se tenait.

Non loin de l'endroit où elle était assise, une des nombreuses passerelles du palais – presque un pont, à vrai dire – traversait le couloir au niveau du deuxième étage. Des promeneurs en grande

conversation l'empruntaient dans les deux sens, indifférents à leur environnement. Accoudés à la balustrade, d'autres passants contemplaient au contraire le spectacle qui s'offrait à eux en contrebas. Plus perspicaces que la moyenne, certains ne quittaient pas du regard le seigneur Rahl, sa compagne et les gardes qui les escortaient. Parmi ces curieux, beaucoup étaient des visiteurs venus spécialement pour le mariage, et c'était la première fois qu'ils apercevaient le maître de D'Hara.

Même si le Palais du Peuple se trouvait sous un seul et unique toit – au moins en apparence –, il s'agissait en réalité d'une mégalopole construite au sommet de l'immense haut plateau qui dominait les plaines d'Azrith. S'agissant du fief ancestral des seigneurs Rahl, le complexe n'était bien entendu pas *entièrement* ouvert au public. Cela posé, des milliers de gens résidaient dans les zones accessibles à tous. Des fonctionnaires, des artisans et des ouvriers occupaient l'essentiel des habitations, les autres étant réservées aux visiteurs, dont le flot ne tarissait jamais. Un formidable réseau de couloirs reliait entre eux les divers secteurs de la gigantesque structure.

Pas très loin de l'endroit où se tenait la vieille femme, une boutique proposait des rouleaux de tissu. Au palais, les commerces occupaient depuis toujours une place de choix. Et à l'intérieur du haut plateau, sur chaque palier géant d'un incroyable escalier, à proximité des casernes et des postes de garde, d'autres échoppes offraient aux visiteurs et aux habitants du palais tout ce qu'un homme ou une femme pouvaient avoir envie d'acheter.

Sur un flanc du plateau, la rampe d'accès sinueuse que Richard et Kahlan venaient d'emprunter était la voie d'accès la plus rapide au palais. Très étroite et souvent dangereuse – il n'était pas question de faciliter la tâche à d'éventuels envahisseurs –, cette route n'était pas ouverte au public, qui devait impérativement passer par l'escalier, une fois franchies les lourdes portes d'entrée installées au pied du haut plateau. Parmi les visiteurs, beaucoup se contentaient de flâner sur le marché. Et si quelques-uns avaient le courage de gravir l'escalier jusqu'au

bout, les plus nombreux s'estimaient déjà heureux de découvrir les étages intermédiaires du complexe.

Défendu par un pont-levis, sur la rampe d'accès, puis par les fabuleuses portes, le palais était tout simplement imprenable. Au fil des siècles, tous les assaillants, soumis à de rudes conditions de vie dans les plaines d'Azrith, avaient fini par renoncer longtemps avant d'avoir réussi à affamer ou à assoiffer les assiégés. Avant de battre en retraite, quelques fous avaient tenté un assaut massif, mais sans jamais trouver le défaut de la cuirasse du fief des seigneurs Rahl.

La vieille femme, songea Richard, avait dû souffrir pour gravir les milliers de marches. Et sa cécité ne lui avait sûrement pas facilité les choses. Même s'il y avait partout des gogos prêts à se faire soutirer de l'argent en échange de prédictions douteuses, le palais devait être le vivier le plus juteux, et l'appât du gain avait dû redonner ses jambes de vingt ans à la devineresse aveugle.

Sondant le couloir devant lequel la vieille femme montait la garde, Richard tendit l'oreille, captant l'écho toujours présent des bruits de pas et des conversations. Même si elle n'y voyait pas, la devineresse pouvait certainement estimer la taille des endroits où elle évoluait. Mais leur beauté, hélas, lui resterait à tout jamais inaccessible.

Richard eut le cœur serré à l'idée de tout ce que ratait la pauvre femme. Les colonnes de marbre d'une vertigineuse hauteur, les bancs délicatement sculptés, le sol en mosaïque brillant sous la lumière du soleil dispensée par les fabuleuses fenêtres qui perçaient les murs à une impensable hauteur. À part la forêt de Hartland, dans son pays natal, Richard n'avait jamais rien vu de plus beau que le Palais du Peuple. Chaque jour, il s'émerveillait en pensant au génie qu'il avait fallu pour imaginer puis construire un tel chef-d'œuvre.

Depuis des millénaires, ce lieu merveilleux abritait des tyrans aux desseins maléfiques. Lorsque Richard y était venu pour la première fois, il en allait encore ainsi. Depuis qu'il avait pris le pouvoir, le Palais du Peuple, comme en d'autres trop rares occasions au cours de l'histoire, incarnait la volonté de paix et de prospérité du nouvel empire d'haran – mieux que cela, il en était le fer de lance!

—Un sou pour connaître mon avenir? répéta Richard.

—Un marché avantageux, non? lança la femme, très sûre d'elle.

—Tu veux dire que mon avenir ne vaut pas plus que ça? J'espère bien que si…

La vieille femme sourit et ses yeux morts se braquèrent sur Richard.

—Ça, c'est seulement si tu ne tiens pas compte des présages.

La devineresse tendit une main – une question muette fort éloquente. Richard posa sans hésiter un sou dans sa paume ouverte. Sans nul doute, la vieille femme n'avait aucune autre façon de subvenir à ses besoins. Être aveugle lui conférait un complément de crédibilité, car les gens devaient imaginer que sa «vision intérieure» était d'autant plus forte. En d'autres termes, leur crédulité était excellente pour ses affaires…

—Un sou d'argent, messire, et pas de cuivre? Je le sens au poids de la pièce… Voilà un homme qui accorde une grande valeur à son avenir.

—Et de quoi sera-t-il fait, cet avenir? demanda Richard.

Non qu'il accordât une once d'importance aux dires d'une bonimenteuse – mais par principe, il voulait avoir quelque chose en échange de son argent.

Même si elle ne le voyait pas, la vieille femme continua à le «dévisager». Soudain, son sourire s'effaça. Après une brève hésitation, elle parla enfin:

—Le toit va s'écrouler, dit-elle, l'air étonnée comme si les mots qui sortaient de ses lèvres étaient étrangers à sa pensée – très littéralement, on eût dit qu'ils lui avaient échappé.

Du coup, elle en resta muette.

Kahlan et quelques soldats levèrent les yeux vers la toiture qui recouvrait le palais depuis des millénaires. À première vue, elle semblait d'une solidité à toute épreuve.

Une étrange manière de dire la bonne aventure, pensa Richard. Mais au fond, il n'en avait rien à faire, car ce n'était pas son avenir qui l'intéressait dans cette affaire.

— Moi, je prédis que tu t'endormiras avec le ventre plein, cette nuit. Sur ta gauche, pas très loin d'ici, un traiteur vend des plats chauds délicieux. Avec un sou d'argent, tu t'offriras un festin. Prends soin de toi, gente dame, et profite bien de ton séjour au palais.

La femme sourit de nouveau – pour exprimer sa gratitude, cette fois.

— Merci, messire…

Sur ces entrefaites, la Mord-Sith Rikka déboula au pas de course et vint se camper devant son seigneur. D'un geste vif, elle envoya sa natte blonde derrière son épaule gainée de cuir marron. Habitué à voir les Mord-Sith en uniforme rouge, Richard avait du mal à se faire à ce changement de mode – un autre signe que la très longue guerre était terminée. Mais bien que sa tenue fût moins intimidante, Rikka restait impressionnante quand elle n'était pas contente du tout, comme à l'instant même. Et ça, c'était typique des Mord-Sith telles qu'on les avait toujours connues.

— Je vois qu'on ne m'a pas menti… Vous saignez… Qu'est-il arrivé ?

Rikka n'exprimait pas seulement une inquiétude légitime. À l'évidence, elle bouillait de rage à l'idée que le seigneur Rahl, l'homme qu'elle avait juré de protéger au péril de sa vie, se soit une fois de plus rué vers les ennuis. Du coup, elle exigeait de savoir ce qui était arrivé, et dans les moindres détails.

— Ce n'est rien, juste une égratignure qui ne saigne déjà plus.

Rikka baissa les yeux sur la main de Kahlan et eut une moue éloquente.

— Vous êtes obligés de tout faire en même temps, tous les deux ? J'ai toujours su que nous n'aurions pas dû vous laisser partir sans une Mord-Sith pour veiller au grain. Cara sera furieuse, et je ne vois pas comment on pourrait l'en blâmer…

Histoire d'apaiser Rikka, Kahlan lui sourit gentiment.

— Ce n'est qu'une égratignure, Richard te l'a déjà dit… Quant à Cara, je crois qu'elle a surtout des raisons d'être heureuse et épanouie, aujourd'hui…

Rikka ne daigna pas répondre à cette objection et changea de sujet :

— Seigneur Rahl, Zedd veut vous voir. Il m'a envoyée vous chercher.

— Seigneur Rahl ? s'exclama la devineresse aveugle. (Elle tira sur la jambe de pantalon de Richard.) Par les esprits du bien ! si j'avais su ! Seigneur Rahl, pardonnez-moi, je vous en prie. J'ignorais votre identité, sinon je n'aurais pas…

Richard tapota l'épaule de la vieille femme pour lui faire comprendre que ses excuses étaient inutiles.

— Rikka, mon grand-père a-t-il dit ce qu'il me veut ?

— Non, mais à sa façon de parler j'ai deviné que c'est important… Mais vous connaissez Zedd, avec lui, c'est toujours comme ça.

Kahlan ne put s'empêcher de sourire. Et Richard n'eut pas besoin d'un dessin pour comprendre ce que voulait dire Rikka.

Alors que Cara, depuis des années, assurait sa protection et celle de la Mère Inquisitrice, Rikka avait passé beaucoup de temps avec Zedd dans la Forteresse du Sorcier. Avec le temps, elle s'était habituée au péché mignon du vieil homme – croire dur comme fer que tout était urgent, dès qu'il était concerné.

À force de le fréquenter, Rikka s'était prise d'affection pour le sorcier, et elle veillait sur lui comme une mère poule. Après tout, c'était le grand-père du seigneur Rahl, et le Premier Sorcier en exercice. De plus, comme tout le monde, Rikka savait à quel point Richard tenait à lui…

— Très bien, Rikka, allons voir quelle mouche a encore piqué ce bon vieux Zedd !

Richard fit mine de s'éloigner, mais la vieille femme le retint en tirant de nouveau sur sa jambe de pantalon.

— Seigneur Rahl, je ne veux pas d'argent de votre part, surtout alors que je suis votre humble invitée en ce palais.

Reprenez votre sou et soyez assuré de mon éternelle gratitude pour ce geste généreux…

—Un marché est un marché, dit Richard, et tu ne m'as pas escroqué. Tu m'as révélé quelque chose sur l'avenir, et moi, je t'ai rémunérée…

La devineresse lâcha le pantalon du Sourcier.

—Dans ce cas, seigneur Rahl, tenez compte de ce présage, car il n'est pas mensonger.

Chapitre 3

Alors qu'elle suivait Rikka dans les couloirs privés du palais – beaucoup plus étroits que les autres et aux murs chaudement lambrissés – Kahlan repéra Zedd, debout avec Cara et Benjamin devant une fenêtre qui surplombait une petite cour intérieure formée par une saillie rectangulaire du mur d'enceinte du palais. Non loin de la fenêtre, une porte toute simple donnait accès via un escalier à cet atrium où un petit prunier poussait près d'un banc de bois posé sur un socle de pierre recouvert de lierre. Si petit que fût ce jardin, c'était un havre de paix où un peu de la lumière et de l'air du monde extérieur parvenait à s'infiltrer jusque dans les entrailles du complexe.

Kahlan se sentait beaucoup mieux depuis que Richard et elle avaient quitté les corridors et les places publiques où tous les regards étaient sans cesse rivés sur eux. Et lorsque Richard lui passa un bras autour de la taille, l'attirant vers lui un moment, elle éprouva une profonde sensation de paix. En règle générale, les deux époux évitaient les manifestations de ce genre quand ils n'étaient pas seuls – ou presque, comme en cet instant.

Resplendissante dans son uniforme de cuir blanc, sa natte blonde impeccable comme à l'accoutumée, Cara regardait par la fenêtre. Bien entendu, son Agiel pendait au bout d'une chaîne à son poignet. D'un simple mouvement, elle pouvait ainsi propulser dans sa paume cette arme à l'aspect anodin mais aux effets dévastateurs. Quand elle était de blanc vêtue, comme en ce jour, l'Agiel en cuir rouge évoquait une tache de sang sur une nappe blanche immaculée. Une simple tige de cuir, mais aussi dangereuse, et potentiellement mortelle, que la femme qui la maniait.

Son uniforme de général un rien froissé, Benjamin portait sur le côté gauche une épée à la garde d'argent étincelante. En dépit des apparences, ce n'était pas un accessoire de parade. En de multiples occasions, Kahlan avait vu cet homme combattre avec le courage et le cœur d'un lion. Dans un passé pas si lointain, c'était elle qui l'avait nommé général, et rien ne lui avait jamais fait regretter ce choix.

S'attendant à les voir en tenue décontractée, Kahlan fut un peu surprise que ses deux amis soient habillés et équipés comme si la guerre n'était pas finie. Mais pour eux, supposa-t-elle, il n'y avait jamais de raisons suffisantes pour se relâcher. Protéger Richard, le seigneur Rahl, resterait à tout jamais l'unique but de leur existence.

Assez ironiquement, l'homme sur lequel ils veillaient était au moins aussi redoutable qu'eux. Dans sa tenue de sorcier de guerre noir et or, le seigneur Rahl en imposait à tout le monde. Mais Richard n'était pas *que* le maître de D'Hara. L'Épée de Vérité qui battait sur sa hanche n'avait rien d'une arme banale et elle n'appartenait pas à un escrimeur lambda. Grâce à sa lame, le Sourcier de Vérité était un extraordinaire guerrier. Mais il avait bien d'autres cordes à son arc…

—Vous ont-ils épiés toute la nuit? demanda Zedd à Cara au moment où Richard et Kahlan arrivaient à leur hauteur.

—Je n'en sais rien, marmonna la Mord-Sith sans se détourner de la fenêtre. C'était ma nuit de noces, et j'avais d'autres préoccupations.

Du coin de l'œil, Richard vit que sa vieille amie était rouge comme une pivoine.

—C'est bien naturel, fit Zedd avec un gentil sourire.

Se tournant vers Richard et Kahlan, il les salua d'un autre sourire – mais pas très convaincant, ne put s'empêcher de noter la Mère Inquisitrice.

Sans laisser à son grand-père le temps de pérorer, Richard entra dans le vif du sujet:

—Cara, que se passe-t-il?

La Mord-Sith se retourna, un éclair de colère passant dans ses yeux.

— Quelqu'un nous a espionnés dans notre chambre !

— Tu en es sûre ?

L'expression de Richard ne trahit rien de ce qu'il pensait peut-être d'une déclaration si saugrenue. D'ailleurs, nota Kahlan, il n'avait pas exprimé de doutes, car sa question était sincère. Et la Mord-Sith, c'était tout aussi notable, n'avait pas dit que Benjamin et elle s'étaient *sentis* observés. La connaissant, Kahlan savait bien qu'elle n'était pas du genre à s'affoler pour rien.

— La journée d'hier a été riche en événements, dit Richard, et une foule de gens sont venus exclusivement pour vous voir, Benjamin et toi… (Il désigna Kahlan.) Encore aujourd'hui, quand nous sommes enfin seuls, j'ai l'impression que des centaines de regards pèsent toujours sur nous.

— Les Mord-Sith ont l'habitude d'être regardées en permanence, dit Cara, visiblement vexée qu'on puisse la croire capable d'imaginer de telles choses.

— C'est vrai, mais on les regarde toujours du coin de l'œil, à la dérobée.

— Et alors ?

— Hier, c'était différent… Cara, tu n'as pas l'habitude qu'on t'observe ainsi. Tout le monde te regardait ouvertement, et ça ne t'est jamais arrivé. Après cette expérience, ton imagination peut t'avoir joué un tour.

Cara réfléchit un moment, comme si cette possibilité ne lui avait jamais traversé l'esprit.

— Non, finit-elle par dire. Quelqu'un m'épiait, un point c'est tout !

— D'accord… Et quand as-tu eu cette impression pour la première fois ?

— Un peu avant l'aube. Il faisait encore nuit… Au début, j'ai cru qu'il y avait quelqu'un dans la chambre. Mais nous y étions seuls.

— Cara, tu es certaine que c'était toi, l'objet de l'attention de l'espion ? demanda Zedd.

Une question anodine, en apparence. Mais Kahlan devina immédiatement où le vieil homme voulait en venir.

— Vous pensez que c'était moi ? lança Benjamin, sortant de son mutisme.

Zedd riva un regard perçant sur le grand général aux cheveux blonds.

— Non, je me demandais si c'était bien vous deux qu'on épiait…

— Il n'y avait personne d'autre avec nous, marmonna Cara.

— Certes, mais vous étiez dans l'une des multiples chambres du seigneur Rahl.

La Mord-Sith comprit soudain, et son attitude changea du tout au tout. Oubliant sa colère, elle reprit son ton professionnel – un mélange de glace et de feu qui aurait fait baisser les yeux à plus d'une tête couronnée.

— Vous suggérez que quelqu'un a regardé dans cette chambre pour voir si le seigneur Rahl y était ?

Exactement l'idée de Zedd…

— Y avait-il des miroirs dans la pièce ? demanda le vieil homme.

— Des miroirs ? Eh bien, je…

— Il y en a deux, intervint Kahlan. Un miroir en pied près de la bibliothèque et un autre, plus petit, sur la coiffeuse.

La chambre était un des cadeaux de mariage offerts par Richard et Kahlan. Quand il résidait au palais, le seigneur Rahl disposait de plusieurs endroits où dormir, sans doute par souci de sécurité. Pour désorienter un éventuel tueur, il n'y avait en effet rien de mieux. Pour l'heure, Richard était très loin de connaître toutes les chambres où il pouvait se réfugier. Mais il en avait visité assez pour avoir choisi, en accord avec Kahlan, une des plus belles pour accueillir Cara et Benjamin lorsqu'ils séjourneraient au palais. Quoi de plus normal, en réalité ? Chef de la Première Phalange, Benjamin était en quelque sorte l'ange gardien du seigneur Rahl. Quant à Cara, sa plus proche garde du corps, elle était depuis longtemps devenue une amie…

En bon guide forestier, Richard estimait qu'une seule et unique chambre lui suffisait amplement. Et Kahlan partageait son opinion. De plus, ils avaient également plusieurs chambres au Palais des Inquisitrices, en Aydindril, et on leur avait aménagé des points de chute dans une multitude d'autres endroits.

De toute façon, Kahlan se fichait de l'intendance, pourvu que Richard et elle soient ensemble. Curieusement, quelques-uns de leurs meilleurs souvenirs étaient liés à la cabane des plus rudimentaires où ils avaient passé tout un été, dans les montagnes de Terre d'Ouest.

Cara s'était montrée ravie d'habiter au palais. Probablement parce que sa chambre était très proche de celle du seigneur Rahl et de son épouse.

—Pourquoi cette question sur les miroirs? voulut savoir Benjamin.

Comme son attitude, sa voix avait changé. Désormais, c'était le général responsable de la sécurité du seigneur Rahl qui parlait, et ça s'entendait.

—Eh bien, répondit Zedd, d'après ce que je sais, certains sorciers dévoyés peuvent utiliser des formes perverties de magie pour transformer les miroirs en fenêtres, ou quelque chose comme ça…

—Ce sont des racontars, demanda Richard, ou tu es sûr de tes sources?

—Des racontars…, admit Zedd avec un soupir. Mais parfois, les rumeurs ont un fond de vérité.

—Et qui peut accomplir ce genre d'exploit?

Au ton de sa voix, Kahlan sut que ce n'était plus le petit-fils de Zedd qui parlait, mais le seigneur Rahl dans toute sa puissance. La nervosité gagnait tout le monde, semblait-il, et ça n'augurait rien de bon.

—Richard, je n'en sais rien! Moi, j'en suis incapable, en tout cas. Ce pouvoir me dépasse, en postulant qu'il existe vraiment. Ce sont des rumeurs, et je n'en sais pas plus.

—Pourquoi espionner le seigneur Rahl et la Mère Inquisitrice? demanda Cara.

À l'évidence, cette éventualité lui déplaisait encore plus que l'idée d'être elle-même espionnée.

—Une excellente question, dit Zedd. Tu as entendu quelque chose?

—Non. Je n'ai rien vu et rien entendu. Mais j'ai senti que quelqu'un nous regardait.

Zedd eut une moue dubitative.

—Bon, je protégerai la chambre avec un champ de force, histoire que plus personne ne viole votre intimité.

—Ta magie est-elle efficace contre les rumeurs? demanda Richard.

Zedd se dérida enfin.

—Comment le savoir? J'ignore si ce pouvoir existe vraiment. Y avait-il ou non un espion? Au fond, personne ne peut le dire.

—Si, moi, insista Cara.

—La solution la plus simple n'est-elle pas de recouvrir les miroirs? avança Kahlan.

—Non, répondit Richard. Pour moi, il ne faut surtout pas recouvrir les miroirs. Et pas davantage protéger la chambre avec un champ de force.

—Et pourquoi donc? demanda Zedd, les poings plaqués sur les hanches.

—S'il y avait vraiment un espion, recouvrir les miroirs ou utiliser un champ de force l'empêchera de continuer à regarder.

—C'est l'idée générale, souligna Kahlan.

—Nos ennemis seront alertés et nous ne découvrirons jamais qui nous espionne.

D'un index décharné, Zedd se gratta le crâne, ébouriffant encore plus sa tignasse blanche.

—Je ne te suis plus, mon garçon…

—Si l'espion en avait après Kahlan et moi, il sait que nous n'occupions pas cette chambre hier. Si nous ne prenons aucune mesure défensive, et si Cara ne se sent pas épiée la nuit prochaine, nous serons sûrs que Benjamin et elle ne sont pas la cible de nos ennemis. Parce que ceux-ci iront regarder ailleurs pour nous trouver, Kahlan et moi…

Connaissant Richard mieux que personne, Kahlan paria qu'il avait une idée derrière la tête.

—C'est bien raisonné, concéda Cara en jouant distraitement avec la chaîne de son Agiel. Si rien ne se passe cette nuit, ça voudra dire que la Mère Inquisitrice et le seigneur Rahl étaient visés.

—Ou ça signifiera que tu as tout imaginé, crut bon de souligner Zedd.

—Comment démasquer cet espion ? demanda Benjamin, neutralisant la cinglante contre-attaque de sa femme. Qui peut avoir des pouvoirs pareils ?

—Ai-je jamais dit que ces gens existaient ? lâcha Zedd en haussant les épaules. Je n'ai pas connaissance d'une magie de ce type, j'en ai seulement entendu parler. Et je crois que nous nous laissons tous emporter par notre imagination. Ce soir, il faudra essayer d'être un peu plus objectifs, d'accord ?

—Je serai plus vigilante, souffla Cara après un moment de réflexion, mais je maintiens qu'on m'espionnait.

À l'expression de Richard, Kahlan devina qu'il était déjà en train de penser à quelque chose de différent. Ayant le même sentiment, les autres attendirent en silence qu'il s'exprime.

—L'un de vous a-t-il déjà entendu parler de la trace de Kharga ? finit-il par demander.

Chapitre 4

— La trace de Kharga? répéta Benjamin.

Crochetant son ceinturon d'un pouce, il baissa les yeux, le front plissé, et fouilla dans ses souvenirs. Alors que Zedd secouait la tête, Kahlan vit que Rikka connaissait la réponse. Mais elle se garda bien de parler, se contentant de consulter Cara du regard. Comme toutes les Mord-Sith, elle s'en remettait à son autorité implicite.

—La trace de Kharga se trouve dans les Terres Noires, annonça l'épouse de Benjamin.

Richard capta le subtil changement de ton de son amie. Intrigué, il tourna les yeux vers elle.

—Où ça?

—Les Terres Noires, une région reculée de D'Hara… Au nord-est d'ici.

—Pourquoi ce nom?

—La plus grande partie de cette région est hors de portée de la civilisation… C'est comme le Pays Sauvage chez vous… Une contrée isolée et inhospitalière. Mais ce ne sont pas de vastes plaines stériles, chez nous. Dans les Terres Noires, les montagnes hostiles alternent avec les forêts insondables. Du coup, il est impossible d'entrer en contact avec les tribus isolées, voire simplement de les localiser. En revanche, lorsqu'on s'aventure dans cette région, les indigènes risquent toujours d'apparaître par surprise…

Cara parlait sur son ton « professionnel », celui qu'elle adoptait toujours lorsque le seigneur Rahl lui demandait un rapport circonstancié. Mais quelque chose dans sa voix donnait la chair de poule…

— Là-bas, le ciel est plombé presque en permanence. Dans les Terres Noires, on voit rarement le soleil, et je crois que c'est de là qu'elles tirent leur nom.

Pour que Cara dise « je crois », songea Kahlan, il fallait qu'elle ait de sérieux doutes sur ses propos – comme si ce nom pouvait avoir des origines bien différentes, et pas rassurantes du tout.

— Mais des gens civilisés y vivent, dit Richard, puisque c'est une partie de D'Hara.

— Oui, acquiesça Cara. Dans la province de Fajin, où se trouve Saavedra, une sorte de capitale administrative, il y a des petites villes de-ci de-là dans les vallées et même des villages de montagne. Au-delà de ces avant-postes de la civilisation s'ouvrent des terres de ténèbres et de solitude. Les gens ne s'éloignent jamais beaucoup des agglomérations, et quand ils s'y risquent, ils suivent les rares pistes balisées. On ne connaît pas grand-chose sur cette région, parce que le commerce y est inexistant. En partie parce qu'il n'y a rien à acheter là-bas, et personne à qui vendre quoi que ce soit…

— En partie ? répéta Richard. Quelles sont les autres raisons ?

— Les gens qui s'aventurent dans les Terres Noires en reviennent rarement… Même quand ils prennent toutes les précautions requises. De temps en temps, les natifs qui savent ne pas s'écarter des pistes et qui s'enferment chez eux la nuit disparaissent également.

— Que peux-tu me dire sur les causes de ces disparitions ?

— Pas grand-chose… Ces terres sont le royaume de la superstition, des arcanes maléfiques et des bouches cousues. Les gens ne parlent pas de ce qui les effraie pour éviter d'attirer le malheur sur eux.

Richard ne se contenta pas de cette explication.

—Cara, les superstitions n'ont jamais fait disparaître personne.

La Mord-Sith soutint bravement le regard de son seigneur.

—Selon certaines rumeurs, des charognards venus du royaume des morts chassent dans les Terres Noires.

Un lourd silence suivit cette sinistre déclaration.

—Dans les Contrées du Milieu, dit enfin Zedd, il y a des endroits comme celui-là. Dans certains cas, il s'agit de superstition, c'est vrai. Mais dans d'autres, les rumeurs n'en sont pas, si vous voyez ce que je veux dire.

Originaire des Contrées, Kahlan comprit parfaitement de quoi parlait le vieil homme.

—Eh bien, il en va de même pour les Terres Noires, dit Cara. Mais chez nous, les régions sauvages sont plus grandes et plus inaccessibles que chez vous. Dans les Terres Noires, si on a des ennuis, inutile d'espérer l'aide de quiconque.

—Y a-t-il seulement des habitants ? demanda Kahlan.

—Si cruelle, si hostile et si perdue que soit une terre, elle reste une patrie pour ceux qui y sont nés. La plupart des gens ne s'éloignent jamais beaucoup de ce qu'ils considèrent comme leur foyer. Parce qu'ils ont peur, ou parce qu'ils ne savent rien du monde qui les entoure.

—Cara a parfaitement raison, intervint Richard. N'oublions pas non plus que les habitants des Terres Noires ont combattu à nos côtés contre la tyrannie. Et ils ont subi des pertes cruelles.

—Exact, confirma Cara. Je connais quelques soldats de la province de Fajin, et ils se sont battus dignement. Cela dit, aucun ne venait de la trace de Kharga. D'après ce qu'on m'a dit, cette région est encore plus inhospitalière que le reste des Terres Noires. Très peu de gens y habitent – si toutefois on y rencontre âme qui vive. Et personne n'a de raisons de s'y aventurer.

—D'où tires-tu tant d'informations sur les Terres Noires ? demanda Kahlan.

—Je n'en sais pas si long que ça, en réalité… Darken Rahl y avait de sombres alliances, et c'est pour ça que j'en ai entendu parler. En ma présence, il a dû mentionner une fois ou deux la trace de Kharga… (Cara secoua la tête pour en chasser de très mauvais souvenirs.) Les Terres Noires convenaient très bien à sa nature profonde et à celle de son père. Tous les deux étaient brutaux et régnaient par la peur sur les populations de ces lointaines contrées. Mon ancien maître disait souvent qu'il n'y avait pas d'autre moyen de « tenir » les Terres Noires.

» Comme son père, il chargeait parfois une Mord-Sith de rappeler à ces gens la « loyauté qu'ils devaient à D'Hara ».

— Tu y es donc allée ? demanda Richard.

— Non, jamais… À ma connaissance, aucune Mord-Sith encore vivante aujourd'hui n'y a été. (Le regard de Cara s'assombrit.) Plusieurs « émissaires » de Darken Rahl n'en sont jamais revenues. (Elle tourna la tête vers Richard.) Le plus souvent, il envoyait Constance.

Le Sourcier soutint en silence le regard de son amie. Lors de son incarcération au palais, il avait eu la malchance de connaître Constance. Et il avait même fini par la tuer…

Depuis la fin de la guerre, Richard et Kahlan avaient appris quelques petites choses sur D'Hara, mais il restait encore beaucoup de zones d'ombre. Ce très grand pays comptait une multitude de villes dont ils avaient longtemps ignoré jusqu'au nom. Et certaines régions, comme les Terres Noires, justement, étaient si solitaires qu'elles se gouvernaient pratiquement toutes seules.

— La plupart des gouverneurs de province et des dirigeants de grande ville sont ici, dit Benjamin. Si lointaines et si primitives que soient certaines régions du pays, aucune, ou presque, ne se serait permis de refuser une invitation du seigneur Rahl en personne. Si vous le désirez, nous pourrons interroger ces gens sur la trace de Kharga.

Richard acquiesça distraitement. À l'évidence, il était déjà passé à l'inconnue suivante de sa complexe équation intérieure.

— Richard, dit Zedd alors que les autres respectaient un silence religieux, j'ai entendu dire que tu avais un grand projet au sujet des livres du palais.

—Nous allons les classer, répondit Kahlan quand il devint évident que le Sourcier n'avait pas entendu la question.

—Les classer?

—Oui, fit Richard, qui avait bien entendu, finalement. Nous avons des milliers de livres, et il est quasiment impossible de trouver une information quand nous en avons besoin. Je n'ai même pas la possibilité de savoir si les réponses à mes questions se trouvent dans une de nos bibliothèques. Et personne ne sait ce qui se trouve sur les rayons.

» J'ai donc décidé de faire classer et indexer les ouvrages. Sachant qu'elle lit le d'haran et qu'elle connaît déjà très bien les bibliothèques, j'ai chargé Berdine de cette mission. Et Nathan l'assistera.

Zedd ne cacha pas son scepticisme.

—Richard, c'est un travail de titan. Même avec l'aide du prophète, je doute que ce soit réalisable. Mon garçon, il faudrait que je voie ce que tu fais et comment tu t'y prends.

—Pourquoi pas? Viens avec moi, je te conduirai dans une des plus grandes bibliothèques, où Berdine s'est déjà mise au travail. J'avais l'intention d'y aller pour vérifier quelque chose…

Vérifier quoi? Kahlan aurait donné cher pour le savoir. Alors que tout le monde se mettait en mouvement, elle prit Cara par le bras pour la retenir. À pas très lents, elles suivirent les autres, donnant l'impression de vouloir parler du mariage ou de la nouvelle vie d'épouse de Cara. À la connaissance de Kahlan, c'était une première pour une Mord-Sith. Avant l'avènement de Richard, l'idée qu'une femme en rouge fonde une famille aurait paru ridicule.

—Qu'y a-t-il? souffla Cara.

Kahlan jeta un coup d'œil devant elle. Richard, Zedd, Benjamin et Rikka avaient pris de l'avance, et ils étaient plongés dans une grande conversation. De plus, les riches tapis étouffaient l'écho des voix autant que celui des pas.

—Quelque chose est en cours… J'ignore quoi, mais quand Richard a le mors aux dents, je m'en aperçois tout de suite.

—Qu'attendez-vous de moi?

— Je veux qu'une Mord-Sith veille sur lui en permanence.

— Mère Inquisitrice, j'ai pris cette décision dès que Zedd a évoqué la possibilité que l'espion ait cherché à épier le seigneur Rahl…

Soulagée, Kahlan sourit et tapota l'épaule de Cara.

— Ravie de voir que le mariage n'a pas émoussé tes réflexes.

— Ni les vôtres, dirait-on… Que se passe-t-il ?

— Ce matin, un gamin brûlant de fièvre a dit à Richard que les ténèbres sont partout dans le palais. Pour moi, il délirait, mais je sais que Richard l'a pris au sérieux.

» Un peu plus tard, une devineresse a prétendu que le « toit va s'écrouler ». Et pour finir, il y a cet espion qui regardait dans votre chambre…

— Et selon vous, qu'en a conclu le seigneur Rahl ?

Après un bref relâchement, le jour de ses noces, Cara en était revenue à ses habitudes : parler du « seigneur Rahl » et de la « Mère Inquisitrice », et les vouvoyer tous les deux.

— Eh bien, le connaissant, je crois qu'il pense en avoir déjà fini avec la paix…

— Je savais bien que j'aurais dû mettre mon uniforme rouge, ce matin…

— Inutile de s'affoler, cela dit… Je suis prudente, c'est tout. Richard n'a quand même pas raison à tous les coups.

— Mère Inquisitrice, quand le seigneur Rahl est dans cet état, les ennuis ne tardent jamais à arriver.

— Tu marques un point, je dois l'admettre…

Chapitre 5

Alors que Zedd faisait les cent pas dans la grande bibliothèque, en prenant la table en chêne pour point d'ancrage, Kahlan remarqua que sa longue tunique s'enroulait autour de ses jambes étiques chaque fois qu'il faisait demi-tour. Derrière les fenêtres placées en hauteur, au niveau de la promenade qui faisait le tour de la salle, la Mère Inquisitrice vit que le ciel s'assombrissait à vue d'œil. Alors que le temps était radieux le matin, des giboulées menaçaient à présent de gâcher la fête.

Au niveau du sol de la bibliothèque, en quelque sorte le premier étage, il n'y avait aucune fenêtre. Une configuration étrange pour une salle toute en longueur qui devait se trouver sous le Jardin de la Vie, si le sens de l'orientation de Kahlan ne la trompait pas. Mais quand on avait affaire à un complexe si « biscornu », il n'était jamais simple de se repérer.

Dans un coin, Nathan était adossé à une colonne de marbre encore plus large que ses épaules pourtant impressionnantes. Avec sa chemise à jabot, ses cuissardes et sa cape verte attachée sur une seule épaule – sans parler de l'épée qui battait son flanc –, il ressemblait plus à un aventurier qu'à un prophète. Pourtant, il était le plus grand prophète vivant… Profitant de la lumière d'une lampe à réflecteur fixée à la colonne, il étudiait un ouvrage avec une concentration absolue.

Devant Kahlan, des piles de livres, certaines bien ordonnées et d'autres non, s'alignaient sur toute la longueur de la table.

Des parchemins, des lampes, des encriers, des plumes et des chopes vides occupaient le peu d'espace non envahi par des volumes. La lumière du jour ne parvenant pas jusqu'à ce secteur de la bibliothèque, des dizaines de lampes y brûlaient en permanence. Tout autour, la pénombre régnait, à cause du ciel de plus en plus noir.

En uniforme de cuir marron, Berdine, comme tous les autres, regardait le vieux sorcier faire la navette entre la table et le mur du fond de la salle. Bien qu'elle ait les yeux bleus, comme Cara, Berdine avait des cheveux châtains – une rareté parmi les Mord-Sith. Elle était également plus petite et un rien plus enveloppée que ses collègues.

Contrairement à celles-ci, elle était fascinée par les livres. En de multiples occasions, elle avait été d'un grand secours pour Richard, trouvant des informations utiles dans une véritable montagne d'ouvrages. Cela dit, malgré son goût pour le savoir et la culture, la « douce » Berdine était aussi redoutable que Cara et les autres Mord-Sith.

Zedd finit par s'arrêter de marcher.

— Je ne suis pas convaincu que ça fonctionnera, Richard! Efficacement, en tout cas… Pour commencer, il y a plusieurs méthodes pour classer des livres. Ensuite, que feras-tu de ceux qui abordent plusieurs sujets? Imagine qu'un ouvrage parle d'une ville construite au bord d'une rivière. Si tu l'indexes dans la section « Cités », comment sauras-tu qu'il contient au sujet de la rivière les informations que tu cherches?

Le vieil homme regarda autour de lui et soupira.

— J'étudie des grimoires depuis mon plus jeune âge, et je peux te dire, mon garçon, qu'il est impossible de les ranger dans une catégorie bien précise. La plupart du temps, en tout cas…

— Nous avons pensé à cette difficulté, dit Richard, faisant montre d'une patience infinie.

Exaspéré, Zedd se campa devant une pile de livres de guingois, regarda l'ouvrage du dessus, réfléchit quelques instants, s'en empara et le brandit sous le nez du Sourcier.

— Et il y a les volumes comme celui-là! Comment classer un texte qui n'a ni queue ni tête?

— De quel livre s'agit-il? demanda Berdine, visiblement moins calme que son seigneur.

Zedd baissa les yeux sur le titre.

— *Regula*, soupira-t-il, l'air accablé. (Il feuilleta l'ouvrage et secoua la tête.) J'ignore ce que veut dire ce titre, et après consultation rapide, je ne saurais dire de quoi traite ce livre!

Quand le vieil homme tendit l'ouvrage à Berdine, Kahlan aperçut le dos et vit qu'un symbole figurait sous le titre. Un cercle contenant un triangle, distingua-t-elle en plissant les yeux. Dans le triangle était niché un symbole qu'elle n'avait jamais vu de sa vie. Il aurait pu s'agir d'un neuf, mais il était à l'envers – sur un plan horizontal, bien sûr, car sur un plan vertical, on aurait tout simplement eu un six.

— Ce livre-là? s'exclama Berdine. (À son tour, elle tourna quelques pages.) Certaines parties sont en haut d'haran et d'autres non. Je pense qu'il s'agit d'un lexique.

Zedd plissa le front de perplexité.

— Mais encore?

— Eh bien, je comprends tout ce qui est en haut d'haran, mais le reste… Vous avez vu toutes ces lignes ondulées et ces symboles?

— Si tu as des doutes sur la nature de cet ouvrage, comment peux-tu avoir la prétention de le classer?

Richard posa une main apaisante sur l'épaule de son grand-père.

— Il sera ajouté sur la liste des livres que nous ne comprenons pas, voilà tout. Une catégorie appelée « Textes inconnus ».

— Eh bien, je reconnais que c'est logique, mon garçon.

— Seigneur Rahl, intervint Berdine, ce n'est pas la bonne catégorie. Comme je l'ai déjà dit, je crois qu'il s'agit d'un lexique.

— Un lexique? répéta Zedd. Avec des symboles bizarres partout, et pas des mots?

— Je sais, c'est étrange… (Berdine chassa de son front une mèche de cheveux vagabonde.) Je n'ai pas passé beaucoup de temps dessus, mais je postule que ces symboles sont une ancienne forme d'écriture. Dans un grimoire, j'ai vu qu'on l'appelait le langage de la Création.

— Bref, marmonna Zedd, le genre d'ouvrages qui irait très bien dans la catégorie « Textes inutiles ». Et à voir comment sont parties les choses, j'ai bien peur que ça vous arrive plus d'une fois. Tant de travail pour ça…

— Zedd, dit Richard, nous avons parfois eu de gros ennuis faute d'avoir pu trouver à temps les réponses à nos questions…

» Par le passé, des scribes spécialisés devenaient en quelque sorte les index vivants des grandes bibliothèques. D'après ce que j'en sais, ils se concentraient sur certains types de livres ou sur des secteurs bien précis d'une bibliothèque. En cas de besoin, ils pouvaient orienter les recherches en indiquant dans quelle gamme d'ouvrages on était susceptible de trouver des réponses à des questions spécifiques. Sans ces érudits, les trésors de connaissances des bibliothèques sont pratiquement inaccessibles. Nous devons remédier à ce problème. Depuis ta dernière visite, nous avons entrepris un grand recensement, avec à l'esprit la création d'un précieux index qui jouera peu ou prou le rôle des scribes.

Zedd désigna la table.

— Le résultat, ce sont ces dizaines de parchemins couverts de pattes de mouche ?

— Pour le moment, oui… Je préfère déplacer les ouvrages le moins possible. Après tout, nous ignorons pourquoi on les a rangés dans une salle précise, voire sur un rayonnage particulier. À part les grimoires les plus dangereux, conservés dans des bibliothèques interdites au public, je n'ai jamais eu l'impression que les livres étaient entreposés ici ou là pour une raison bien déterminée. Mais ça ne veut pas dire qu'il n'y en a pas. Tant que je n'aurai aucune certitude, je préfère éviter d'éventuels problèmes…

» Du coup, nous établissons une fiche pour chaque livre, avec son titre, l'endroit où il est rangé et un résumé de ce qu'il contient. Ainsi, nous indexons des fiches plutôt que des volumes, et c'est beaucoup plus pratique.

» Pour reprendre ton exemple de tout à l'heure, un tel livre serait classé dans la catégorie « Cités », mais une copie de sa fiche figurerait également dans la catégorie « Rivières ». Ainsi, le risque de perdre des informations diminue.

Zedd jeta un regard circulaire sur les rayonnages qui s'alignaient dans la salle. Cette bibliothèque contenait des milliers de titres, et il y en avait une multitude d'autres au palais.

—Ce sera vraiment un travail de titan, mon garçon…

—Jusque-là, nous disposions d'un trésor que nous ne pouvions pas exploiter. Au lieu de me lamenter, j'ai trouvé une solution. Si tu as une meilleure idée, je t'écoute.

Zedd réfléchit quelques instants.

—Non… Je dois avouer que ta théorie est convaincante. En fait, j'ai fait la même chose, jadis, mais à une bien plus petite échelle.

—Dans l'Enclave du Premier Sorcier, à la forteresse… Je me rappelle qu'il y avait des piles de livres un peu partout.

Zedd sembla s'immerger dans ses souvenirs.

—J'ai fait des piles avec les livres dont je pensais avoir besoin. J'avais même l'ambition de créer des rayonnages spéciaux. C'est resté au stade du projet, et il y avait beaucoup moins d'ouvrages qu'ici. Maintenant que la guerre est finie, je pourrai m'y remettre, une fois de retour en Aydindril.

—Le seigneur Rahl nous a dit de commencer ici, intervint Berdine, parce qu'on n'y trouve pas de livres particulièrement rares ou précieux. Darken Rahl ne venait pratiquement jamais dans cette bibliothèque, quand il régnait sur D'Hara. J'en ai déduit que les ouvrages ne sont pas très importants…

—À ta connaissance, souligna Zedd. C'est un peu juste pour affirmer qu'il n'y a pas ici de textes précieux ou… dangereux.

—C'est vrai, concéda Berdine. Mais d'autres bibliothèques sont pleines d'ouvrages dangereux, et ça, nous le savons avec une absolue certitude.

—Nous avons pensé que c'était idéal pour nous faire la main, dit Richard, avant de passer aux choses sérieuses. Et s'il y a quand même des textes importants ici, nous le saurons grâce

39

à nos fiches. Quand ce travail sera achevé, nous connaîtrons la localisation exacte de chaque livre conservé au palais.

—Un beau projet, souffla Zedd, qui semblait s'être calmé.

—Donc, reprit Richard, quand nous tombons sur un livre comme *Regula*, nous l'enregistrons dans la catégorie «Textes inconnus». Ou pour cet exemple précis, dans «Lexiques», si Berdine a raison…

—En fait, seigneur Rahl, dit la Mord-Sith, cet ouvrage ne correspond à rien que j'aie jamais vu. J'avais l'intention de vous en parler… Ce n'est pas vraiment un lexique non plus…

—Tu as pourtant dit le contraire.

—Je sais, mais je ne peux pas le classer dans cette catégorie.

—Pourquoi donc ?

—Eh bien, c'était mon intention, au début, mais j'ai des doutes, désormais.

—Berdine, j'ai du mal à te suivre.

La Mord-Sith ouvrit le livre sur la table et regarda Richard comme si elle allait lui confier quelque commérage croustillant.

—Ce n'est pas la couverture originale. Ce livre a été rhabillé…

Zedd, Kahlan et même Cara se penchèrent un peu pour mieux voir.

—Comment le sais-tu ? demanda Richard, son intérêt ravivé.

—Pour un expert, il est facile de voir que la reliure a un défaut. Il manque la plus grande partie de l'ouvrage, et le relieur n'a fait aucun effort pour le cacher.

Richard se pencha un peu plus.

—Tu es sûre de ce que tu dis ?

—Certaine ! (La Mord-Sith alla jusqu'à la dernière page du livre et la désigna de l'index.) Vous voyez ce texte entièrement en haut d'haran ? Il précise qu'un grand nombre de pages manquent, et que c'est volontaire.

Richard s'empara de l'ouvrage, lut le texte en question… et blêmit.

—Qu'est-ce que ça dit ? demanda Kahlan.

— Le reste du livre a été mis en sécurité dans un endroit nommé *Berglendursch ost Kymermosst*. Cet exemplaire incomplet sert à signaler l'existence de l'ouvrage.

Kahlan n'eut pas besoin de plus d'explication. *Berglendursch ost Kymermosst* était en haut d'haran le nom du mont Kymermosst, où le Temple des Vents se dressait à l'origine.

Parce qu'il contenait trop d'artefacts et de sorts dangereux, le temple, trois mille ans plus tôt, avait été transféré dans le royaume des morts, afin que plus personne ne puisse y entrer. Au fil des millénaires, certains sorciers ou aventuriers avaient quand même tenté de s'y introduire. Aucun n'avait survécu.

À part Richard.

Traversant le royaume des morts, il avait été le premier, en trente siècles, à franchir le seuil du temple.

Plus tard, lorsqu'il avait libéré le pouvoir des boîtes d'Orden pour mettre un terme à la guerre, le Sourcier avait du même coup neutralisé des multitudes de pièges et de chausse-trappes responsables du décès de milliers d'innocents. Dans la foulée, il avait aussi ramené le Temple des Vents sur sa localisation d'origine, au sommet du mont Kymermosst.

Chapitre 6

—**A**u moins, fit Zedd, brisant un lourd silence, tu sais où est la partie manquante. (Il fronça ses sourcils broussailleux.) Quand tu m'as annoncé avoir ramené le temple dans ce monde, tu as dit que toi seul pouvais y entrer. C'était la vérité, j'espère ?

Kahlan eut le sentiment qu'il s'agissait d'un ordre plus que d'une question.

Malgré la tension de son grand-père, Richard parut soudain beaucoup moins anxieux.

—C'est vrai comme verrue de verrat ! Quoi que contiennent les pages manquantes, il n'y a aucun risque… (Avec un soupir, le Sourcier referma l'énigmatique ouvrage.) Berdine, tu peux le classer dans la catégorie des « Textes inconnus ». Précise qu'on le trouve dans cette bibliothèque… et dans le Temple des Vents.

Comme s'il voulait réserver le temple pour une conversation privée qu'il entendait avoir plus tard avec Richard, Zedd se tourna vers Berdine :

—Ainsi, tu fais une fiche pour chaque livre ?

La Mord-Sith s'empara d'une impressionnante liasse de feuilles de parchemin.

—Chaque feuille représente un livre… Cette pile est exclusivement composée de grimoires de prophéties. Nous mentionnons le titre et le sujet de l'ouvrage, chaque fois que c'est possible.

—Ainsi, nous aurons un index pratique et maniable. Une sorte de bibliothèque virtuelle, si tu préfères. Je doute que les prophéties nous servent un jour à quelque chose, mais si je devais me tromper, nous saurons où les trouver et de quoi parle chacune.

Sur ce dernier point, Kahlan avait plus que des doutes. La plupart des prédictions, volontairement ambiguës, n'avaient pas de sujets clairement identifiables. Avant d'être devenus une sorte de race en voie d'extinction, les prophètes arpentaient le monde par dizaines, et ils se contentaient de consigner par écrit les prédictions qui leur venaient au hasard, sans chronologie ni logique. En conséquence, leurs œuvres étaient le royaume du désordre et de la fantaisie – à première vue, en tout cas.

De toute façon, elles étaient destinées à d'autres prophètes. Quelqu'un qui n'avait pas le don était incapable de déchiffrer ces augures, même s'il comprenait tous les mots. Au bout du compte, la formulation n'avait guère d'importance. L'essentiel, c'étaient les visions qu'un présage évoquait chez les autres prophètes.

—Je suis ici pour examiner tous les recueils de prophéties et déterminer leur sujet, quand cette notion s'applique…, dit Nathan. Ayant passé ma très longue vie à lire des prédictions, je connais déjà tous ces ouvrages, bien entendu. Le plus souvent, la description sera très succincte, du genre «Augures et présages divers», mais il est quand même très pratique d'avoir un index.

—L'aide de Nathan m'est très précieuse, dit Berdine. Je suis ignare en prophéties, alors, avoir la prétention de les classer…

Richard croisa les bras et cala une hanche contre un montant de la table.

—Puisqu'on en parle, Nathan, je viens de rencontrer une vieille devineresse…

Et voilà, songea Kahlan, *nous entrons dans le vif du sujet…*

—Était-elle aveugle?

—Oui.

—C'était Sabella… Je la connais, et ce n'est pas une bonimenteuse.

—Faut-il comprendre qu'elle prédit vraiment l'avenir des gens?

Le prophète leva une main, écartant très légèrement le pouce et l'index.

—Pas plus que ça, pour tout dire… Elle a une étincelle de don, rien de plus. Pour l'essentiel, elle enjolive les choses, histoire de raconter aux gens ce qu'ils ont envie d'entendre. C'est son gagne-pain, après tout… Son génie, c'est de « prédire » les événements les plus probables comme si elle en avait eu connaissance dans une vision. Par exemple, à une jeune femme, elle parlera d'un mariage à venir. Pas un trop gros risque, puisque presque toutes les femmes se marient.

» Mais tout n'est pas de cette eau-là… Sinon, Richard, je t'aurais parlé d'elle. Comme moi, je suis sûr que tu détesterais savoir que des charlatans sévissent au palais, escroquant les gogos.

Unique prophète encore en vie, Nathan était très sourcilleux dès qu'on s'en prenait à la réputation de son art. Si Richard se méfiait des prédictions, son lointain ancêtre y croyait dur comme fer. Pour lui, les réticences du Sourcier – ce qu'il nommait son libre arbitre – assuraient simplement l'équilibre dont toutes les formes de magie avaient besoin.

—Y a-t-il au palais d'autres « devins » qui ont une once de talent pour les prédictions? Tous les êtres vivants ont une étincelle de don, sinon, la magie n'aurait aucun effet sur eux. C'est la même chose pour les prophéties…

Nathan haussa les épaules.

—Tout le monde a un jour pensé à un ami ou un être aimé depuis longtemps perdu de vue. Peut-être à cause d'un désir inconscient de revoir cette personne… Et la personne en question se révèle être malade ou peut-être même morte très récemment. Il arrive aussi qu'on pense à une connaissance qu'on croyait avoir oubliée, et qu'elle frappe à la porte l'instant d'après…

» Ces « pressentiments » sont fréquents, et il s'agit d'une catégorie mineure de prophéties. Parce que tous les êtres ont une étincelle de don, comme tu viens de le rappeler, il arrive qu'un individu ordinaire produise un véritable présage.

» Chez certains sujets, l'étincelle est plus vive, sans qu'ils aient pour autant le don. Chez eux, les prémonitions sont relativement fréquentes. Même s'il ne s'agit pas d'authentiques prédictions, ces gens ont la capacité de voir ce que j'appellerais une « ombre du futur ». Les personnes comme Sabella sont assez perceptives pour avoir conscience de ce qui se passe en elles... et en tirer profit.

— Et vous connaissez d'autres cas au palais ?

— Bien entendu ! Une femme qui travaille aux cuisines a très souvent des prémonitions mineures. Je connais aussi Lauretta, qui travaille chez un boucher. Elle aussi a un petit talent de devineresse. À vrai dire, elle me harcèle pour que je te convainque d'aller la voir, Richard. Elle prétend avoir des augures à te révéler.

— Pourquoi ne m'en avez-vous pas parlé ?

— Richard, chaque jour, dix personnes me pressent d'user de mon influence auprès de toi pour leur obtenir une faveur. Ils veulent que tu les choisisses comme fournisseurs du palais, que tu leur accordes une audience, ou même que tu viennes boire un verre chez eux afin qu'ils te donnent leur avis sur des sujets « importants ». J'essaie de t'épargner de perdre du temps, mon garçon. Lauretta est une brave femme, mais un peu bizarre, il faut l'avouer...

— Je vois ce que vous voulez dire..., soupira Richard. J'ai souvent affaire à des « originaux » de ce genre...

Selon Kahlan, Richard était bien trop patient avec les importuns. Il leur consacrait trop de temps qu'il aurait pu utiliser pour des choses bien plus importantes. Mais c'était sa nature, tout simplement. Il s'intéressait à tout, y compris à la vie et aux soucis des gens. En cela, il ressemblait à Zedd. Et même si ça lui tapait parfois sur les nerfs, Kahlan l'aimait en partie à cause de son ouverture d'esprit.

— Alors, demanda Nathan, que t'a dit Sabella ?

Richard regarda longuement dans le vide avant de se tourner vers le prophète.

— Elle a prédit que le toit va s'écrouler.

Nathan en resta un long moment muet.

—C'est une prédiction bien trop précise… Au-delà de ses compétences.

—Pourtant, c'est ce qu'elle a dit… Vous êtes sûr que ça la dépasse ?

—Certain, oui.

—Et cette prophétie vous dit quelque chose ?

Un moment, Kahlan crut que le prophète ne répondrait pas. Mais il finit par se décider :

—Non, pas vraiment, je l'avoue…

—Si c'est le cas, pourquoi cet air sinistre, Nathan ? Et pourquoi dire que ça dépasse Sabella ? Comment savez-vous que c'est un vrai présage, pas une fantaisie qu'elle a inventée en échange d'une pièce ?

Nathan prit la liasse de feuilles que tenait toujours Berdine.

—Dans cette bibliothèque, la majorité des livres a peu d'intérêt. (Il feuilleta les fiches.) Comme je l'ai déjà dit, je connais tous les recueils de prophéties. Les ouvrages que nous avons ici sont presque tous, les recueils compris, des copies qu'on trouve dans une multitude d'autres bibliothèques. (Nathan sortit une fiche de la liasse.) Celui-là est l'exception qui confirme la règle. Un ouvrage très spécial, vraiment.

—Qu'a-t-il de si particulier ?

Le prophète tendit le livre au Sourcier.

—Pas grand-chose, en tout cas jusqu'à aujourd'hui…

Richard étudia la fiche.

—*Notes sur la fin*… Un bien étrange titre. Que veut-il dire ?

—Les avis divergent… C'est un très ancien ouvrage. Certains érudits pensent qu'il contient des fragments de prophéties perdues au fil des âges. Mais d'autres affirment qu'il recense des notes sur la fin, exactement comme l'annonce son titre.

—La fin ? La fin de quoi, Nathan ?

—La fin des temps, mon garçon…

—Rien que ça… Et qu'en pensez-vous ?

—C'est là que ça devient étrange. Je ne sais qu'en penser… Quand je lis une prophétie, une vision m'indique très souvent sa véritable signification. Mais ce recueil est différent. Je l'ai consulté assez souvent, sans jamais avoir l'ombre d'une vision. Et je ne suis pas le seul dans ce cas. Si on se dispute sur le sens de son titre, c'est parce que d'autres prophètes ont eu les mêmes difficultés. Eux aussi n'ont rien « vu » en le lisant.

— La réponse paraît simple, intervint Cara. Ces fragments ne sont pas des prédictions, et voilà tout. Si un prophète tel que vous ne « voit » rien, c'est qu'il n'y a rien à voir.

Nathan ne put s'empêcher de sourire.

— Pour quelqu'un qui ne connaît rien à la magie, tu fais montre d'une grande clairvoyance. Beaucoup d'érudits partagent ton avis. Pour eux, ce sont des phrases sans queue ni tête et le livre n'est qu'une mystification. (Le prophète se rembrunit.) Hélas, cette théorie a un défaut…

— Lequel ? demanda Richard, devançant Cara.

— Je vais vous montrer, mes amis.

Alors que Rikka restait près de la porte, s'assurant que personne n'entrerait, Richard, Kahlan, Zedd, Cara, Benjamin et Berdine suivirent Nathan jusqu'au fond de la salle, où il tira très vite un livre d'un somptueux rayonnage en chêne massif.

— Le voici ! annonça-t-il en brandissant triomphalement un ouvrage.

La preuve que la méthode de classement fonctionnait !

Feuilletant le livre, il l'ouvrit en grand, le tendit à Richard et tapota de l'index la page de droite.

Le Sourcier parut ne pas en croire ses yeux.

— Un problème ? finit par demander Kahlan.

— Ça dit : « Le toit va s'écrouler »…, murmura Richard.

— La même prédiction que celle de la vieille femme ? Et que raconte la suite ?

— Rien, parce qu'il n'y en a pas. C'est la seule phrase de la page.

Nathan regarda tour à tour ses compagnons.

— C'est une prophétie fragmentaire.

Richard baissa de nouveau les yeux sur le livre. Alors que Benjamin ne cachait pas sa stupéfaction, Zedd arborait un visage de marbre et Berdine laissait filtrer une évidente inquiétude.

— Une prophétie fragmentaire? fit Cara en relevant le menton.

— Une prédiction si concise qu'elle passe pour un fragment... En général, les prédictions sont beaucoup plus longues et bien moins explicites.

Richard releva la tête.

— Ou alors, c'est de la poudre aux yeux!

— Plaît-il? s'indigna Nathan.

— Quelqu'un qui a voulu se donner de l'importance en écrivant des fausses prédictions qui semblent plus vraies que nature.

— Je ne te suis pas, mon garçon, marmonna Nathan.

— De quand date ce livre?

— Je n'en suis pas bien sûr, mais la prophétie remonte à des milliers d'années, au minimum.

— Et au cours des millénaires, combien de toits se sont écroulés, selon vous? Cette annonce est impressionnante, c'est vrai, mais au fond, ça revient à prédire, un jour de grand soleil, qu'il finira tôt ou tard par pleuvoir. Le genre d'augure qui ne risque pas d'être démenti, non? Dans le même ordre d'idées, l'étonnant aurait été qu'aucun toit ne s'écroule en si longtemps.

— Je souscris à cette explication, fit Cara, ravie que son seigneur ait tordu le cou à une prophétie.

— C'est logique, concéda Nathan, mais ça ne marche pas.

— Et pourquoi donc? demanda Richard en lui rendant le livre.

— Parce que les fausses prophéties sombrent dans l'oubli... Comme tu l'as dit, il pleut tôt ou tard, et, une fois que c'est fait, le présage n'en est plus un. Les vraies prédictions se font écho. En d'autres termes, un présage revient à la surface pour que les gens ne l'oublient pas.

Richard dévisagea un long moment son ancêtre.

— Si je comprends bien, puisque Sabella a répété la prophétie fragmentaire aujourd'hui, il faut conclure qu'il s'agit d'un véritable augure. Et que le temps où il s'accomplira est arrivé...

Nathan eut un sourire pincé.

—C'est exactement comme ça que ça marche, Richard.

Du coin de l'œil, Kahlan vit que Rikka parlait avec un des fonctionnaires du palais. Après un bref dialogue, la Mord-Sith courut rejoindre le Sourcier et ses compagnons.

—Seigneur Rahl, la réception commence. Les jeunes mariés devraient être là pour accueillir les invités.

Souriant, Richard passa un bras autour des épaules de Cara, fit de même avec Benjamin, et entraîna ses amis vers la porte.

—Ne retardons pas davantage les héros de la fête ! lança-t-il gaiement.

Chapitre 7

Tandis qu'il se frayait un chemin dans la grande salle, Richard sonda la foule avec une intensité qui n'augurait rien de bon. Kahlan glissa un bras sous le sien, se pencha vers lui et souffla :

— Je sais que bien des idées tourbillonnent dans ta tête, mais n'oublie pas le but de cette fête. (Elle désigna Cara et Benjamin, qui ouvraient la marche.) Nous honorons deux jeunes mariés, et il faut que ce soit un succès.

Richard sourit. Il n'avait pas besoin d'un dessin : depuis la première fête où il avait amené Kahlan, le jour de leur rencontre, les « joyeuses réunions » auxquelles ils participaient ne finissaient jamais très bien. Parfois, elles avaient carrément tourné au désastre. Mais ces avanies dataient du temps où la guerre faisait encore rage…

— Et ça sera même un triomphe ! lança le Sourcier. Ils forment un beau couple, non ?

— Ça, c'est le Richard que j'aime…, murmura Kahlan, ravie.

La salle des banquets bourdonnait du brouhaha des conversations. Les tables du buffet étaient littéralement prises d'assaut, et des serviteurs en tunique bleu ciel circulaient parmi les invités pour leur proposer des amuse-gueules.

Cara avait choisi la couleur de la tenue des domestiques. Et sans nul doute, elle avait opté pour le bleu parce que les

Mord-Sith ne portaient jamais cette couleur. Quoi qu'il en soit, l'effet était très réussi.

— Avance ! lança Richard à Cara.

D'une très légère poussée, au creux des reins, il incita son amie à aller s'occuper des braves gens venus assister à la réception. Avant de se fondre dans la foule, Cara se retourna pour lui sourire et ce spectacle lui réchauffa le cœur. Certaines merveilles avaient encore plus de valeur que d'autres…

Alors que les deux jeunes mariés acceptaient de bonne grâce les sincères félicitations des invités, Kahlan se lança avec Zedd dans une grande conversation dont Richard perdit très vite le fil. Il était question des dernières nouvelles d'Aydindril, en particulier des réparations en cours au Palais des Inquisitrices – ou plutôt, crut comprendre le Sourcier, des réparations très récemment achevées.

— Je suis contente d'apprendre que tout est revenu à la normale, dit Kahlan. Richard et moi, nous avons hâte de revoir ma cité natale.

Alors que des centaines de femmes paradaient dans leurs plus beaux atours, aucune n'arrivait à la cheville de Kahlan en matière de beauté et d'éclat. Si simple qu'elle fût, sa robe blanche de Mère Inquisitrice, sans décolleté ni ornement fantaisiste, mettait parfaitement en valeur ses longs cheveux bruns, ses yeux verts fascinants et son corps magnifique.

Même si elle était la plus belle femme qu'il ait jamais vue, Richard avait dès le premier instant été comme hypnotisé par l'intelligence qui brillait dans le regard de sa compagne. Au fil des années, elle ne lui avait jamais donné l'ombre d'une raison de remettre en cause cette première impression. Chaque matin, lorsqu'il se réveillait à côté d'elle, redécouvrant ses yeux, il lui semblait vivre un rêve.

— Je me réjouis aussi que la vie soit de retour en Aydindril, dit Zedd, mais permets-moi de te dire, Kahlan, que cette foire aux prophéties devient exaspérante.

Richard émergea soudain de sa rêverie.

— Une foire aux prophéties ? De quoi parles-tu ?

— Depuis la fin de la guerre, et le retour des habitants, des prophètes de tout poil ont envahi Aydindril. Et tu connais les gens : les prédictions les intéressent presque autant que les ragots ! Certains idiots veulent savoir s'ils trouveront un jour l'amour. D'autres s'ils rencontreront le succès dans leur métier. Les plus bêtes sont convaincus que l'avenir est sombre, et ils se régalent d'entendre des présages apocalyptiques. La fin du monde a un succès fou, mon garçon ! Des tas d'écervelés sont attentifs à tous les prétendus signes qui l'annoncent.

Richard en resta un moment muet.

— Des signes ? Quels signes ?

— Tu sais bien, des âneries avec la pleine lune et son aura, ou sur le printemps qui était en retard l'année dernière. Et en avance cette année, puisqu'il ne gelait déjà plus il y a un mois. Ce genre d'imbécillités, quoi…

— Oui, oui…, soupira Richard.

C'était la même chose chaque fois qu'il y avait une éclipse, ou un changement de saison trop précoce ou trop tardif. Quand il s'agissait de prédire la fin du monde, et donc de l'humanité, certains charlatans n'étaient jamais à court d'imagination. Mais pourquoi les gens avaient-ils besoin de croire qu'un cataclysme les menaçait ? Un cataclysme toujours imminent, fallait-il préciser, même si cette « chanson » était à la mode depuis des millénaires.

— Bref, fit Zedd, les mains croisées dans le dos, tout le monde veut connaître son avenir et le marché de la prophétie est plus prospère que jamais. Et moi, j'ai toujours détesté les escrocs.

— Je n'ai jamais entendu parler d'un phénomène pareil en Aydindril, dit Kahlan, visiblement inquiète. Bien sûr, il y a toujours eu une certaine fascination pour les augures, comme partout ailleurs, mais pas à ce point, très loin de là.

— Eh bien, les choses ont changé… À chaque coin de rue, des bonimenteurs proposent leurs présages, augures et autres révélations. Certains jours, j'ai l'impression qu'il y a autant de devins en ville que de gens désireux de connaître leur avenir.

— Est-ce vraiment si nouveau que ça ? intervint Richard. De tout temps, l'humanité a voulu en savoir plus long sur le futur.

—Tu as raison, mais c'est une question d'échelle… Mon garçon, ce marché prospère, je te le répète, et de plus en plus de gogos mettent la main à la bourse puis répètent à qui veut les entendre les sinistres augures qu'on leur vend à prix d'or. Aydindril est devenue la capitale mondiale de la fausse prédiction et des rumeurs absurdes. Et je dois avouer que ça m'inquiète beaucoup.

Une servante en tunique bleue vint se camper devant Kahlan, qui prit un verre sur le plateau que portait la jeune femme. Avant de s'intéresser de nouveau à Zedd, la Mère Inquisitrice but délicatement une gorgée.

—Zedd, dit-elle, la guerre étant finie, les gens ne vivent plus avec l'angoisse au ventre. Après tant d'années, ils ont le sentiment que quelque chose leur manque, et les histoires de fin du monde viennent en quelque sorte combler un vide.

Très intéressé par les propos de sa femme, Richard déclina le verre que lui proposait la servante. D'instinct, il posa la main gauche sur le pommeau de son épée, qu'il n'avait plus dégainée depuis le premier jour de l'hiver passé. Avec un peu de chance, il espérait ne plus jamais avoir à le faire.

—Kahlan a raison, Zedd. Pendant des années, les gens ont vécu avec l'angoisse de ne pas voir le soleil se lever le lendemain. Depuis la fin de la guerre, ils ont de nouveau un avenir, et ils veulent savoir ce qu'il leur réserve. Je préférerais qu'ils le créent à partir de leurs rêves, mais la notion de «destin» est encore très forte dans les esprits. Une aubaine pour les prophéties, fausses ou vraies…

Zedd fit également signe à la servante qu'il ne voulait rien boire.

—C'est peut-être ça…, marmonna-t-il en regardant les invités aller et venir dans la grande salle. Mais selon moi, c'est plus grave qu'il n'y paraît.

—N'est-ce pas l'illustration de mon propos? demanda Kahlan, souriante. La guerre est finie, mais le Premier Sorcier, comme les citoyens lambda, continue de s'inquiéter. Il est temps pour tout un chacun de se détendre, Zedd. Le monde est en paix.

—En paix…, répéta le vieil homme, l'air soudain très sombre. Mes enfants, il n'y a rien de plus dangereux que la paix…

Richard essaya de se convaincre que son grand-père se trompait. Comme l'avait dit Kahlan, l'angoisse était une habitude aussi difficile à perdre que les autres. Pourtant, il comprenait les inquiétudes du vieux sorcier. Même si tout danger était écarté, il ne parvenait pas non plus à se sentir rassuré.

L'histoire de Cara, au sujet de l'espion, participait à son malaise. Il y avait aussi la prédiction de Sabella, identique à celle du recueil énigmatique peut-être consacré à la fin du monde. Après tous les ennuis que Kahlan et lui avaient eus par la faute des prophéties, sa réaction n'avait rien d'étonnant.

Mais plus que tout, Richard s'inquiétait à propos de ce qu'avait dit le gamin, sur le marché. Des ténèbres dans le palais… Des ténèbres à la recherche de ténèbres… Zedd et Nathan n'avaient pas semblé s'en faire, quand il leur avait résumé l'incident. Pour eux comme pour Kahlan, il s'agissait d'un délire induit par la fièvre.

Richard ne partageait pas cet avis. Quelque chose dans ces paroles le touchait profondément, comme si… Eh bien, c'était difficile à expliquer, mais ça le remuait vraiment, surtout avec tant d'invités de marque au palais…

Le Sourcier remarqua que Rikka sondait la foule, tel un faucon en quête d'un rongeur. Tout en souriant aux uns et aux autres, Cara ne quittait jamais du coin de l'œil le seigneur Rahl et la Mère Inquisitrice. D'autres Mord-Sith, postées à des emplacements stratégiques, surveillaient en permanence les invités. Les plus proches de Richard portaient leur uniforme rouge. Bizarrement, le Sourcier n'en fut pas mécontent du tout. Même en temps de paix, la vigilance de ces femmes était rassurante.

Le Sourcier se pencha vers son grand-père :

— Zedd, tu crois que Nathan a raison ?

— À quel propos, mon garçon ?

Avant de répondre, Richard rendit leur sourire à un petit groupe d'invités.

— Les prophéties… Selon lui, les vraies reviennent à la surface, et c'est même à ça qu'on les reconnaît.

Zedd contempla un moment la foule avant de répondre :

— Mon garçon, je ne suis pas un prophète… Mon don n'a rien à voir avec celui de Nathan. Cela dit, comme tout sorcier digne de ce nom, j'ai étudié les prophéties. Et je peux te dire que Nathan n'a pas tort…

— Je vois…

Se frayant un chemin parmi les invités, le capitaine de l'escorte – le même que le matin, sur le marché – approchait de son seigneur avec sur le visage une expression sinistre.

Dès qu'ils remarquaient sa sombre détermination, les invités s'écartaient vivement. Tout autour, la fête ne continuait pas moins à battre son plein. Ayant lui aussi aperçu l'homme, Benjamin redevint en un éclair le général Meiffert, reléguant au second plan le mari de Cara.

Des Mord-Sith approchèrent discrètement, prêtes à refouler le capitaine en ce jour où le seigneur Rahl et la Mère Inquisitrice, ayant bien gagné le droit de se détendre, n'avaient peut-être pas envie qu'on vienne leur parler de choses sérieuses. Mais Cara leur fit un geste discret, et elles laissèrent passer l'officier.

Arrivé devant Richard, l'homme s'arrêta et se tapa du poing sur le cœur.

— Seigneur Rahl, je suis navré de vous déranger.

Richard inclina légèrement la tête afin de rendre son salut au militaire.

— Tu ne me déranges pas… Alors, tes hommes ont retrouvé le gamin ?

— Non, seigneur. Ils ont cherché partout, mais le garçon est parti.

Richard trouva cette conclusion un peu prématurée.

— Non, il ne doit pas être loin… Malade comme il l'était, il n'aurait pas pu s'éloigner beaucoup. Continuez les recherches, et vous finirez par le dénicher.

— Seigneur Rahl… Deux soldats ont été retrouvés morts il y a quelques minutes. Deux hommes qui cherchaient le gamin, justement…

Richard en eut le cœur serré. Après avoir si longtemps combattu, deux héros venaient de mourir alors que la guerre était à peine terminée…

— Morts ? Mais comment ont-ils péri ?

— Eh bien… Je l'ignore, seigneur. Il n'y avait ni blessures ni contusions. Et leur arme était toujours au fourreau. Le visage serein, ils gisaient entre deux tentes, sans le moindre signe indiquant qu'il y ait eu lutte.

La main droite de Richard vola vers la poignée de son épée.

— Aucune trace, tu en es sûr ?

— Certain, seigneur Rahl. Ils étaient morts, c'est tout.

Chapitre 8

Peu après que Richard eut renvoyé le capitaine avec l'ordre d'affecter davantage d'hommes à la recherche du gamin, les diverses délégations venues pour assister au mariage commencèrent à se masser autour de leurs hôtes, puis passèrent à l'action – bien pacifiquement, mais avec une grande détermination.

La plupart des émissaires se contentèrent de remercier les deux époux d'avoir mis fin à la tyrannie au péril de leur vie. Mais certains posèrent des questions, et attendirent avec une visible impatience ce que le seigneur Rahl et la Mère Inquisitrice allaient leur répondre.

Les jours précédents, Richard avait rencontré en privé un certain nombre d'ambassadeurs. À peine le dixième des gens qui se pressaient autour de lui, et dont les félicitations et les questions semblaient sincères et dépourvues de mauvaises intentions.

Une fois expédiées les formalités d'usage sur la beauté du palais et la qualité de l'accueil, les interrogations fusèrent, visant essentiellement la politique commerciale et l'éventuelle mise en place de lois communes à tout l'empire d'haran. Richard avait promis la paix et la prospérité à tous, et à présent, on lui demandait des assurances.

Durant la guerre, la priorité était de fournir des vivres et des hommes aux armées qui combattaient pour la liberté.

Aujourd'hui, chaque pays se demandait comment utiliser au mieux ses ressources au bénéfice de son propre peuple – et de ses intérêts particuliers. La belle solidarité d'antan émoussée, les membres de l'Alliance entendaient ne pas être laissés pour compte lorsqu'on passerait à la distribution des fruits de la victoire.

Richard laissa Kahlan affirmer haut et fort qu'il n'y aurait pas de restrictions en matière de commerce, ni de faveur spéciale bénéficiant aux uns au détriment des autres. Beaucoup d'ambassadeurs et d'émissaires venant des Contrées du Milieu, elle les incita à se rappeler la façon dont elle avait dirigé le Conseil, avant l'union avec l'empire d'haran. Eh bien, rien ne changerait, car le seigneur Rahl tenait au moins autant qu'elle à vivre dans un monde à la fois paisible et équitable.

Le calme et la tranquille autorité de Kahlan, comme toujours, n'eurent aucun mal à convaincre ses interlocuteurs.

Certains ambassadeurs lui rappelèrent cependant le fonctionnement des Contrées du Milieu. En Aydindril, soulignèrent-ils, presque tous les pays membres étaient représentés en permanence. Parfois parce que leurs dirigeants y faisaient de longs séjours, mais le plus souvent par l'intermédiaire d'une foule d'émissaires et de diplomates. Ainsi, tous les pays participaient aux décisions du Conseil en matière politique ou législative.

Kahlan répondit simplement que le Palais du Peuple était désormais le siège du pouvoir dans l'empire d'haran. En conséquence, toutes les nations membres y auraient des ambassades, comme en Aydindril, afin de ne jamais être exclues des protocoles de décision les concernant.

Cette déclaration eut un grand succès qui allait bien au-delà du simple soulagement. L'avenir s'annonçait sous les meilleurs auspices, et tout le monde s'en réjouissait.

Habituée à commander, Kahlan avait un don particulier pour revêtir de grâce et de chaleur son incontestable autorité. Elle avait pourtant longtemps connu la solitude, comme toutes les Inquisitrices. Quand il la connaissait à peine, Richard avait vu des gens trembler de peur devant elle. À l'époque, son pouvoir les terrifiait, et ils restaient aveugles à la femme qui se cachait derrière la Mère Inquisitrice. Le combat qu'elle avait mené pour la liberté lui valait désormais le respect et l'admiration de ceux qui la redoutaient jadis. En sa présence, ils osaient désormais relever la tête et ils avaient conscience d'avoir un être humain en face d'eux.

Alors qu'elle répondait aux ambassadeurs, donc au moment le moins opportun, Nathan vint se placer derrière Richard, le prit par le bras et le tira à l'écart.

—J'ai besoin de te parler, mon garçon…

Perturbée, Kahlan s'interrompit. Interrogée au sujet d'une contestation de frontière, elle était en train d'expliquer qu'il n'y avait plus rien à contester, puisque l'empire d'haran, un et indivisible, se fichait comme d'une guigne des lignes tracées jadis sur une carte.

Quand elle se tut, tous les regards se tournèrent vers le prophète – connu comme le loup blanc, bien entendu.

Nathan, remarqua Richard, tenait dans une main les *Notes sur la fin*, et il avait glissé un index à l'intérieur en guise de marque-page.

—Que se passe-t-il? murmura le Sourcier tout en s'éloignant des ambassadeurs et autres officiels soudain muets de fascination.

À l'évidence, les prédictions les intéressaient beaucoup plus que les disputes frontalières ou la législation commerciale.

—Tu m'as bien dit que le gamin, sur le marché, a parlé de « ténèbres dans le palais »…, murmura Nathan.

Richard se retourna vers les invités qui les regardaient toujours, le prophète et lui.

—Je m'excuse de cette interruption, mais je serai de nouveau à vous dans quelques minutes.

Prenant à son tour Nathan par le bras, il l'entraîna jusqu'au fond de la salle, où se dressait l'imposante double porte. Zedd suivit le mouvement et Kahlan l'imita.

Captant le regard de Richard, Cara et Benjamin allèrent s'occuper des ambassadeurs, leur demandant comment se déroulait la reconstruction dans leurs pays respectifs.

Dès qu'il fut sûr d'être hors de portée d'oreille des invités, Richard se tourna vers Nathan :

—Le garçon a parlé de ténèbres dans le palais. Des ténèbres qui cherchent les ténèbres…

Sans un mot, Nathan ouvrit le livre et le tendit au Sourcier.

Richard lut l'unique phrase qui figurait sur la page de droite : « Les ténèbres cherchent les ténèbres… »

—Mot pour mot ce qu'a dit le gamin, souffla Kahlan, qui avait regardé en même temps que son époux.

Richard faillit dire qu'il s'agissait d'une coïncidence, mais il s'épargna cet effort inutile.

—On en apprend plus sur cette prophétie fragmentaire dans la suite du livre ? demanda-t-il.

—Je n'en sais rien, marmonna Nathan, de mauvais poil. Comment déterminer si quelque chose, dans ce fichu livre, a un rapport avec le reste ? Tout peut être lié – ou rien du tout ! Même le présage au sujet du toit, eh bien, j'ignore s'il a un rapport quelconque avec la phrase sur les ténèbres.

Richard n'avait pas ce genre de doutes.

Comment aurait-il pu s'agir d'une coïncidence ? Le livre contenait une phrase dite par le gamin et une autre prononcée par la devineresse aveugle. Tout ça ne pouvait pas tenir du hasard. De plus, il y avait eu la réaction de Sabella, quand elle lui avait révélé l'avenir. Elle avait semblé surprise, comme si ces mots n'auraient jamais dû sortir de sa bouche.

Au fil du temps, Richard avait appris que son don se manifestait d'une façon très particulière. Dans certains textes prophétiques, on l'appelait le « caillou dans la mare » parce qu'il était le point central des ondulations qui généraient l'histoire de l'humanité. Des événements qui semblaient à première vue fortuits avaient très souvent une cohérence interne et visaient à l'avertir de quelque chose. Tant qu'on restait en surface, on pouvait parler de « coïncidences ». Mais si on creusait un peu…

Combien de fois avait-il évité des catastrophes en accordant de l'attention à ce qui semblait insignifiant ? De nouveau, il était confronté à une énigme qu'il devait résoudre, même s'il détestait ça. En d'autres termes, il ne pourrait pas se passer de creuser.

— Pour le moment, nous ne pouvons rien faire. Ne paniquons pas les invités en leur montrant que quelque chose cloche.

— D'autant que nous ignorons si quelque chose cloche vraiment, rappela Zedd.

Richard était convaincu du contraire, mais il préféra ne pas insister.

— J'espère que tu as raison…

— Zedd, dit Nathan, quand on sait comment fonctionnent les prophéties, il est plus que probable que tout cela ait un lien.

Zedd fit la moue, mais il ne contredit pas le prophète.

Richard tenta de récapituler les données en sa possession. S'il existait un lien, il était incapable de le voir. Ni même de l'imaginer…

Non, c'était faux, s'avisa-t-il soudain. Il y avait une logique évidente dans tout ça. Les ténèbres cherchant quelque chose pouvaient avoir un lien avec le sentiment de Cara d'avoir été épiée – dans l'obscurité, comme par hasard.

— Nathan, vous avez parlé d'une femme qui travaille au palais et qui aurait souvent des prémonitions mineures ?

— Oui… En général, elle est aide-cuisinière. C'est par exemple elle qui coupe les légumes ou la viande pour des préparations compliquées. Quand le personnel manque, il arrive qu'elle fasse autre chose. Par exemple, ce soir, elle doit faire partie du contingent de servantes en tunique bleue qui se charge du service. (Nathan regarda autour de lui.) Cela dit, je ne la vois pas dans le coin…

— Vous avez mentionné Lauretta, je crois, qui aurait elle aussi certains « talents ». Elle a un présage pour moi, paraît-il.

Nathan acquiesça.

— Dès que nous pourrons nous éclipser, je veux que vous m'emmeniez voir cette Lauretta.

— Richard, je le ferai avec plaisir, mais tu risques d'être déçu. En général, les montagnes de ce type accouchent d'une souris. Les gens ont tendance à se faire des idées sur tout. Et la plupart du temps, ça n'a aucun sens.

—J'espère qu'il en sera ainsi, dit Richard en regardant autour de lui. Parce que ça me fera un souci en moins…

—On peut voir les choses comme ça…, grommela Nathan. Nous sommes assez près des cuisines, mon garçon. Lauretta travaille pour un boucher que le palais sollicite beaucoup pour les festins comme celui d'hier et les réceptions comme celle de ce soir. Je sais où elle habite. Dès que tu pourras filer d'ici, je t'y conduirai…

—Parfait… Mais pour l'instant, concentrons-nous sur notre devoir d'hôtes.

Chapitre 9

Richard revint vers le groupe d'ambassadeurs, de représentants et de régents – dans le lot, il reconnut même une poignée de rois et de reines – qui constituaient l'élite des Contrées du Milieu avant que celles-ci s'unissent à l'empire d'haran. Voyant que Zedd et Kahlan suivaient le Sourcier, Nathan glissa le livre sous son bras, afficha son plus beau sourire et leur emboîta le pas.

Étant le seul prophète vivant et un membre de la lignée Rahl, Nathan était universellement connu au palais. D'une nature flamboyante, il adorait son statut de « célébrité ». La chemise à jabot et la cape étaient une manière de faire honneur à son rôle. Tout comme l'épée et le fourreau richement ornementés qui battaient sur sa hanche.

Aux yeux de Richard, un sorcier de cette envergure armé d'une épée avait l'air aussi fin qu'un hérisson qui se serait muni d'un cure-dents pour se défendre. Mais le vieux prophète trouvait qu'avoir une lame « en jetait ». Il adorait attirer les regards, y répondant par un sourire quand il s'agissait de ceux d'un homme, et par une révérence lorsqu'il avait affaire à une femme. Plus ses admiratrices étaient jolies, et plus le vieux chenapan s'inclinait bas. Ces dames rougissaient, mais elles restaient rarement insensibles au charme du prophète.

Bien qu'il fût âgé de près de mille ans, Nathan regardait la vie avec l'émerveillement et l'enthousiasme d'un enfant.

Cette touchante naïveté lui valait la sympathie de bien des gens. Mais beaucoup d'autres, en revanche, estimaient qu'il était l'homme le plus dangereux du monde.

Un prophète avait accès au futur, bien trop souvent le royaume de la douleur, du chagrin et de la mort. Pour certains esprits simples, Nathan avait sa part de responsabilité dans l'avenir qui les attendait. En réalité, le vieil homme avait un don pour les prophéties, et rien de plus. Il ne les inventait pas et pouvait encore moins influer sur leur accomplissement. Faute de comprendre comment fonctionnaient les choses, une partie de ses détracteurs se méfiaient de lui parce qu'ils le tenaient pour le maître des prédictions qu'il se contentait pourtant de déchiffrer.

D'autres le redoutaient pour une raison bien différente. Par le passé, certaines prophéties dont il s'était fait le messager avaient déclenché des guerres.

Parmi les admiratrices du prophète, bon nombre étaient fascinées par son « côté sombre », comme elles disaient.

Lorsque Richard avait demandé à son ancêtre pourquoi il portait une épée, la réponse ne s'était pas fait attendre : « Tu en portes une aussi, et tu es un sorcier ! »

Certes, mais Richard était aussi le Sourcier de Vérité, et il y avait entre son arme et lui un lien magique. Elle faisait partie de lui, concourant à son identité. Nathan arborait une lame dont il n'avait pas besoin, car il pouvait carboniser un adversaire d'un simple sort.

Sans doute, avait riposté le prophète, mais Richard, Sourcier ou non, était bien plus redoutable que l'arme qu'il portait, exactement comme lui…

— Seigneur Rahl, demanda un homme en tunique rouge lorsque le cercle de notables se fut refermé sur Richard et ses compagnons, pouvons-nous savoir si des événements prophétiques nous attendent ?

Beaucoup de gens hochèrent la tête, soulagés que la question soit enfin posée. À les voir tendre l'oreille, le Sourcier soupçonna que c'était en réalité le seul sujet qui les intéressait vraiment.

—Des événements prophétiques? répéta Richard, jouant avec les nerfs de son auditoire.

—Eh bien… Avec tant de détenteurs du don réunis – le Premier Sorcier Zorander, Nathan Rahl et vous-même, seigneur – car en matière de magie, vos actes le prouvent, vous êtes au moins leur égal –, les secrets les plus complexes des prophéties n'en sont certainement plus. Des secrets, je veux dire… Très humblement, nous espérons que vous nous révéliez ce que les antiques recueils vous ont appris sur notre avenir.

Dans le cercle de dirigeants, tout le monde murmura son assentiment ou hocha au minimum la tête.

—Vous voulez entendre des prophéties? résuma Richard.

Le cercle se resserra un peu plus.

—Alors, ouvrez en grand vos oreilles!

Richard désigna la lumière grisâtre qui sourdait des hautes fenêtres. Tous les notables tournèrent brièvement la tête, puis rivèrent de nouveau le regard sur le seigneur Rahl, dont ils ne voulaient pas rater le moindre mot.

—Il va y avoir un orage printanier comme nous n'en avons plus vu depuis des années. Ceux d'entre vous qui aimeraient rentrer chez eux devraient partir sur-le-champ, s'ils ne veulent pas être coincés au palais pendant plusieurs jours.

Quelques personnes murmurèrent entre elles comme si le seigneur Rahl venait de leur révéler le secret de la Création et de la mort. Les autres, moins bon public, semblèrent se demander si c'était du lard ou du cochon.

Le type plutôt corpulent en tunique rouge leva dignement une main.

—Seigneur Rahl, vos propos sont fascinants, et hautement prophétiques, je n'en doute pas, mais malgré leur incontestable utilité, nous nous attendions à des révélations plus… hum… spectaculaires.

—Lesquelles, par exemple? demanda Nathan d'une voix puissante qui fit sursauter plusieurs nobles auditeurs.

Au premier rang, une femme vêtue d'une robe plissée jaune et vert prit la parole avec un sourire forcé :

— Seigneur, nous espérions entendre de véritables prophéties. En savoir plus long sur les noirs secrets du destin, en d'autres termes.

— Pourquoi cet intérêt soudain pour les prophéties ? demanda Richard, de plus en plus mal à l'aise.

Impressionnée par le ton du seigneur Rahl, la femme parut tout d'un coup plus petite, comme si elle tentait de s'enfoncer dans le sol. Alors qu'elle cherchait ses mots, un homme de haute taille fendit la foule pour venir se poster au premier rang. Vêtu d'une stricte redingote noire, il portait autour du cou une sorte de col rond amidonné très serré, et un étrange chapeau noir carré et sans bords reposait sur sa tête.

— Seigneur Rahl, dit-il en s'inclinant respectueusement, je suis l'abbé Ludwig Dreier, représentant de la province de Fajin. Dans nos pays d'origine, nous avons tous entendu des avertissements lancés par des gens qui, à un titre ou à un autre, ont l'aptitude de sonder les flots du temps. Leurs sinistres présages nous ont grandement troublés.

Richard croisa les bras, l'air peu commode.

— De quoi parlez-vous ? Qui ose prononcer des avertissements ?

L'abbé regarda les autres invités.

— Toutes sortes de gens, seigneur... Depuis que nous sommes réunis au palais, nous avons découvert que des diseurs de bonne aventure clament partout dans l'empire des prédictions qui...

— Des diseurs de bonne aventure ?

— Des devins, seigneur Rahl. Bien qu'ils vivent dans des pays différents et ne se connaissent pas, tous délivrent sur l'avenir des prédictions sinistres.

Richard plissa le front.

— Que signifie cette histoire de « devins » ? Ce ne sont pas de vrais prophètes. (Il désigna son ancêtre.) Nathan est le seul prophète vivant. Qui sont les imposteurs dont vous écoutez les mensonges?

L'abbé haussa les épaules.

— Ce ne sont peut-être pas des prophètes, mais pourquoi les accuser d'imposture? Quand ils sondent les fumées sacrées, les capnomanciens ne voient-ils jamais rien qui soit digne d'attention? Et les haruspices ne distinguent-ils pas des présages dans les entrailles d'animaux? (L'homme écarta les bras en signe de bonne foi.) Voilà les gens dont je parle, seigneur... Des devins, en somme...

Richard ne se laissa pas démonter.

— Si vos capnomanciens et vos haruspices sont si doués, pourquoi me demandez-vous des oracles?

L'homme eut un étrange sourire.

— Ils sont doués, certes, mais comparés à vous, ou à vos compagnons, ils deviennent insignifiants. Si vous consentez à nous éclairer de votre omnisciente sagesse, nous pourrons rapporter vos paroles à nos peuples. Les prédictions que j'ai mentionnées les ont troublés, et ils espèrent que vos paroles les rassureront, seigneur. Un orage printanier, même si l'information est utile, ne saurait satisfaire des esprits assoiffés de vérité. Et, pour être franc, le climat ne nous intéresse pas. Ce qui nous inquiète, ce sont les sinistres augures qu'on entend un peu partout.

Malgré ses efforts, Richard ne put s'empêcher de foudroyer du regard ses interlocuteurs.

— Vos peuples veulent savoir ce que le seigneur Rahl pense de ce sujet?

Des gens hochèrent la tête et certains osèrent avancer encore un peu vers le maître de D'Hara.

Richard décroisa les bras et se redressa de toute sa hauteur.

— Eh bien, je dis que l'avenir est ce que nous en faisons, et qu'importent les augures! Votre vie, mes amis, n'est pas déterminée par le destin, ni prédite dans des grimoires, ni révélée par des fumées sacrées. Et le futur ne se cache pas dans des tripes de cochon! De retour chez vous, dites aux gens d'oublier les prophéties et de construire eux-mêmes leur avenir.

Nathan fit un pas en avant et s'éclaircit la gorge.

— Le seigneur Rahl veut dire que les prophéties sont réservées aux prophètes et aux autres détenteurs du don. Eux seuls peuvent les comprendre et les interpréter. Partez en paix, mes amis, car nous nous chargerons des prédictions à votre place.

Dans le cercle de dirigeants, certains, à contrecœur, semblèrent trouver que c'était bien vu. D'autres parurent beaucoup plus sceptiques.

Une mince jeune femme, reine d'un des pays des Contrées, prit la parole :

— Seigneur Rahl, je suis la reine Orneta… Permettez-moi de rappeler que les prophéties sont conçues pour aider les gens. Les mots écrits par d'antiques prophètes viennent de la nuit des temps pour nous avertir des malheurs qui nous guettent. À quoi serviraient les recueils, si les peuples n'étaient jamais informés de ce que leur réserve l'avenir ? Et si ce n'est pas pour venir à notre secours, pourquoi les prophètes existeraient-ils ? En d'autres termes, que vaut une prédiction qui reste secrète ?

Nathan sourit.

— Votre Majesté, n'étant pas une prophétesse, comment sauriez-vous distinguer les prédictions utiles de celles qui ne servent pour le moment à rien ?

La reine joua nerveusement avec son long collier, dont l'extrémité disparaissait dans son décolleté.

— Eh bien, je suppose que…

Richard posa sa main gauche sur le pommeau de son épée.

— Les prophéties sont plus nuisibles qu'utiles, voilà ce que je pense.

Kahlan vint se camper près de son mari, attirant aussitôt l'attention générale.

— Richard et moi, nous avons eu connaissance de prophéties terrifiantes qui nous concernaient. Si nous les avions écoutées, agissant comme elles semblaient nous y inciter, cela aurait entraîné notre destruction, et, au bout du compte, celle du monde des vivants.

» Oui, si nous avions agi comme vous vous comportez aujourd'hui, abdiquant notre libre arbitre en faveur des prédictions, vous seriez tous morts, mes amis, ou réduits en esclavage par des maîtres d'une inimaginable cruauté. Au bout du compte, il s'avéra que les prophéties en question ne mentaient pas, mais qu'il ne fallait surtout pas s'en tenir au pied de la lettre. Entre des mains profanes, les prédictions sont des armes mortelles et il ne faut jamais les prendre au premier degré.

— Donc, vous prétendez qu'il est impossible de connaître notre avenir ? demanda Orneta, soudain agressive.

Voyant de la colère dans les yeux verts de sa femme, Richard jugea plus prudent de répondre à sa place :

— Nous affirmons que l'avenir n'est pas prédéterminé. Chacun fabrique son futur, et c'est très bien comme ça. Quelqu'un qui croit au destin ne se comporte pas naturellement. Et quand une personne prend des décisions parce qu'elle se réfère à des présages, ses choix peuvent se révéler désastreux, parce qu'ils ne sont pas le fruit d'une saine et logique réflexion. Un être humain doit agir en fonction de ce qu'il tient pour son intérêt. Les prophéties ne peuvent que l'induire en erreur…

» L'avenir n'est pas contenu dans les prédictions. Celles-ci peuvent être utiles, c'est vrai, mais pour cela il faut qu'elles restent entre les mains des prophètes et des détenteurs du don.

Même s'ils n'étaient pas entièrement convaincus, les dirigeants semblèrent soudain moins avides d'entendre de spectaculaires présages.

— Les prophéties ont un sens, intervint Nathan, et certaines personnes sont capables de les déchiffrer. Mais pas dans des boyaux de cochon, ça, je peux vous l'assurer !

Voyant que les invités hésitaient encore, Cara vint se camper à la gauche de Richard.

— Les D'Harans disent que le seigneur Rahl est la magie qui combat la magie, alors qu'ils sont eux-mêmes l'acier qui affronte l'acier. Richard Rahl a prouvé sa valeur. Alors, laissez-lui donc la magie !

Venant d'une Mord-Sith, ces propos avaient un poids tout particulier.

Les invités semblèrent comprendre qu'ils s'étaient aventurés sur un terrain glissant, et qu'ils avaient franchement dépassé les bornes. Quelque peu honteux, ils parlèrent entre eux, à voix basse, et finirent par conclure qu'il valait mieux, effectivement, laisser la magie à ceux qui savaient la contrôler.

La tension diminua, comme si une catastrophe venait d'être évitée de justesse.

Du coin de l'œil, sur sa droite, Richard vit qu'une des servantes en tunique bleue approchait de Kahlan d'un pas décidé.

La femme posa la main sur l'avant-bras de la Mère Inquisitrice, comme si elle voulait lui parler sans que personne entende.

Ce détail alerta Richard. Les gens ne touchaient jamais ainsi la Mère Inquisitrice.

Soudain, le Sourcier vit le regard hanté de la servante. Puis, quand elle se tourna un peu, il découvrit le sang qui maculait le devant de sa robe.

Il bondit au moment où l'inconnue levait le couteau qu'elle serrait dans sa main libre.

Chapitre 10

Le temps sembla suspendre son cours.

Richard reconnut parfaitement cette curieuse pause entre deux secondes – un vide empli de tension et d'attente, juste avant que se déchaîne le pouvoir.

Il était un pas trop loin pour arrêter la tueuse. Et beaucoup trop près, songea-t-il, quand on savait ce qui allait arriver.

Les choses ne dépendaient plus de lui. Il était impuissant.

La vie et la mort étaient l'enjeu de cet instant hors du réel. Kahlan n'avait pas le choix, et elle n'hésiterait pas. Alors que son instinct lui criait de se détourner, Richard n'esquissa pas un geste, parce qu'il était déjà trop tard, il le savait parfaitement.

Dans le cercle d'invités, les hommes et les femmes se pétrifièrent, les yeux écarquillés. Plusieurs Mord-Sith en uniforme rouge tentaient aussi d'intervenir, mais elles étaient également trop loin. Du coin de l'œil, il vit l'Agiel de Cara voler vers sa paume. Des soldats dégainaient leur arme et Zedd avait levé une main pour jeter un sort. Mais rien de tout ça n'aurait la moindre utilité.

Décrivant un grand arc, le bras armé de la tueuse s'abattait inexorablement vers la poitrine de Kahlan.

Et tous ceux qui voulaient secourir la Mère Inquisitrice arriveraient trop tard.

Soudain, il y eut un roulement de tonnerre silencieux.

Le temps reprit son cours et l'onde de choc de l'explosion de pouvoir se répandit dans toute la salle.

Les gens les plus proches crièrent de douleur. Les jambes coupées, ils s'écroulèrent. Plus loin, des invités furent projetés plusieurs pas en arrière. Terrorisés, ils tentèrent de se protéger derrière leurs bras levés – bien trop tard, évidemment.

Des tables s'envolèrent. Des coupes et des assiettes allèrent se fracasser contre les murs. Des bouteilles de vin, des carafes, des saucières, des serviettes et des couverts volèrent dans les airs à une stupéfiante vitesse. Percutées par ces projectiles, toutes les vitres des fenêtres éclatèrent en milliers de fragments acérés. Emportés par le souffle, les rideaux battirent comme des voiles pendant une tempête.

Le sol jonché de débris faisait songer à un champ de bataille après que les derniers guerriers auraient succombé.

Lorsque Kahlan avait déchaîné son pouvoir d'Inquisitrice, Richard était le plus près d'elle. Et cette proximité pouvait être dangereuse. Tout son corps lui faisant mal, il se laissa tomber sur un genou, le souffle court.

Zedd avait été renversé comme une quille par l'onde de choc. Un peu plus loin de l'œil du cyclone, Nathan était resté debout, mais il ne paraissait pas très stable sur ses jambes. Il avait pourtant eu le réflexe de prendre Cara par le bras pour l'empêcher de tomber.

Lorsque le calme fut revenu, plus rien ne volant dans les airs, la femme en tunique bleue ensanglantée se jeta aux pieds de Kahlan.

Tel un roc, la Mère Inquisitrice restait imperturbable au milieu du chaos.

Aucun invité n'avait jamais vu une Inquisitrice utiliser son pouvoir. Autant que possible, cela ne se faisait pas en public. Eh bien, Richard aurait parié que ces amateurs de présages n'étaient pas près d'oublier cet instant.

—Fichtre et foutre ! marmonna Zedd en se relevant, ça fait un mal de chien !

Alors que sa vision redevenait claire et qu'il recouvrait ses esprits, Richard vit que la main de la tueuse avait laissé une empreinte sanglante sur la manche blanche de Kahlan.

Prostrée devant la Mère Inquisitrice, la femme n'avait pourtant rien d'une criminelle. De corpulence moyenne, le visage plutôt étroit, elle avait de beaux cheveux noirs coupés assez court. La cible de l'Inquisitrice, Richard le savait, souffrait beaucoup moins que les témoins de la scène. Et de toute façon, elle n'était plus vraiment sensible à la douleur. Pour elle, plus rien ne comptait à part sa nouvelle « maîtresse ».

La femme en tunique bleue n'existait plus vraiment.

— Maîtresse, dit-elle, ordonne et j'obéirai.

— Répète ce que tu m'as soufflé à l'oreille, dit Kahlan d'une voix glaciale. Avant d'oser tenter de me frapper.

— J'ai tué mes enfants, maîtresse… Et j'ai pensé que tu devais le savoir.

Ces mots pétrifièrent de nouveau les témoins, leur glaçant les sangs. Des petits cris montèrent de la foule.

— C'est pour ça que tu es venue à moi ?

— En partie, oui…, fit la tueuse, les larmes aux yeux. Je devais te dire ce que j'avais fait. Et ce que j'allais devoir faire.

Sa personnalité et son esprit effacés, la femme ne pleurait pas sur le sort de ses enfants, mais parce qu'elle avait voulu nuire à Kahlan. Désormais, seule sa maîtresse comptait à ses yeux et la culpabilité lui serrait le cœur dans un étau mortel.

Richard se pencha, saisit le poignet droit de la femme et la désarma. Lui enlever son couteau n'était plus nécessaire, il le savait, mais il se sentit quand même un peu mieux.

La tueuse ne s'aperçut de rien.

— Pourquoi as-tu agi ainsi ? demanda Kahlan avec dans la voix une autorité qui coupa le souffle de tous les témoins.

La tueuse leva les yeux vers sa maîtresse.

— J'étais obligée… Je ne voulais pas que mes petits connaissent une telle terreur.

— Quelle terreur ?

— Celle qu'on éprouve quand on vous dévore vivant, maîtresse, répondit la femme comme si c'était la chose la plus évidente du monde.

Les gardes présents s'approchèrent et les Mord-Sith qui n'avaient pas pu arrêter la femme vinrent se placer derrière elle, Agiel au poing.

Kahlan n'avait pas besoin de soldats et de femmes en rouge. Un seul agresseur armé d'un couteau ne pouvait rien contre elle. Et une fois touchée par son pouvoir, sa « victime » se révélait incapable de lui désobéir et plus encore de lui faire du mal. La proie d'une Inquisitrice ne vivait plus que pour lui plaire, y compris en confessant ses crimes, si nécessaire.

—De quoi parles-tu ?

—Je ne pouvais pas les laisser souffrir… J'ai eu pitié, maîtresse, et je les ai tués proprement avant que l'abomination se produise.

Nathan approcha de Richard et lui souffla à l'oreille :

—C'est la femme dont je t'ai parlé… Celle qui travaille aux cuisines et qui a un petit talent de devineresse.

Kahlan se pencha vers la tueuse, qui recula d'instinct.

—Comment savais-tu qu'ils allaient souffrir ?

—J'ai eu une vision, maîtresse. Ça m'arrive de temps en temps. J'ai vu ce qui arriverait si je les laissais vivre. Ne comprends-tu pas ? Je ne pouvais pas permettre qu'une telle chose arrive à mes petits chéris.

—Une vision t'a poussée à tuer tes enfants, c'est ça ?

—Non, maîtresse ! Je les ai vus en train d'être dévorés vivants, des crocs les déchiquetant tandis qu'ils hurlaient de terreur et de souffrance. La vision ne m'a pas ordonné de les tuer, mais après avoir assisté à ce spectacle, j'ai su ce qui me restait à faire pour les protéger. J'ai eu pitié d'eux, maîtresse, comme une bonne mère.

—Dévorés vivants ? Par quoi ? Par qui ?

—Des créatures des ténèbres, maîtresse. Des monstres venus dans la nuit pour tailler en pièces mes petits amours.

—Donc, tu as eu une vision, et à cause de ça tu as décidé de tuer tes enfants.

C'était une accusation, pas une question. Mais la femme ne s'en aperçut pas et hocha la tête pour plaire à sa maîtresse.

—Oui, maîtresse… Je les ai égorgés. Ils ont très vite perdu conscience, et ils ont quitté ce monde sans souffrir. Ainsi, ils ont échappé à un destin atroce.

—Sans souffrir ? répéta Kahlan, les dents serrées. Tu veux me faire croire qu'ils ne se sont pas débattus et qu'ils n'ont pas eu peur ?

Comme Kahlan, Richard avait vu des gens mourir la gorge tranchée. Ce n'était pas une fin paisible, loin de là. Les malheureux luttaient pour crier puis pour respirer, et ils finissaient par se noyer avec leur propre sang. Une mort violente parmi les pires qu'on puisse connaître, en réalité…

La femme plissa le front comme si elle essayait de se souvenir.

—Oui, ils ont peut-être un peu souffert… Enfin, je crois. Mais pas longtemps, maîtresse. Si les monstres noirs les avaient dévorés vivants, se gorgeant de leurs entrailles, ç'aurait été bien plus affreux.

Entendant des murmures autour d'elle, Kahlan foudroya les invités du regard, les réduisant aussitôt au silence.

—Voilà ce qui arrive quand on se croit capable de voir l'avenir… Gardez ceci en mémoire : des vies sacrifiées pour rien ! (La Mère Inquisitrice tourna de nouveau la tête vers la tueuse.) Tu as tenté de me tuer, n'est-ce pas ? Avec le même couteau…

—Oui, maîtresse… (Des larmes roulèrent de nouveau sur les joues de la femme.) C'est pour ça que je devais te dire ce que j'avais fait.

—Sois plus claire, s'il te plaît !

—En te révélant que j'ai tué mes enfants, je t'aidais à comprendre pourquoi j'allais te tuer. Mon but était de te protéger, maîtresse…

—En me tuant ? Me protéger de quoi ?

—Du même sort affreux… Maîtresse, je ne peux pas supporter l'idée que tu meures déchiquetée par des crocs… Je t'imagine appeler au secours, alors que tu es seule, sans personne pour t'aider… Je voulais te tuer pour t'épargner un calvaire, comme j'ai fait pour mes enfants.

Richard eut l'impression que ses jambes allaient se dérober de nouveau.

— Et qui me dévore, dans ton illusion morbide?

— Les créatures qui auraient déchiqueté mes enfants, maîtresse… Des monstres noirs qui te traquent et que tu ne pourras pas semer. (La femme tendit les mains.) Puis-je avoir mon couteau? Maîtresse, il faut que je t'épargne ce destin. Permets-moi de souffrir parce que je t'aurai tuée. Oui, de souffrir au nom de l'amour que je te porte! Ta fin sera rapide, c'est juré!

Kahlan regarda froidement la tueuse.

— Non, répondit-elle simplement.

La femme porta les mains à sa poitrine. Luttant en vain pour respirer, elle devint écarlate et écarquilla les yeux. Puis ses lèvres virèrent à un bleu plus intense que celui de sa robe. Tombant comme une masse, elle mourut avant même d'avoir touché le sol.

Kahlan jeta un regard circulaire aux invités. Une façon de remettre de l'ordre dans les idées des imbéciles convaincus que les prophéties pouvaient les aider.

Puis la jeune femme se tourna vers Richard, et ses yeux se remplirent de larmes.

— Viens, dit le Sourcier en enlaçant sa compagne. (La voir ainsi lui brisait le cœur, comme chaque fois qu'elle était malheureuse.) Tu as besoin de repos…

Kahlan se laissa aller contre lui, acceptant le réconfort qu'il lui apportait. Cara, Zedd, Nathan et Benjamin vinrent former un cercle protecteur autour des deux époux.

Les Mord-Sith et les hommes de la Première Phalange isolèrent le petit groupe de la foule.

— Cara, je suis navrée, souffla Kahlan. J'aurais tant voulu que ta réception soit un succès.

— Que vous faut-il de plus, Mère Inquisitrice? Vous êtes vivante et une tueuse a rendu l'âme. Qu'est-ce qui pourrait me faire plus plaisir? Cerise sur le gâteau, je vais pouvoir vous faire un sermon parce que vous laissez les gens vous approcher…

Kahlan sourit tandis que Richard la guidait hors de la salle, la soutenant à moitié.

Chapitre 11

—**C**omment va-t-elle? demanda Zedd lorsque Richard eut refermé derrière lui la porte de la chambre.

—Très bien, ne t'en fais pas... Elle a besoin de repos, c'est tout.

Le vieil homme acquiesça. Pour avoir jadis travaillé avec des Inquisitrices, il savait mieux que quiconque que ces femmes devaient récupérer après avoir utilisé leur pouvoir. Dans ce domaine, Kahlan était une exception, parce qu'elle se remettait à une vitesse folle. Par le passé, dans des situations de crise, elle s'était même souvent privée de repos...

Sur bien des plans, la femme de Richard était plus forte que ses consœurs. Élue à leur tête en partie pour cette raison, elle était aujourd'hui la dernière survivante de son ordre.

Déchaîner son pouvoir n'en restait pas moins épuisant physiquement et mentalement. En un sens, c'était aussi vidant que de procéder à une exécution capitale.

Mais le fond du problème n'était pas là. Si Kahlan avait flanché en public, aujourd'hui, c'était parce qu'elle ne supportait pas de penser qu'une force maléfique, si peu de temps après la fin de la guerre, s'en prenait de nouveau à des innocents. Comme Richard, elle ne croyait pas une seconde que c'était un cas de folie isolé. Quelque chose se préparait... Cette certitude, en plus d'avoir dû utiliser son pouvoir durant une joyeuse réception, était à l'origine de sa faiblesse passagère.

—Je trouve bizarre que la tueuse soit tombée raide morte, fit Zedd avec un de ses regards dubitatifs qui n'auguraient jamais rien de bon.

—Ça m'inquiète aussi, avoua Richard.

—Une personne touchée par une Inquisitrice n'a plus qu'une obsession : plaire à sa maîtresse ! Et comment plaire à quelqu'un quand on est mort ? Si Kahlan lui avait ordonné de quitter ce monde, je comprendrais, mais ce n'est pas le cas.

Richard s'était tenu le même raisonnement, presque au mot près.

—C'est incompréhensible, concéda-t-il. Le pouvoir d'une Inquisitrice ne tue pas ses cibles ainsi. Il y a autre chose.

Zedd se gratta le menton d'un index squelettique.

—La femme a senti que le meurtre de ses enfants révulsait Kahlan… De là à penser que sa maîtresse voulait la voir morte, il n'y avait qu'un pas.

—Zedd, je ne sais pas… Mais ça ne me paraît pas très logique. Le but d'une Inquisitrice est d'obtenir la confession de criminels. De les faire avouer et d'apprendre tous les détails de leur acte. Passer aux aveux ne leur répugne pas, bien au contraire, puisqu'ils ont l'impression de faire plaisir à leur maîtresse. Et ils sont avides de vivre pour continuer à la servir.

—Quoi qu'il en soit, dit Cara en croisant les bras, je ne quitterai pas ce couloir tant que la Mère Inquisitrice ne sera pas remise.

—Merci, mon amie, souffla Richard en posant une main sur l'épaule de la Mord-Sith.

Tant que Kahlan serait vulnérable, elle ne pouvait pas avoir de meilleur ange gardien…

Lors de l'attaque, si terrifiante qu'eût été la scène, l'Inquisitrice n'avait jamais été en danger. Contre son pouvoir, aucun agresseur solitaire n'avait la moindre chance de réussir. Et si Cara s'était interposée, elle aurait été moins efficace que Kahlan, malgré ses incontestables compétences. Face à une Inquisitrice, un seul adversaire ne faisait pas le poids.

Mais avant d'être reposée, Kahlan ne pourrait plus utiliser son pouvoir. Dans cette configuration, la proposition de Cara était plus que bienvenue.

Richard se tourna vers Benjamin :

— Général, il faudrait poster des hommes aux deux extrémités de ce couloir.

— C'est déjà fait, seigneur Rahl.

Richard remarqua enfin les deux contingents de soldats de la Première Phalange, sur ses deux flancs. Assez d'hommes pour livrer une guerre…

— Pourquoi ne resterais-tu pas avec Cara ? Elle aura besoin de compagnie pendant que Kahlan se repose.

— Avec plaisir, seigneur Rahl ! (Benjamin se racla la gorge.) Pendant que vous étiez dans la chambre avec la Mère Inquisitrice, nous avons trouvé les enfants de la tueuse. Égorgés, comme elle l'a dit.

Richard n'avait jamais eu le moindre doute. La proie d'une Inquisitrice ne pouvait pas lui mentir. Pourtant, cette confirmation lui serra le cœur.

— Tu peux faire autre chose pour moi, général ? Qu'un de tes hommes aille chercher Nicci. Je ne l'ai plus vue depuis hier, à ton mariage. Qu'on lui dise que j'ai besoin d'elle…

Le général se tapa doucement du poing sur le cœur.

— J'envoie un soldat sur-le-champ, seigneur.

— Nathan, dit Richard en se tournant vers le prophète, j'aimerais que tu m'emmènes voir la femme qui a des visions et qui aurait un message pour moi…

— Lauretta…, murmura le prophète.

Zedd et Richard lui emboîtèrent le pas. Des soldats les suivirent, mais à bonne distance. En revanche, Rikka vint se placer devant eux.

Rallongeant un peu le chemin, Nathan privilégia les couloirs privés pour atteindre le secteur où résidaient les divers employés du palais. Richard se réjouit de cette initiative du vieil homme. Dans les couloirs publics, des gens l'auraient sans doute arrêté pour lui parler. Après ce qui venait d'arriver, il n'était pas d'humeur à discutailler de législation commerciale ni à entendre ses sujets se plaindre de telle ou telle loi. Et encore moins à écouter leurs questions sur les prophéties.

Car il avait d'autres soucis en tête.

Avant tout, il y avait la tueuse et la façon dont elle avait décrit sa vision. Selon elle, des « créatures des ténèbres » traquaient Kahlan.

Le gamin malade avait lui aussi parlé de « ténèbres ».

Le rapport semblait évident. Trop, peut-être… Parce que le même mot revenait dans les deux cas, fallait-il conclure que tout cela était lié ? Parfois, se laisser emporter par son imagination était un piège mortel…

Alors qu'il avançait aux côtés de Zedd, tous deux suivant Rikka et Nathan, le Sourcier regarda le livre que tenait le prophète et se souvint des phrases qui reprenaient les affirmations du garçon au sujet des ténèbres. Non, décida-t-il, il ne délirait pas…

Les murs des couloirs privés étaient lambrissés de vieux chêne. Avec le temps, le brun avait viré au noir, ce fond mettant particulièrement en valeur les tableaux – des scènes de chasse – qui composaient une galerie aux couleurs automnales du plus bel effet. Sur le sol de pierre, un riche chemin de couloir bleu foncé et or étouffait les bruits de pas.

Le petit groupe ne tarda pas à débouler dans les corridors de service qui permettaient au personnel de gagner l'aile privée du seigneur Rahl. Ici, les murs étaient simplement peints en blanc. Par endroits, les couloirs longeaient le mur d'enceinte du palais – un impeccable assemblage de blocs de granit parfaitement jointoyés. À intervalles réguliers, des fenêtres ménagées dans la muraille laissaient entrer la lumière du jour – et des courants d'air plutôt frisquets, en ce début de printemps.

Par ces fenêtres, Richard vit que des nuages noirs continuaient à s'accumuler dans le ciel. En matière de climat, au moins, il était un excellent prophète.

Le vent charriait de petits flocons de neige. Sous peu, les plaines d'Azrith allaient être balayées par un terrible blizzard printanier. Les invités n'étaient pas près de quitter le palais, semblait-il.

—Par là, dit Nathan en désignant une porte à double battant, sur sa droite.

Le petit groupe sortit de l'aile privée et s'engagea dans les couloirs du quartier des employés.

Tous les gens qu'ils croisèrent jetèrent des regards inquiets à Richard et aux deux sorciers qui l'accompagnaient. Comme c'était prévisible, la nouvelle de l'agression de Kahlan avait déjà fait le tour du palais. Tout le monde savait qu'il y avait des ennuis…

À voir leur visage, les D'Harans n'étaient plus d'humeur à se réjouir du mariage de Cara. Ici, tout le monde adorait la Mère Inquisitrice, épouse aimée du seigneur Rahl.

Enfin, tout le monde, pas vraiment, mais presque… La plupart des gens l'aimaient, et la tentative de meurtre devait les horrifier.

Avec le retour de la paix, le peuple avait repris confiance en l'avenir. L'optimisme était de mise. Désormais, tout semblait possible et les lendemains chantaient.

L'obsession des prophéties menaçait de détruire cette harmonie. Et elle avait déjà coûté la vie de deux enfants.

Qu'avait donc dit Zedd? Il n'y a rien de plus dangereux que la paix? Richard espéra que son grand-père se trompait.

Chapitre 12

Richard et Zedd suivirent Nathan dans un étroit couloir éclairé par une fenêtre, tout au bout. Quand ils l'eurent traversé, les trois hommes, la Mord-Sith et les soldats se retrouvèrent à l'intérieur du quartier des employés.

Ici, les murs étaient blanchis à la chaux et le plancher usé résonnait sinistrement. Toutes les portes, cependant, étaient décorées de chaudes peintures – des paysages ou des fleurs, le plus souvent – qui généraient un sentiment d'intimité.

—C'est là, dit Nathan en s'arrêtant devant une porte ornée d'un soleil stylisé.

Richard hocha la tête et le prophète frappa au battant.

N'obtenant aucune réponse, il frappa plus fort. Rien ne se passant, il boxa carrément la porte.

—Lauretta, c'est Nathan! S'il te plaît, ouvre-moi! J'ai dit au seigneur Rahl que tu as un message pour lui, et il est venu afin de l'entendre.

La porte s'entrebâilla. Dès qu'elle vit ses visiteurs, Lauretta l'ouvrit en grand.

—Seigneur Rahl, vous êtes venu! s'écria-t-elle avec un sourire complètement édenté sur le devant.

À vue d'œil, la femme plutôt massive portait au minimum trois gilets par-dessus sa robe bleu foncé. Le gilet du dessous, d'un blanc délavé, était boutonné de haut en bas et des boutons de nacre décoratifs faisaient le tour de la taille de Lauretta.

Celui du milieu était rouge et le dernier, à bien y regarder, était en réalité une chemise de flanelle aux manches beaucoup trop longues pour sa propriétaire.

Lauretta en remonta une, puis elle écarta de son visage une mèche de cheveux blonds.

— Vous me ferez bien le plaisir d'entrer ?

L'étrange femme recula dans la pénombre de son intérieur. Apparemment, elle était sincèrement ravie d'avoir de la visite.

Si bizarre que fût Lauretta, son foyer l'était encore plus. À cause de sa grande taille, Richard dut écarter les mobiles accrochés sur le côté intérieur du chambranle. Une bonne dizaine de modèles différents, tous composés de fil à tricoter de diverses couleurs et d'étranges bâtonnets. Mais si aucun n'était identique à un autre, tous évoquaient nettement une toile d'araignée. À quoi pouvaient donc servir ces objets ? Aucun effort d'imagination ne parvenant à les rendre ne serait-ce que regardables, il ne pouvait pas s'agir d'ornements.

Voyant la perplexité de son petit-fils, Zedd se pencha pour lui souffler à l'oreille :

— Des artefacts censés barrer l'entrée aux esprits du mal…

Richard se retint de dire que des esprits maléfiques, après un très long voyage depuis le royaume des morts, n'étaient certainement pas assez timorés pour se laisser arrêter par du fil à tricoter et des bâtons.

L'appartement de Lauretta était envahi de piles de documents qui montaient jusqu'au plafond. Une sorte de tunnel permettait de s'enfoncer dans les entrailles de cet obscur labyrinthe. Comme une taupe dans son terrier, la femme guida ses visiteurs – qui durent marcher en file indienne – jusqu'à une zone dégagée juste assez grande pour qu'on y ait installé une table et deux chaises. Entre deux piles de feuilles de parchemin, une chiche lumière parvenait à filtrer d'une fenêtre minuscule.

Derrière la table, un plan de travail était lui aussi recouvert de feuilles. À vrai dire, cet endroit ressemblait bel et bien à une tanière, mais creusée dans une décharge à ordures. Et d'ailleurs, l'odeur était presque aussi pestilentielle.

— Une infusion ? demanda Lauretta.

— Non, merci, répondit Richard. Il paraît que vous voulez me parler...

— Moi, ce ne serait pas de refus, l'infusion, dit Zedd en levant une main.

— Avec de délicieux biscuits ? lança Lauretta, épanouie.

— Gente dame, ce serait la cerise sur le gâteau.

Nathan roula de gros yeux et Richard foudroya son grand-père du regard.

Lauretta se faufila derrière une de ses piles.

Tandis que Zedd prenait place à la table, attendant d'être servi, son hôtesse s'empara d'une vieille bouilloire, sur un autre plan de travail. Une bougie placée dans un support en fer gardait l'infusion bien chaude – juste à côté de tout un fouillis de documents.

Richard en eut aussitôt des sueurs froides.

— Lauretta, dit-il, faire du feu ici est très dangereux.

— Oui, répondit la femme, cessant un instant de verser le liquide dans une tasse, je le sais, et je suis très prudente.

— J'en suis certain, mais il n'en reste pas moins que...

— Je dois prendre soin de mes prédictions.

Richard regarda les montagnes de feuilles, autour de lui. La plupart étaient empilées à la va-vite, mais il y avait aussi des caisses de bois bourrées jusqu'à la gueule et des classeurs ventrus entassés de guingois.

Zedd fit un grand geste circulaire.

— Ce sont toutes tes prédictions, femme ?

— Oui, oui, répondit Lauretta, contente de pouvoir enfin parler à quelqu'un de sa raison de vivre. Vous savez, j'en fais depuis mon plus jeune âge. D'après ma mère, le premier mot que j'ai dit, « feu », était déjà un présage. Le jour même, un appel d'air, dans la cheminée, a généré une flamme qui a embrasé sa robe. Maman s'en est tirée sans grand mal, mais morte de peur. Et à partir de là, elle a couché sur du parchemin tout ce que je disais.

Richard regarda également autour de lui.

—Et je parie que vous avez tout gardé.

—Bien entendu! (Lauretta se servit une tasse et reposa la bouilloire sur son support.) Et dès que j'ai eu l'âge, j'ai pris le relais de ma mère.

L'étrange devineresse posa sur la table une coupe remplie de biscuits.

—À la cannelle, ronronna Zedd, mes préférés! Et les tiens ont l'air délicieux, femme.

—Je les fais moi-même, roucoula Lauretta.

Très inquiet, Richard se demanda où et comment elle cuisinait.

—Et pourquoi gardez-vous tout ce que vous écrivez? lança-t-il.

—Eh bien, parce que ce sont mes prédictions.

—Ça, nous avons compris, mais les garder vous sert à quoi?

—À m'en souvenir... Il y en a tant que je ne peux pas les mémoriser. De plus, il est important qu'elles soient archivées.

Richard fit de son mieux pour ne pas trahir son exaspération.

—Et pourquoi ça?

Lauretta eut l'air troublée par une question si dépourvue d'intérêt.

—Eh bien, parce que tous les prophètes rédigent leurs présages.

—Oui, bien sûr, mais...

—Et ne conserve-t-on pas ces textes? Dans des recueils, par exemple?

—Des grimoires spéciaux, oui...

—Exactement, dit Lauretta, patiente comme si elle s'adressait à un enfant. Ces prophéties sont couchées sur le parchemin et conservées parce qu'elles ont de l'importance. Les autres, on les entrepose dans des bibliothèques. Les miennes... Comme je n'ai pas d'autre endroit, voilà ma bibliothèque!

Tout en grignotant un biscuit, Zedd évalua du regard la bibliothèque de Lauretta.

—Donc, je suis prudente avec le feu, parce qu'il ne faut pas que des textes importants disparaissent.

Déjà très dubitatif sur les prophéties et les prophètes, Richard ne se sentit pas enclin à réviser son opinion à la hausse.

—C'est parfaitement logique, dit distraitement Zedd. Et tes biscuits, gente dame, sont parmi les meilleurs que j'aie jamais goûtés.

Lauretta eut un grand sourire édenté.

—Revenez quand vous voudrez, doux seigneur.

—Une invitation que je n'oublierai pas, non moins douce dame… (Le vieux sorcier prit un autre biscuit et le brandit théâtralement.) Et maintenant, pouvons-nous entendre la prophétie que tu voulais porter à la connaissance du seigneur Rahl ?

—Oui, bien sûr… (Lauretta se tapota la bouche d'un index.) Mais où les ai-je donc rangées ?

—Les ? s'écria Richard. Il y en a plusieurs.

—Oui, oui… Plusieurs, c'est ça…

Lauretta s'approcha d'une pile et en tira une feuille.

—Non, ce n'est pas ça, dit-elle après l'avoir consultée brièvement.

Elle remit la feuille en place, en tira d'autres, et continua son manège sous le regard agacé de Richard, qui finit par se tourner vers Nathan, aussi perplexe que lui.

—Gente dame, intervint Zedd, tu pourrais peut-être dire de mémoire tes prophéties ?

—Doux seigneur, j'ai peur que ce soit impossible. J'ai trop de présages pour pouvoir les mémoriser, et c'est d'ailleurs pour ça que je les consigne par écrit. Quand c'est fait, je ne risque plus de les oublier. N'est-ce pas à cette fin que fut inventée l'écriture ? Les présages sont importants, et il ne faut surtout pas les perdre…

—Une vérité fondamentale, dit Nathan, soucieux de ne pas perturber davantage Lauretta. Pouvons-nous participer aux recherches ? Où aurais-tu classé tes prédictions les plus récentes ?

Lauretta parut une nouvelle fois surprise par la question.

—Eh bien, à leur place, tout simplement.

—Et comment détermines-tu leur place ?

—En fonction de ce qu'elles disent.

Nathan en resta un instant muet.

—Dans ce cas, comment les trouves-tu ? Si tu les oublies, comme tu nous l'as confié, à quoi te sert un classement qui dépend de leur sens ? En d'autres termes, comment sais-tu où chercher ?

Cette fois, Lauretta jugea la question digne d'intérêt.

—Ma foi, j'avoue que ça a toujours été mon problème… (Elle prit une grande inspiration, menaçant de faire craquer les boutons de son gilet.) Malgré mes efforts, je ne suis jamais venue à bout de ce paradoxe.

Repensant aux bibliothèques du palais et au désordre qui y régnait, Richard songea que la pauvre Lauretta n'était pas la seule à avoir des difficultés de ce type.

Zedd tira au hasard une feuille d'une pile, baissa les yeux dessus puis agita le document.

—Il y a un seul mot : «pluie».

Lauretta releva les yeux de la feuille qu'elle examinait.

—Oui, j'ai écrit ça un jour où j'avais la prémonition qu'il tomberait de l'eau.

—Nous perdons notre temps…, souffla Richard à l'oreille de Nathan.

—Je t'avais prévenu, non ?

—Je dois avouer que oui…

Le Sourcier se tourna vers Lauretta, qui s'était attaquée à une autre montagne de caisses, de classeurs et de feuilles volantes. Alors qu'il allait prendre congé, la devineresse s'écria :

—Voilà ! J'en ai trouvé une. Exactement à sa place.

—Et que dit-elle ? demanda Richard.

Lauretta approcha et tapota la feuille de l'index.

—«Des gens vont mourir», voilà ce qu'elle dit.

—Lauretta, ça arrive tous les jours… Au bout du compte, tout le monde meurt.

—Oui, c'est bien vu, ça! gloussa la devineresse avant d'aller s'attaquer à une autre pile.

Honnête par nature, Richard dut reconnaître qu'il avait eu connaissance de bien d'autres prophéties aussi peu frappantes…

—Lauretta, merci pour…, commença-t-il, pressé d'en finir.

—J'en ai une autre, seigneur! Et celle-ci, elle dit: «Le ciel va s'écrouler.»

—Le ciel? répéta Richard, sourcils froncés.

—Oui, c'est ça, le ciel.

—Ça ne serait pas plutôt le toit?

Lauretta baissa de nouveau les yeux sur sa feuille.

—Non, ça dit bien le «ciel». J'ai une écriture très lisible.

—Et ça voudrait dire quoi? Comment le ciel peut-il s'écrouler?

—Je n'en ai aucune idée, pauvre de moi! Je ne suis qu'une intermédiaire. Les prophéties viennent à moi et je les transcris, voilà tout. Puis je les archive, comme il convient pour des textes importants.

Nathan fit un grand geste circulaire.

—Et tu n'as aucune vision liée à ces prédictions?

—Non… Elles me viennent et je les transcris, c'est tout.

—Donc, tu ne comprends pas nécessairement leur sens?

Lauretta réfléchit quelques secondes.

—Eh bien, quand il s'agit de la pluie, qui aurait besoin d'une vision pour comprendre? Tout le monde sera d'accord avec moi, je suppose? Mais lorsqu'on parle du ciel qui va s'écrouler, je n'imagine pas de quoi il s'agit. Le ciel ne peut pas s'écrouler, à première vue…

—Ni à seconde, acquiesça Nathan.

Pensive, Lauretta leva un index hésitant.

—Donc, ces mots doivent avoir un sens caché.

—C'est plus que probable, admit Nathan. Et si tu n'as pas de vision, comment te «vient» une prédiction de ce genre?

—Sous une forme verbale… Je ne vois pas d'image… C'est comme si une voix, dans ma tête, disait: «Le ciel va s'écrouler.» Ensuite, je couche les mots sur le parchemin.

—Et tu archives ces prédictions chez toi…

Lauretta regarda ses précieuses piles de feuilles.

—Les générations futures de prophètes devront étudier tout ça, j'imagine…

Richard réussit de justesse à ne pas exploser. Mais Lauretta n'était pas méchante, et elle n'essayait pas de les rendre fous. Elle était très bizarre, tout simplement, et tenter de la réformer ne conduirait nulle part. Une obsession la guidait, et il eût été gratuitement méchant de briser son rêve éveillé.

—Bon sang! j'avais presque oublié! s'exclama soudain Lauretta. (Elle se dirigea d'un pas traînant vers le fond de la pièce.) Une autre prophétie m'est venue hier, de façon tout à fait impromptue. C'est la dernière qui vous est adressée, seigneur Rahl.

Lauretta tira plusieurs feuilles d'une pile, les parcourut du regard, les remit en place et répéta deux ou trois fois l'opération. Quand elle eut trouvé ce qu'elle cherchait, elle revint vers ses invités.

Si ses prophéties étaient sans intérêt, songea Richard, les talents d'archiviste de cette femme méritaient des félicitations. S'y retrouver dans un tel fouillis confinait au génie.

Lauretta tendit la feuille à Richard.

—« La fierge prend le paon »…, lut à voix haute le Sourcier. Qu'est-ce que ça veut dire ?

Lauretta haussa les épaules.

—Je n'en ai aucune idée… Ma mission est de recevoir les prophéties et de les transcrire, pas de les interpréter. Comme je l'ai déjà dit, les futurs prophètes se chargeront de cette tâche-là.

Richard jeta un coup d'œil à Nathan puis à Zedd.

—L'un de vous a une idée de ce que ça signifie ?

Le vieux sorcier eut une moue dubitative.

—Navré, mais ça ne me dit rien.

—Pareil pour moi, fit Nathan.

Richard prit une profonde inspiration.

—Merci de m'avoir communiqué tout ça, Lauretta… « Des gens vont mourir », « Le ciel va s'écrouler », et « La fierge prend le paon ». C'est bien ça que vous vouliez me transmettre ? Il n'y a rien d'autre ?

—Non, seigneur… J'ignore le sens de ces prophéties, mais je suis certaine qu'elles vous sont destinées.

—Et vous savez toujours à qui elles s'adressent ?

Là encore, Lauretta prit le temps de la réflexion.

—Non. C'est même la première fois que ça m'arrive. Mais on dit que vous êtes un homme hors du commun – un très grand sorcier – et je suppose que c'est pour ça…

Richard regarda la bouilloire posée au-dessus d'une bougie.

—Lauretta, pour vous remercier, j'ai une idée qui vous plaira sûrement…

—Une idée ?

—Oui… Ces prédictions devraient être conservées dans un endroit adapté.

—Adapté ?

—Exactement. Ici, personne n'y a accès, et c'est vraiment dommage. Je les verrais bien dans une bibliothèque.

—Une bibliothèque ? Vous êtes sérieux, seigneur Rahl ?

—Bien entendu… Ce sont des présages. À quoi servent les bibliothèques, selon vous ? Si j'envoyais des gens prendre ces documents afin qu'ils soient entreposés sur des rayonnages, qu'en diriez-vous ?

—Eh bien, je…

—Pas très loin d'ici, il y a une grande bibliothèque, avec une multitude de salles. Un jour, les futurs prophètes pourraient y étudier vos présages dans des conditions idéales. Et vous pourriez venir les consulter quand ça vous chante. De plus, votre nouvelle production pourrait y être ajoutée au fur et à mesure. Dans une section spéciale, évidemment…

—Une section spéciale ? Pour mes prophéties ?

—C'est ça, oui, renchérit Zedd, volant au secours de Richard. Un endroit où ces textes seraient en sécurité.

Lauretta se tapota pensivement les lèvres.

—Et je pourrais y aller à volonté ?

—Entrée libre et illimitée, dit Richard. Et nous compterions sur vous pour nous apporter les nouveaux textes. Mieux encore, vous pourriez les rédiger directement dans votre salle réservée.

Rayonnante, Lauretta prit la main de Richard, la tenant comme si un roi venait de lui offrir une partie de son royaume.

—Vous êtes le meilleur seigneur Rahl que nous avons jamais eu… Merci mille fois. J'accepte votre généreuse proposition visant à préserver mon œuvre.

Richard ne se sentit pas très fier de son mensonge, mais cet endroit était un vrai piège à feu, et il ne voulait pas que Lauretta, et peut-être d'autres personnes, meurent à cause d'un entassement de prophéties. Dans la bibliothèque en question, il restait assez de place pour que la « section spéciale » ne soit pas un problème. De toute façon, rien ne prouvait que les prédictions de Lauretta ont moins de « valeur » que les autres…

—Merci encore, seigneur Rahl, dit la femme en raccompagnant ses invités.

—C'est très gentil de ta part, Richard, dit Zedd sur le chemin du retour.

—En fait, c'est pour prévenir un incendie…

—Tu aurais pu lui mentir, envoyer des gens prendre ses paperasses et les faire brûler au plus vite.

—C'est vrai, mais elle a consacré sa vie à ces feuilles de parchemin… Pourquoi les détruire alors que nous avons toute la place qu'il faut dans nos bibliothèques ? Ainsi, elle ne souffrira pas de devoir se séparer de son œuvre.

—C'est pour ça que c'est gentil, Richard… Ton petit truc a fonctionné, et il ne fait de mal à personne. C'est magique !

—Comme tu aimes le dire, les trucs et la magie, c'est souvent la même chose.

—Oui, oui, c'est formidable…, marmonna Nathan en tirant sur la manche de Richard. Mais la dernière prophétie qu'elle t'a transmise, celle avec la « fierge » ?

Richard se tourna vers le prophète.

—Celle dont le sens m'échappe complètement ?

—Comme à moi, mon garçon, comme à moi… (Nathan brandit le livre dont il ne se séparait plus.) L'ennui, c'est qu'elle est là-dedans, mot pour mot. « La fierge prend le paon. »

Chapitre 13

Kahlan s'assit dans son lit en sursaut.

Dans la chambre paisible, quelqu'un la regardait.

Allongée les yeux fermés, l'Inquisitrice ne dormait pas. Elle se reposait, simplement. Enfin, elle était presque sûre de ne pas s'être endormie.

En revanche, elle s'était vidé l'esprit, afin de ne pas penser à la mère qui avait tué ses enfants. Oui, oublier ces pauvres petits et leur fin terrible, tout ça à cause de la peur des prophéties…

Il y avait aussi les visions d'horreur de la tueuse. Tant de choses à chasser de son esprit.

Alors que les épais rideaux étaient tirés, l'unique lampe qui éclairait la chambre, réglée au minimum, ne parvenait pas à produire assez de lumière pour dissiper les ténèbres qui régnaient dans les recoins de la pièce. Posée sur la coiffeuse, devant le miroir, cette lampe évoquait un phare dans une nuit d'encre.

Se demandant qui la regardait, Kahlan conclut immédiatement qu'il ne pouvait pas s'agir de Richard. S'il s'était tenu dans une des zones d'ombre, il se serait déjà manifesté. *Idem* pour Cara. La présence que Kahlan sentait pourtant dans la chambre ne disait rien et ne bougeait pas.

Mais elle ne doutait pas qu'elle était bel et bien là.

Elle n'en doutait pas, vraiment ? L'imagination d'un être humain, la sienne comprise, pouvait lui jouer tellement de tours ! En restant honnête et logique, l'Inquisitrice ne pouvait pas écarter cette possibilité. Surtout après avoir entendu l'histoire de Cara, plus tôt dans la journée.

Le cœur battant la chamade, Kahlan sonda pourtant les coins sombres de la pièce.

D'instinct, sa main droite se referma sur le manche de son couteau.

Écartant le dessus-de-lit, sous lequel elle reposait, Kahlan frissonna au contact de l'air frais sur ses cuisses nues. Très lentement, elle fit glisser ses jambes sur le côté, puis se leva sans faire de bruit. Tous les sens aux aguets, elle attendit.

Au bout d'un moment, ses yeux lui firent mal à force de scruter les ténèbres.

Elle avait toujours le sentiment qu'on l'épiait.

Mais où pouvait se cacher l'intrus ? Elle n'en avait pas la première idée. Si elle avait l'impression qu'on l'espionnait sans pouvoir dire où se tenait le « voyeur », n'était-ce pas la preuve que son imagination s'emballait ?

— Bon, ça a assez duré…, souffla-t-elle.

D'un pas décidé, elle marcha jusqu'à la coiffeuse. Les semelles des bottes qu'elle n'avait pas retirées produisirent sur le parquet un bruit qui se répercuta dans les quatre coins toujours obscurs de la chambre. Arrivée devant la coiffeuse, Kahlan régla la lampe au maximum. Aussitôt, toute la pièce s'illumina. Bien entendu, il n'y avait personne.

Dans le miroir, l'Inquisitrice contempla l'image d'une femme à demi nue qui serrait un couteau.

Histoire d'être sûre, elle avança jusqu'au fond de la chambre, puis écarta les rideaux et regarda même dans l'armoire. Il n'y avait rien. Et c'était parfaitement normal, puisque Richard avait fouillé la pièce devant elle. L'air de rien, il avait tout vérifié pendant qu'elle se mettait au lit. Dans le couloir, Cara et des soldats d'élite montaient la garde. Personne n'avait pu entrer.

Dans l'armoire ouverte, l'Inquisitrice prit une robe propre et l'enfila. Celle qu'elle avait retirée un peu plus tôt était peut-être fichue. Comment laver le sang de deux enfants qui tachait une robe blanche ? Au Palais des Inquisitrices, en Aydindril, des servantes savaient s'occuper de la tenue satinée et immaculée de la Mère Inquisitrice. Ici, il devait y avoir aussi des gens capables de nettoyer des taches de sang.

Penser à l'origine de ce fluide vital réveilla la colère de Kahlan. Un bref instant, elle se réjouit que la tueuse ait quitté ce monde.

Puis elle se posa de nouveau une question perturbante. Pourquoi cette femme était-elle morte ? Elle ne le lui avait pas ordonné, prévoyant simplement de la faire enfermer. Pour l'interroger plus tard, en privé. Quand elle avait touché une personne avec son pouvoir, obtenir ses confidences était un jeu d'enfant.

À bien y repenser, il semblait trop « beau » que la tueuse, après avoir avoué son crime et prophétisé la fin imminente de la Mère Inquisitrice, fût tombée raide morte avant d'avoir pu répondre à l'ombre d'une question.

Cette constatation suffit à convaincre Kahlan que Richard ne se trompait pas. Quelque chose se tramait. Et dans ce cas, la femme n'était qu'une marionnette manipulée par un ennemi tapi dans l'ombre.

Pensant à Richard, Kahlan eut un tendre sourire. Évoquer son mari lui redonnait toujours le moral.

Lorsqu'elle ouvrit la porte de la chambre, elle découvrit que Cara, comme elle s'y attendait, y était adossée. Une autre Mord-Sith, Nyda, l'avait rejointe.

— Comment allez-vous ? demanda Cara par-dessus son épaule.

— Très bien…

— Le seigneur Rahl m'a dit de vous conduire à lui dès que vous seriez remise. Il va recevoir cet abbé…

Kahlan ne put s'empêcher de soupirer. Elle n'avait aucune envie de voir des gens, mais Richard lui manquait, et elle était aussi avide que lui de savoir ce que l'homme avait à dire.

— Pourquoi êtes-vous si pâle ? s'enquit Cara, inquiète.

— La fatigue, sans doute… (Kahlan sonda un moment les yeux bleus de la Mord-Sith.) Cara, tu veux bien faire quelque chose pour moi ?

— Bien entendu, Mère Inquisitrice. De quoi s'agit-il ?

— Peux-tu faire déménager nos affaires ?

— Vos affaires ?

— Oui. Je ne veux pas dormir dans cette chambre.

— Pourquoi donc ?

— Parce que tu m'as fourré des idées bizarres dans la tête.

— Quelqu'un vous a épiée ?

— Je n'en sais rien… C'est mon imagination, je crois.

Cara entra dans la chambre, son Agiel au poing. Superbe blonde aux cheveux nattés, comme il était d'usage chez les Mord-Sith, Nyda la suivit comme son ombre.

Cara tira les rideaux et regarda dans l'armoire pendant que sa collègue jetait un coup d'œil sous le lit. Les deux femmes firent chou blanc. Kahlan aurait pu le leur prédire, mais quand une Mord-Sith avait des soupçons en tête, il n'y avait pas moyen de les lui enlever.

— As-tu trouvé quelqu'un dans ta chambre ? demanda l'Inquisitrice quand Cara eut terminé son inspection.

— Je crains que non…

— Je vais m'occuper du déménagement, Mère Inquisitrice. Comme ça, Cara pourra vous accompagner.

— Parfait.

— Vous avez une préférence, pour la chambre ?

— Non. Mais ne me dis pas laquelle tu as choisie avant de nous y conduire, ce soir.

— Quelqu'un vous espionnait, pas vrai ? lança Cara.

Kahlan la prit par le bras et la tira vers la sortie.

— Allons retrouver Richard.

Chapitre 14

Richard se leva quand la porte s'ouvrit. Du coin de l'œil, il vit que Kahlan l'avait imité en reconnaissant l'homme qui accompagnait Benjamin. L'abbé de la province de Fajin…

L'Inquisitrice étant arrivée quelques instants plus tôt, son mari avait eu à peine le temps de s'enquérir de sa santé. Souriante, Kahlan avait répondu qu'elle allait bien.

Mais dans ses yeux, une ombre laissait penser qu'elle mentait. Cela dit, elle avait toutes les raisons de ne pas être joyeuse.

Et Cara qui ne la quittait pas d'un pouce… Un autre indice inquiétant… D'autant plus que la Mord-Sith portait son uniforme de cuir rouge.

Benjamin introduisit l'homme en redingote dans la confortable salle de réunion. Bien entendu, il remarqua que sa femme s'était changée, mais il ne fit aucun commentaire.

L'abbé retira son étrange chapeau noir pour dévoiler des cheveux blonds en bataille coupés très court sur les côtés. Il arborait un grand sourire que Richard trouva aussitôt forcé.

—Seigneur Rahl, dit Benjamin, je vous présente l'abbé Ludwig Dreier, de la province de Fajin.

Au lieu de tendre la main, Richard salua l'homme d'un signe de tête.

—Bienvenue, abbé Dreier.

Le visiteur balaya l'assistance du regard.

—Merci d'avoir pris le temps de me recevoir, seigneur Rahl.

Une drôle de façon de présenter les choses. L'abbé n'avait pas demandé une audience. Richard l'avait convoqué.

Vêtu d'une tunique toute simple, Zedd se tenait sur la droite de Kahlan. Un mur percé de fenêtres, sur la droite du sorcier, projetait une lumière grise sur les murs lambrissés et les rayonnages lestés de livres encadrés par des colonnes en noyer. Quelques lampes réglées au maximum se substituaient au soleil plus que défaillant.

Nathan était parti voir où en était Berdine dans sa bibliothèque. Histoire de mettre son visiteur à l'aise, Richard avait demandé aux hommes de la Première Phalange de monter la garde dans le couloir et pas dans la salle. Dreier, après tout, représentait une des provinces de l'empire, pas un pays ennemi. Mais la présence d'une Mord-Sith en cuir rouge, sur la gauche du seigneur Rahl, n'avait sûrement rien pour inciter un homme à se détendre.

Plus tôt dans la journée, l'abbé s'était révélé un fervent défenseur des prophéties. Pour justifier sa tentative d'assassinat, la mère infanticide avait prétendu connaître l'avenir de Kahlan. Richard et son épouse, depuis toujours, n'avaient aucune indulgence pour les gens qui se laissaient manipuler par les prédictions, se pensant absous de toute culpabilité pour le mal qu'ils faisaient. Témoin de toute l'affaire, l'abbé devait se douter de ce que pensaient les deux époux, et savoir par conséquent qu'ils n'étaient pas du tout dans son camp.

Richard désigna un fauteuil confortable, de l'autre côté d'une table basse au plateau en marbre noir veiné de quartz blanc.

—Veuillez vous asseoir, abbé Dreier…

L'homme s'assit au bord du siège, le dos bien droit et les mains croisées sur les genoux, son chapeau accroché à ses pouces.

—Seigneur Rahl, appelez-moi Ludwig, je vous en prie.

—Comme vous voudrez, Ludwig… À ma grande honte, j'admets savoir très peu de choses sur votre province. Pendant la guerre, survivre était notre seule préoccupation, et nous n'avons pas eu le temps d'en apprendre très long sur ceux qui combattaient vaillamment à nos côtés. Le spectre de la tyrannie étant écarté, la Mère Inquisitrice et moi avons l'intention de rendre visite à tous les peuples de l'empire d'haran.

» Très ignorants au sujet de la province de Fajin, nous apprécierions que son dirigeant nous la décrive un peu.

L'abbé s'empourpra.

— Seigneur Rahl, on vous aura mal informé… Je ne dirige pas la province.

— Vous n'y exercez pas l'autorité ?

— Créateur adoré, bien sûr que non !

La province de Fajin, située dans les Terres Noires, était une des plus petites régions frontalières de D'Hara. Pourquoi son ou ses chefs n'étaient-ils pas venus ? Au nom de quoi avaient-ils raté une occasion de connaître les autres dirigeants de l'empire et d'avoir leur mot à dire sur les décisions politiques ?

Des têtes plus ou moins couronnées étaient venues des quatre coins de l'empire pour le grand mariage. Si l'union de Cara et de Benjamin était l'événement central de ce grand rassemblement, il y avait comme toujours des « à-côtés » diplomatiques non négligeables.

Aucun dirigeant n'avait voulu manquer à l'appel. À part ceux qui étaient trop malades pour voyager, bien entendu, et qui avaient envoyé des émissaires. Avec la suite d'ambassadeurs, de fonctionnaires et de conseillers qui accompagnaient chaque dirigeant, ça expliquait pourquoi le palais débordait.

Ces derniers jours, Richard avait passé de nombreuses heures avec des rois, des reines et une théorie de diplomates.

— Mais vous avez un poste important, je suppose ?

— Je suis un homme très humble qui a eu la chance de travailler avec des gens bien plus doués que lui.

— Doués ? Dans quel domaine ?

— Les prophéties, seigneur Rahl.

Richard et Kahlan échangèrent un regard soupçonneux.

— Voulez-vous dire, Ludwig, que des prophètes – des sorciers ayant ce don particulier, je veux dire – vivent dans votre province ?

L'abbé se racla la gorge.

— Pas exactement, seigneur Rahl. Ce ne sont pas des prophètes semblables au grand homme aux cheveux blancs dont j'ai tant entendu parler. Nous n'avons pas cette chance, loin de là… Désolé, si je vous ai donné une fausse impression. Nous sommes une petite province parfaitement insignifiante. Comparés à votre prophète, les nôtres sont des débutants. Mais nous faisons de notre mieux avec ce que nous avons.

— Qui dirige la province, Ludwig ?

— L'évêque Hannis Arc.

— Hannis Arc… (Richard s'adossa à son siège et croisa les jambes.) Et pourquoi n'est-il pas venu ?

Ludwig sursauta.

— Je ne saurais le dire, seigneur Rahl. Je le rencontre rarement… Il exerce le pouvoir dans la cité de Saavedra alors que je vis et travaille dans une lointaine abbaye, au cœur des montagnes. Avec mes assistants, nous recueillons des informations auprès de personnes assez douées pour avoir des prémonitions. Très régulièrement, nous transmettons ces ébauches de prophéties à l'évêque, afin de l'aider à prendre de bonnes décisions pour notre province. Bien entendu, quand nous détenons un présage particulièrement important, nous l'avertissons au plus vite. Ce sont les seules occasions où je le rencontre.

Impatient d'entrer dans le vif du sujet, Zedd eut un geste agacé.

— Et cet évêque, donc…

— Hannis Arc.

— Oui, Hannis Arc. C'est un homme d'Église ? le chef d'une secte ?

Comme s'il craignait d'avoir de nouveau donné une fausse impression, Ludwig secoua la tête.

— Non, son titre est purement protocolaire.

— Bref, il ne s'agit pas d'un pouvoir théocratique dévoué au Créateur ? demanda Zedd.

Ludwig dévisagea chacun de ses interlocuteurs.

— Nous n'adorons pas le Créateur, parce qu'il est impossible de Le vénérer directement. Nous Le respectons et Le remercions de nous avoir donné la vie, mais nous ne Lui vouons pas de culte. Ce serait bien présomptueux de notre part, puisqu'Il est tout alors que nous ne sommes rien. Il ne communique pas avec le monde des vivants d'une manière simpliste qui consisterait à nous parler ou à écouter nos prières.

» Hannis Arc est le chef qui inspire la province de Fajin. La lumière qui nous guide, devrait-on dire, et non un dirigeant religieux. Sa parole a valeur de loi à Saavedra, dans les autres villes et partout dans la province.

— Si sa parole a force de loi, intervint Kahlan, pourquoi a-t-il besoin que votre abbaye lui fournisse des prédictions ? En d'autres termes, s'il dépend des dires de « visionnaires », il ne dirige pas vraiment.

— Mère Inquisitrice, j'ai peur de ne pas comprendre.

— S'il cherche des gens dotés du pouvoir de lire l'avenir, il n'est pas vraiment à la tête de la province, car ce sont les devins qui règnent, en réalité. Leurs visions ont force de loi, pas sa parole. Je me trompe ?

— Eh bien, je…, fit Ludwig en jouant nerveusement avec son chapeau.

— Si on voit les choses ainsi, c'est vous, le dirigeant de la province.

L'abbé secoua frénétiquement la tête.

— Non, Mère Inquisitrice, ça ne fonctionne pas comme ça.

— Alors, comment ça marche, exactement ?

— Le Créateur ne nous parle jamais directement, parce que nous sommes indignes d'entendre Sa voix. Les seuls êtres humains qui croient L'entendre sont des illuminés. Mais de temps en temps, Il nous aide par l'intermédiaire de prophéties. Le Créateur est omniscient. Le passé et le futur n'ont aucun secret pour Lui, et les prédictions sont Sa manière de nous parler. Sachant tout ce qui arrivera dans l'avenir, Il nous gratifie de présages afin que nous évitions certaines erreurs.

Immobile comme une statue, Kahlan avait adopté son masque d'Inquisitrice, un visage que Richard lui avait souvent vu.

— Si je comprends bien, le Créateur donne des visions aux gens pour qu'ils égorgent leurs enfants ?

Ludwig regarda Kahlan, puis Richard, puis de nouveau Kahlan.

— Il voulait peut-être leur épargner une fin plus atroce encore. En quelque sorte, Il leur a fait une faveur.

— S'Il est tout alors que nous ne sommes rien, pourquoi n'est-il pas intervenu pour leur épargner l'horreur dont vous parlez ?

— Parce que nous ne sommes rien, justement ! Il nous est supérieur. Il serait vain d'espérer qu'Il intervienne en notre faveur.

— Pourtant, Il nous transmet des prophéties.

— C'est vrai.

— Donc, Il intervient en notre faveur.

Ludwig acquiesça à contrecœur.

— Mais d'une manière indirecte et très générale. C'est pour ça que nous devons nous fier aux prophéties.

— Je vois, fit Kahlan. (Elle se pencha en avant et pianota d'un index sur la table de marbre.) Parce que les prophéties sont l'œuvre du Créateur, vous auriez été ravi que cette femme me tue, aujourd'hui. J'en déduis que vous vous désolez de me savoir en vie.

L'abbé devint blanc comme un linge.

— Je ne suis qu'un humble serviteur qui se dévoue à l'évêque, Mère Inquisitrice.

— Afin qu'il utilise ce que vous lui fournissez pour accomplir la volonté du Créateur ? Comme cette femme, aujourd'hui, qui s'est servie des prophéties pour justifier un infanticide ?

Ludwig regarda les deux époux, baissa les yeux sur le sol, puis recommença son manège visuel.

— Les présages que nous lui fournissons le guident, voilà tout. Ce sont des outils. Par exemple, certains de nos devins ont prédit que cette joyeuse célébration finirait en tragédie. Selon moi, Hannis Arc n'a pas voulu voir le palais frappé par le malheur, et c'est pour ça qu'il n'est pas venu. Nous lui fournissons des informations, et il choisit en toute liberté.

— Donc, il vous a envoyé, dit Richard.

Ludwig déglutit péniblement.

— En venant au palais, j'espérais en apprendre plus sur les prophéties auprès de vos experts. L'évêque a pensé que c'était une excellente raison de faire le voyage, car les prophéties sont le sel de la vie.

Kahlan foudroya l'abbé du regard.

— Pendant votre séjour, vous devriez aller sur la tombe des deux enfants qui n'auront jamais la chance de découvrir ce que l'avenir leur réservait. Et vous souvenir que leur meurtrière s'est inspirée de ses visions pour leur ôter la vie.

Ludwig baissa les yeux.

— Je comprends, Mère Inquisitrice.

À l'évidence, l'abbé n'était pas d'accord, mais il n'avait pas envie de polémiquer. Pendant la réception, se sentant soutenu par les autres invités, il avait fait montre d'une grande assurance. Seul face à ses contradicteurs, il se dégonflait comme une baudruche.

— Que savez-vous d'une femme nommée Jit ? demanda Richard.

Ludwig parut troublé par le changement abrupt de sujet.

— Jit ?

Richard lut dans les yeux de l'abbé qu'il connaissait ce nom.

— Oui, la Pythie-Silence.

Ludwig réussit à regarder Richard sans ciller.

— Eh bien, je ne sais pas grand-chose, j'en ai peur.

— Où vit-elle ?

— Je ne sais plus… (L'abbé introduisit un index dans son col, qu'il semblait soudain trouver trop serré.) Enfin, je n'en suis plus sûr…

— On m'a dit qu'elle habite dans la trace de Kharga… Si je ne me trompe, c'est près de la province de Fajin ?

— La trace de Kharga ? Oui, oui… Maintenant que vous le dites, ça me revient : elle vit bien là-bas.

— Je veux en savoir plus sur elle, Ludwig.

— Désolé, je ne la connais pas vraiment…

— Vous fournit-elle des prédictions?

L'abbé secoua la tête.

— Non, non, sûrement pas! Elle ne fait pas ce genre de chose.

— Alors, que fait-elle?

L'abbé agita vaguement son chapeau.

— Elle vit dans une région très hostile où les gens ont besoin d'aide. Jit leur fournit des médicaments. Des potions, des onguents, ce genre de choses… Mais la trace de Kharga n'est pas très peuplée. Ce n'est pas un endroit très hospitalier.

— Mais des habitants d'autres régions des Terres Noires y viennent pour consulter Jit, pas vrai? demanda Richard.

Ludwig fit tourner son chapeau noir entre ses mains.

— Je n'en sais rien, seigneur Rahl. N'ayant aucun rapport avec elle, je ne peux pas m'avancer. Mais les gens sont superstitieux et certains croient dur comme fer à ses pouvoirs.

— Elle n'énonce jamais de prophéties?

— Non, aucune prédiction… Enfin, à ma connaissance. Mais je ne la fréquente pas, alors… (Ludwig désigna les fenêtres.) En tout cas, vos présages sont de première qualité, seigneur Rahl. Une tempête se prépare. Comme vous l'avez prédit, personne ne pourra repartir avant quelques jours, au minimum.

Richard se tourna vers les fenêtres. Les vitres tremblaient sous la force du vent qui charriait des flocons de neige et des grêlons. La nuit menaçait d'être froide et particulièrement noire.

— Abbé, vous allez laisser les prophéties à ceux qui savent qu'en faire, ici, au palais. C'est compris?

Ludwig réfléchit un moment avant de répondre.

— Seigneur Rahl, je n'ai pas de visions… Ni de talent pour ça, d'ailleurs. Je suis un intermédiaire, rien de plus. Vous pouvez bien sûr me réduire au silence, mais ça ne fera pas disparaître les présages. Et l'avenir s'accomplira, que nous le voulions ou pas.

» Les prédictions font partie de la vie. Là encore, que nous le désirions ou pas, les devins ne cesseront jamais de nous les révéler.

— Sur ce point, soupira Richard, je suis hélas d'accord avec vous, abbé Dreier.

Chapitre 15

Dans le couloir, alors qu'il regardait Ludwig s'éloigner, Richard vit que Nicci avançait dans le sens opposé. Avec sa robe noire et ses longs cheveux blonds, la jeune femme ressemblait à un esprit vengeur venu parmi les vivants pour déchaîner son courroux. En croisant l'abbé, elle lui jeta un rapide coup d'œil. Pour sa part, il préféra garder les yeux baissés, sans doute parce qu'il avait peur que la redoutable magicienne le foudroie sur place s'il lui déplaisait. À vrai dire, une telle éventualité n'était pas entièrement impossible.

Selon Richard, il n'y avait guère de visions plus effrayantes qu'une belle femme en colère. Et Nicci semblait carrément furieuse. Mais pourquoi cette humeur exécrable?

— Que t'arrive-t-il? demanda le Sourcier quand son amie l'eut rejoint.

— J'ai eu affaire à des crétins…, marmonna Nicci entre ses dents serrées.

— Que veux-tu dire? lança Kahlan.

Du pouce, Nicci désigna l'endroit d'où elle venait.

— Ils sont obsédés par les prophéties. Savoir ce que leur réserve le futur, connaître les oracles… Ils croient que nous faisons de la rétention d'informations, ces abrutis!

— De qui parles-tu précisément? demanda Kahlan en jetant un regard en coin à Richard.

Nicci repoussa quelques mèches de cheveux derrière ses oreilles.

—Ces gens… Vous savez bien, les représentants des différents pays! Après la réception, ils me sont presque tous tombés dessus pour me faire dire ce que je savais sur l'avenir et les prophéties les plus importantes. Ils s'intéressaient particulièrement au présage qui a poussé la femme à tuer ses deux enfants.

» Ils croient que nous savons tout sur la prophétie d'où est née la vision de cette tueuse. Du coup, ils exigent que nous leur révélions les autres prédictions «noires».

—Maintenant, je comprends… Ils nous ont demandé la même chose, en y mettant un peu plus les formes.

Richard se passa lentement une main dans les cheveux.

—Je trouve ça absurde, comme vous, et ça me rend furieux, mais ça paraît une réaction humaine quand on vient d'entendre qu'une femme a tué ses enfants à cause d'une vision.

Zedd glissa frileusement les mains dans ses manches.

—Les gens ne peuvent pas s'empêcher de croire à ces sombres présages… Ils ont peur d'y croire, au début, à cause des conséquences que ça aurait pour eux, et cette angoisse finit par les convaincre que le danger existe vraiment. Nous pouvons raisonner avec ces personnes – Richard et Kahlan viennent de le faire – mais combattre la peur n'est jamais facile, surtout quand elle a de très bonnes raisons d'être.

—C'est juste, admit Nicci, toujours furieuse, mais je ne suis pas obligée d'aimer ça! Tant de remous à cause du délire d'une folle!

—Je ne t'ai pas vue à la réception, intervint Richard. Comment as-tu entendu parler de cette tueuse?

Nicci croisa les bras et regarda Richard comme s'il avait lui aussi perdu la tête.

—J'étais là! Sur le marché, j'aidais les gens à s'organiser pour se réfugier au plus vite à l'intérieur du haut plateau avant que la tempête éclate. Il fallait les mettre à l'abri. Les tentes ne les auraient pas protégés.

—C'est exact…

—Donc, soupira Nicci, j'étais présente lorsque le premier est tombé.

Richard plissa pensivement le front.

—Comment ça, quand le premier est tombé? Quel premier?

—Richard, tu m'écoutes ou pas? J'étais là quand le premier enfant est tombé du mur d'enceinte.

—Quoi?

—C'était une fillette de moins de dix ans… Elle a atterri sur un chariot qui transportait de grands pieux plus gros que ma jambe. La petite est tombée en criant, et le pieu lui a traversé la poitrine. Tout autour, les gens criaient et couraient en tous sens.

Richard tenta de comprendre ce que lui disait son amie. Il saisissait chaque mot, mais l'ensemble n'avait aucun sens.

—De quelle fillette parles-tu?

Nicci regarda ses interlocuteurs, les yeux ronds.

—La petite que cette femme a jetée du haut du mur du palais, la faisant tomber du plateau. Tout ça à cause d'une vision.

—Benjamin, dit Richard, je croyais que tu avais trouvé les deux enfants.

—Et c'est bien le cas, seigneur…

—Deux? répéta Nicci. Il y en avait quatre, voyons! Les quatre petits de cette femme se sont tués en tombant du mur d'enceinte. La fillette était l'aînée. Leur mère les a jetés dans le vide, et ils sont tombés près de moi. C'était horrible.

Kahlan saisit le devant de la robe de Nicci et la tira vers elle.

—Elle a tué quatre gosses de plus?

Nicci ne tenta pas de se dégager.

—Quatre de plus? Je ne comprends pas… Cette femme a tué ses quatre enfants, c'est déjà suffisant…

—Elle en avait deux!

—Non, Kahlan, quatre!

L'Inquisitrice lâcha son amie.

—Tu es sûre?

— Oui. Elle me l'a confirmé quand je l'ai interrogée, allant jusqu'à me donner leurs noms. Si tu ne me crois pas, va donc lui demander. Je l'ai fait enfermer au donjon…

— Enfermer ? s'écria Zedd.

— Une minute ! lança Richard. Nicci, tu me dis qu'une mère a jeté ses quatre enfants dans le vide et que tu l'as fait enfermer ?

— C'est ça, oui ! Combien de fois faudra-t-il que je le répète ? Vous prétendiez tout savoir sur cette horreur, mais c'est faux. Quand son mari a découvert ce qu'elle avait fait, il a voulu l'étrangler, et j'ai eu peur que les gardes qui avaient arrêté la tueuse le laissent faire. Je comprenais son désir de vengeance, mais je ne pouvais pas l'autoriser à agir, pour le moment. La femme attend dans une cellule, au cas où vous voudriez l'interroger.

— Pourquoi ces crimes ? demanda Richard. Comment les a-t-elle justifiés ?

Nicci regarda le Sourcier et ses compagnons comme s'ils étaient tous devenus fous.

— Elle prétend avoir eu une vision et ne pas avoir pu supporter le sort qui attendait ses enfants. Pour les protéger, elle leur a offert une mort rapide. Mais pourquoi me poser toutes ces questions sur une affaire que vous connaissez déjà ?

— Nicci, c'est l'autre affaire que nous connaissons.

— L'autre ? De quoi parles-tu ?

— La mère qui a égorgé ses enfants, puis qui est venue à la réception pour tenter de tuer Kahlan.

Nicci se tourna vers la Mère Inquisitrice.

— Ça va ?

— Très bien, oui… J'ai touché la tueuse avec mon pouvoir, et elle m'a tout raconté.

Nicci se prit le front entre le pouce et l'index.

— Deux femmes auraient tué leurs petits à cause d'une vision ?

Kahlan et Richard acquiescèrent.

— Voilà qui explique pourquoi les gens sont angoissés et veulent savoir ce que l'avenir leur réserve, dit le Sourcier.

— Richard, demanda Nicci, que nous arrive-t-il ?

— Je n'en sais rien… Sur le marché, nous avons rencontré un gosse malade persuadé que les ténèbres rôdent au palais. Plus tard, une devineresse aveugle a prédit que le toit allait s'écrouler.

— Le toit ?

— Exactement. Et je t'épargne d'autres présages encore plus absurdes.

Une lueur étrange dans le regard, Nicci se tourna vers Richard.

— Quand j'ai demandé à la femme comment était sa vision, sais-tu ce qu'elle m'a répondu ? Qu'elle ne pouvait pas livrer ses enfants à ce qui arriverait après la chute du toit.

— Ça nous fait trois personnes qui ont dit la même chose.

— Trois ?

— Oui…

Richard tapota le pommeau de son épée du bout des doigts. Mentalement, il tentait de remonter toutes les pistes pour parvenir au cœur de cette très sombre affaire.

— En plus de la devineresse aveugle, une autre femme a fait la même prédiction. Sans parler du livre.

— Parce qu'il y a un livre, en plus ?

Posant un index sous le menton de Richard, Nicci le força à tourner la tête vers elle.

— Oui, un livre… Nathan a découvert un ouvrage intitulé *Notes sur la fin*. On y trouve une prédiction sur le toit, et l'écho de bien des bizarreries que j'ai entendues aujourd'hui.

— Je connais ce livre… (Les bras croisés, Nicci sonda le regard de Kahlan, puis elle se tourna de nouveau vers Richard.) Des bizarreries de quel genre ?

— Nathan m'a emmené voir une autre femme qui prédit l'avenir. Selon elle, c'est le ciel qui va s'écrouler. C'est différent du toit, mais l'idée générale est la même. Elle m'a transmis une autre prédiction, mais celle-là, mot pour mot, figure dans l'ouvrage en question. L'ennui, c'est qu'elle ne veut rien dire.

— Que raconte cette prédiction ?

— La femme l'a écrite il y a deux ou trois jours… Elle couche sur le parchemin tous ses présages. Elle se prend pour une prophétesse, la pauvre… « La fierge prend le paon », voilà ce que ça disait. Incompréhensible, non ?

Nicci ne parut pas de cet avis.

— C'est un coup de chaturanga…

— De chaturanga ? Qu'est-ce que c'est ?

— Un jeu plutôt confidentiel.

— Je ne le connais pas… (Richard interrogea du regard ses compagnons, qui secouèrent tous la tête.) On y joue avec un broc, comme le Ja'La ?

— Non, aucun rapport. C'est un jeu de plateau stratégique. Fierge et paon sont des noms de pièce. La meilleure traduction serait « reine » et « pion ». Donc, « la reine prend le pion ». Ce qui veut dire, littéralement, que la reine capture un pion, l'éliminant du jeu. En un sens, elle le tue.

— J'ignorais tout de ce jeu, souffla Zedd.

— Eh bien, comme je l'ai dit, il n'est pas très connu. On le pratique dans certaines régions isolées.

— Lesquelles ? demanda Richard.

— La province de Fajin, essentiellement. Celle d'où vient l'homme que j'ai croisé en arrivant. Dans les Terres Noires…

Richard sonda le couloir comme s'il pouvait encore y voir l'abbé.

— À ce propos, dit Nicci, que faisiez-vous avec ce corbeau ?

— Je l'interrogeais à propos d'une Pythie-Silence.

Nicci plaqua une main sur la poitrine de Richard, le poussant contre le mur.

— Que viens-tu de dire ? demanda-t-elle, prise d'une rage froide.

Richard saisit le poignet de son amie et se dégagea, mais elle ne cessa pas de le foudroyer du regard.

— Je voulais des informations sur une Pythie-Silence nommée Jit. Elle vit dans la trace de Kharga, dans les Terres Noires. Pourquoi réagis-tu comme ça ?

Nicci brandit un index vengeur sous le nez du Sourcier.

—Richard Rahl, écoute-moi bien ! Tu vas te tenir très loin des Pythies-Silence ! C'est compris ? Contre une de ces femmes, tu es sans défense. Et nous en sommes tous là. Alors, interdiction de les approcher. Leur magie est différente de la nôtre – des nôtres, devrais-je dire. Même ton épée ne te protégerait pas.

—Parce que Jit pourrait nous vouloir du mal ?

—Les Pythies-Silence sont des vipères ! Si tu les laisses tranquilles sous leur pierre, tu ne risques rien. Mais si tu les déranges, elles frappent et te tuent en un clin d'œil. Ces femmes ont des pouvoirs sinistres. Ne t'approche pas d'elles, c'est compris ?

—Je ne savais pas que…

—Il vaudrait mieux que tu ne prononces plus jamais le nom de cette créature. (Nicci poussa de nouveau Richard contre le mur.) Tu m'as comprise ?

Richard se massa l'arrière du crâne, là où sa tête avait percuté le mur.

—Non, pas vraiment… C'est quoi, une Pythie-Silence ?

Nicci lâcha le Sourcier et son regard se voila.

—Une ignoble, infâme, répugnante, perverse, puante et vile créature. Un monstre qui se vautre dans les pires turpitudes à base de souffrance et de dépravation. Une immondice fascinée par la mort.

—D'où connais-tu Jit ?

—Je ne la connais pas, mais je sais comment sont toutes les Pythies-Silence.

—Et ça, tu le sais comment ?

Ses yeux bleus plus froids que la glace, Nicci répondit dans un murmure :

—As-tu oublié qui je suis ? Ou plutôt, qui j'étais ? Une Sœur de l'Obscurité dévouée au Gardien du royaume des morts ? Ne te souviens-tu pas qu'on me surnommait la Maîtresse de la Mort ?

Chapitre 16

— **C**omment va ta main? demanda Richard.

Kahlan se détourna de la fenêtre où, en écartant très légèrement le rideau, elle regardait l'orage se déchaîner. Dans une nuit d'encre, elle apercevait à peine la lumière de quelques pièces encore éclairées, en face d'elle. Au-dessus, avec les tourbillons de neige qui composaient comme un voile, les fenêtres évoquaient plutôt des lucioles.

Le blizzard avait créé des congères qui ressemblaient à de petites montagnes. Par endroits, la neige verglaçait, prenant une couleur moins immaculée.

Kahlan tendit la main à hauteur de la lampe posée sur la table de chevet, afin que Richard la voie bien. Les égratignures avaient pris une teinte rougeâtre et elles l'élançaient, mais si elle en parlait à son mari, il en ferait toute une affaire. Dès qu'il s'agissait d'elle, un rien l'inquiétait.

Il lui prit la main et l'étudia très attentivement.

— C'est enflé…, marmonna-t-il.

— Et un peu rouge, fit Kahlan en se dégageant. Mais ça n'a rien d'inquiétant. Les griffures évoluent toujours comme ça. Et ta main?

Richard leva le bras.

— Même aspect… Je crois qu'il n'y a pas de quoi s'alarmer.

— Non, ce n'est pas le pire problème de la journée.

— Et de très loin!

Se campant devant une armoire, Richard l'ouvrit et en sortit son sac à dos.

—Voilà un moment que je ne l'avais plus vu, fit Kahlan avec un petit sourire.

—Il y a longtemps que nous n'avons pas bougé d'ici… Il faudrait remédier à ça. Zedd veut que nous lui rendions visite, quand il sera de retour en Aydindril.

—J'adorerais voir ma ville natale et séjourner un peu au Palais des Inquisitrices. Après tant d'épreuves, Aydindril a bien mérité une renaissance.

Kahlan n'était pas dupe. Richard et elle n'iraient nulle part, en tout cas dans l'immédiat. Ici, des gens mouraient. Quelle qu'en soit la raison, ce drame allait vite prendre le pas sur tout le reste. Sentant que les ténèbres s'abattaient de nouveau sur elle, Kahlan aurait eu envie de crier, mais ça n'aurait rien changé.

Richard referma l'armoire.

—Avec les derniers événements, je doute que Zedd veuille repartir avant de connaître le fin mot de l'histoire. Et je ne suis pas mécontent qu'il soit ici pour nous aider.

Kahlan regarda son mari retirer son baudrier puis poser son épée sur la table de chevet. Jetant son sac sur le lit, il commença à farfouiller à l'intérieur. Mais que cherchait-il donc ?

Au bout d'un moment, il brandit triomphalement un pot d'onguent.

Kahlan sourit de nouveau. Encore un souvenir…

—Viens t'asseoir au bord du lit…

Dès que sa femme eut obéi, Richard entreprit d'appliquer de l'onguent sur sa blessure. L'effet fut immédiat et très apaisant.

—Mieux comme ça ?

—Bien mieux, oui…

Depuis des années, Richard n'avait plus utilisé son baume miraculeux à base de feuilles et de fleurs d'aum, entre autres ingrédients. Ayant grandi dans les bois, il en savait long sur les plantes médicinales.

Après s'être également traité, il remit le pot dans son sac.

Depuis la rencontre des deux époux, dans la forêt de Hartland, tant de choses étaient arrivées. Leurs vies avaient changé du tout au tout et le monde… Eh bien, le monde avait connu une longue et terrible guerre. En d'innombrables occasions, Kahlan avait eu peur de ne plus jamais revoir Richard. Plusieurs fois, elle avait pensé qu'il agonisait ou cru qu'on l'avait tué. La terreur avait semblé ne jamais devoir finir.

Mais c'était faux. Après des années de combat, Richard et Kahlan avaient remporté la victoire – en survivant tous les deux, par bonheur.

Et voilà que l'horreur recommençait…

Kahlan prit la main saine de Richard et la porta jusqu'à sa joue, la serrant contre sa peau. Une manière de cacher ses larmes.

Richard caressa les cheveux de sa femme et l'attira contre lui.

— Je sais, souffla-t-il. Je sais…

Kahlan enlaça son mari.

— Jure que tu ne laisseras rien ni personne nous séparer.

— C'est promis ! assura Richard.

— Tu sais qu'un sorcier tient toujours parole, le taquina Kahlan.

— Bien entendu que je le sais !

Tout semblait si harmonieux. Après tant d'années de lutte et de souffrance, il était injuste de repartir en guerre, mais c'était malheureusement le cas. Kahlan en avait conscience et Richard aussi. Elle se laissa néanmoins réconforter, parce qu'elle ne montrait ses faiblesses à personne d'autre.

— Pourquoi sommes-nous dans cette chambre ?

— Une ruse pour échapper aux espions…

— Tu t'es sentie épiée ?

— Richard, je n'en sais rien… Je jurerais que oui, mais c'est peut-être Cara qui m'a impressionnée avec son histoire. Mon imagination aura fait le reste… (Kahlan leva les yeux vers son mari.) Mais si tu crois que je vais me déshabiller ce soir, seigneur Rahl, tu te fais des illusions.

Richard s'étendit et sa femme l'imita, posant la tête sur son épaule.

—Serre-moi contre toi, d'accord?

Richard obéit avec le plus grand plaisir.

—Je ne sais plus quand j'ai pleuré pour la dernière fois…

—Moi, je m'en souviens…

Kahlan se blottit contre Richard. Parfois, elle avait du mal à croire qu'ils étaient pour de bon ensemble et qu'il l'aimait vraiment.

Allait-elle le perdre à cause des ténèbres qui cherchaient les ténèbres?

Chapitre 17

Kahlan s'éveilla en entendant un son qu'elle aurait reconnu parmi mille. La note unique qu'émettait l'Épée de Vérité en jaillissant de son fourreau.

Le cœur battant la chamade, Kahlan leva la tête, jusque-là toujours posée sur l'épaule de Richard.

—Que se passe-t-il?

Le Sourcier brandissait son arme, tous les sens aux aguets. Faisant signe à Kahlan de ne plus parler, il se dégagea de son étreinte et se leva en silence. Debout près du lit, il sonda la pénombre.

Kahlan redouta qu'un monstre apparaisse soudain et se jette sur Richard. Mais rien ne se produisit.

—Richard, que t'arrive-t-il?

—As-tu l'impression qu'on nous espionne?

—Je n'en sais rien… Je dormais profondément.

—D'accord, mais tu es réveillée.

Kahlan s'assit dans le lit.

—Richard, je ne sais pas… Je peux te dire que je partage ton sentiment, mais j'ignore si ce n'est pas un tour de mon imagination.

Richard ne quittait pas du regard les ténèbres, au fond de la chambre.

—C'est bien réel…, souffla-t-il.

Le pouls de Kahlan s'accéléra encore. Elle glissa sur le lit pour s'approcher de Richard – tout en prenant garde à ne pas être sur la trajectoire de sa lame, s'il devait s'en servir.

—Richard, tu sais ce que c'est?

—Non… Mais il n'y a plus rien.

Kahlan plissa les yeux pour tenter d'y voir dans le noir.

—Parce que c'était ton imagination? Tu viens de t'apercevoir que tu as rêvé?

—Non… Quand j'ai regardé cette… présence…, elle s'est enfuie. Mais elle était vraiment là, je n'en doute pas.

Si ses muscles étaient moins tendus, depuis que la menace n'existait plus, Richard bouillait toujours de colère. L'effet de la magie très particulière de son arme. Le juste courroux du Sourcier l'animait.

Alors que le tonnerre grondait au loin, Kahlan se massa frileusement les bras.

—Qui peut faire ça? Nous épier ainsi, je veux dire?

—Je l'ignore et Zedd n'est pas plus avancé que moi.

Richard rengaina sa lame. Dès que ce fut fait, la rage disparut de son regard.

Tandis que Kahlan allait écarter le rideau, pour faire entrer un peu de lumière, le Sourcier enfila son baudrier.

—C'est assez clair, dehors…, dit Kahlan.

—Et la tempête?

—De pire en pire… La foudre se déchaîne, c'est ça qui illumine le ciel. Tu es un très grand prophète.

—Génial… Comme ça, nos invités reviendront à l'assaut, nous harcelant pour avoir de fichues prédictions.

—Richard, ils sont inquiets, c'est tout. Et reconnais qu'il y a de bonnes raisons à ça… Ces gens ne sont pas stupides, et ils sentent que quelque chose est en cours. Ils espèrent que tu les protèges de ce qui les terrorise.

—Ce n'est pas faux…, concéda Richard.

Il tourna la tête, car quelqu'un venait de frapper à la porte.

Après avoir mis ses bottes, le Sourcier alla ouvrir. Dans le couloir, Nathan parlait avec Benjamin. Cara avait frappé au battant. Vêtue de cuir rouge, elle ne semblait pas commode du tout. Dès que Nathan et Benjamin aperçurent Richard et Kahlan, ils accoururent.

—Mère Inquisitrice, lâcha Cara alors que Kahlan venait se camper près du Sourcier, on dirait que vous avez dormi dans cette robe.

—J'ai bien peur que ce soit le cas.

—Donc, on vous a encore espionnée ?

—Disons que je n'ai pas eu envie de me dévêtir devant un éventuel regard indiscret.

—Cara, demanda Richard, vous avez de nouveau été épiés, cette nuit, Benjamin et toi ?

—Non, pourtant, j'attendais l'ennemi de pied ferme… Vous aviez raison, seigneur Rahl, c'est la Mère Inquisitrice et vous qui êtes espionnés, et pas nous. Chez nous, la nuit a été paisible – jusqu'à maintenant, du moins.

—Pourquoi, qu'est-il arrivé ?

Pressé d'entrer dans le vif du sujet, Nathan prit les choses en main.

—L'un de vous deux se souvient-il du gros régent en tunique rouge ? Hier, à la réception, il a voulu savoir si des «événements prophétiques» nous attendaient.

—Celui qui pérorait sur l'importance des prophéties parce que l'avenir dépend du passé, ou un truc dans le genre ?

—C'est lui, oui.

Richard se passa une main sur le visage.

—Il a dit et redit que tout le monde attendait avec impatience mon opinion sur les prédictions et mes propres prophéties sur l'avenir immédiat. Il sème le désordre parce qu'il ne peut pas attendre une audience pour que je lui révèle tous mes secrets ?

—Non, ce n'est pas ça, souffla Nathan. Il y a quelques minutes, il a eu lui-même une vision.

Richard devint soudain soupçonneux.

—J'ignorais qu'il y avait des magiciens parmi nos invités.

—Mon garçon, ce type n'a pas le don, dit Nathan, et c'est ça le plus étrange dans cette affaire. Selon ses assistants, il n'a jamais eu de visions. Le sujet le fascine, et il est sans cesse à la recherche de gens capables de prédire l'avenir, mais il n'a rien d'un prophète.

—A-t-il au moins dit ce qu'il a vu ? demanda Kahlan.

—Non. Il a simplement dit à ses assistants que l'avenir s'était révélé à lui. C'est un homme plutôt bavard, d'habitude, mais après cette déclaration il s'est muré dans le silence.

—S'il n'a rien dit, soupira Richard, pourquoi tout ce remue-ménage ? Et pour commencer, comment savoir s'il n'a pas menti ?

—C'est difficile, je l'admets… Mais peu après avoir parlé à ses assistants, il est sorti du palais, toujours en vêtements de nuit, et il s'est jeté du haut du plateau.

—Il s'est suicidé ? Sans rien préciser sur sa vision ?

—Pas un mot, en effet, confirma Nathan.

Richard songea à la triste fin du régent – un nouveau drame sur la liste.

—Eh bien, Cara a raison, c'est une matinée plutôt tumultueuse.

—Seigneur Rahl, dit Benjamin, j'ai peur que ce ne soit que le début… Vu le comportement inexplicable du régent, et avec l'histoire des deux femmes qui ont tué leurs enfants, j'ai suggéré à Nathan d'aller avec moi interroger toutes les personnes qui, à sa connaissance, ont un don pour les prophéties.

Richard se tourna vers le prophète.

—Parce qu'il y en a d'autres ?

—Je ne connais pas tout le monde, ici… Des centaines de gens peuvent avoir des prémonitions mineures. Mais je connais un homme, cela dit, qui prétend régulièrement avoir des visions. Je n'ai jamais eu le temps de vérifier s'il dit la vérité. Mais dans la situation présente, lui rendre une petite visite m'a paru judicieux.

—C'est logique, acquiesça Richard.

—Quand nous sommes arrivés devant chez lui, dit Benjamin, prenant le relais de Nathan, nous avons entendu des cris. Après avoir défoncé la porte, nous avons vu que le type était en train de tuer sa femme. Un couteau au poing, il l'avait plaquée au sol, et trois pauvres gosses, dans un coin, pleuraient de terreur en attendant leur tour d'être égorgés.

Nathan parut trouver que le général présentait les choses d'une façon bien trop dramatique.

— Rien n'est arrivé, mon garçon… Alors que l'homme allait frapper, j'ai lancé un petit sort qui l'a envoyé valdinguer loin de sa femme, histoire qu'il ne puisse plus accomplir ses noirs desseins. Ensuite, le général et quelques-uns de ses hommes ont maîtrisé le forcené.

— Il n'y a pas eu de blessés ? demanda Kahlan.

— Non, répondit Nathan. Nous sommes arrivés à temps pour empêcher une tragédie.

— L'apprendre est un soulagement…

— Donc, dit Richard, celui-là aussi a eu une vision ?

— Oui… Il est bijoutier… Dans sa vision, des hommes entraient chez lui pour le cambrioler. Comme il était absent, les voleurs torturaient sa femme et ses enfants pour leur faire dire où il cache l'or qui lui sert de matière première. Personne ne le savait. Pour obtenir le renseignement, les voyous, dans la vision, abattaient les uns après les autres les membres de la famille. Refusant que les siens connaissent une fin pareille, notre homme a décidé de les tuer avant.

Richard ne cacha pas sa perplexité.

— C'est différent des autres prophéties…

— Le type est en prison, si vous voulez l'interroger, dit Benjamin.

Perdu dans ses pensées, Richard acquiesça distraitement.

— Il y a encore autre chose, seigneur Rahl.

— Quoi donc ?

— Mes hommes ont réussi à faire entrer tout le monde à l'intérieur du haut plateau avant que la tempête se déchaîne vraiment. Avant de refermer les portes, ils ont patrouillé une dernière fois pour s'assurer qu'ils n'avaient oublié personne. Rester dehors par un temps pareil, c'est une mort certaine, car les tentes ne sont pas des abris suffisants.

» Pendant cette ronde, mes soldats ont trouvé un garçon d'une dizaine d'années. Raide mort, seigneur Rahl. Tué et déchiqueté.

—Tué? Et comment ça, déchiqueté? De quelle façon l'a-t-on tué?

Le général répondit sans frémir :

—Il était en partie dévoré, seigneur Rahl.

—Quoi?

—Oui… Ses entrailles ont disparu et son visage porte des marques de morsures. Sur le crâne, on a trouvé des traces de crocs. Il lui manque un bras et la main de l'autre. Des animaux l'ont déchiqueté, se repaissant de sa chair.

Richard eut du mal à encaisser la nouvelle.

—Un petit garçon, perdu alors que commence une tempête… Une proie facile pour des loups, voire une meute de coyotes. C'était probablement Henrik, le gamin malade de ce matin.

—Mes hommes ont recensé tous les «réfugiés», car ils cherchaient toujours ce fichu gamin. Nous avons parlé à sa mère, qui meurt d'inquiétude parce qu'il n'est pas revenu.

—C'est bien lui, alors…

Benjamin secoua la tête.

—Nous l'avons pensé, mais c'était une erreur. Nous avons décrit la tenue du mort à la mère. Henrik n'était pas habillé comme ça. Un peu plus tard, un homme est venu nous demander du secours. Il cherchait son fils. Et là, la description des vêtements correspondait.

Richard soupira d'accablement.

—Dans ce cas, le pauvre Henrik est toujours dehors dans les plaines d'Azrith, et il n'a pas une chance de survivre au froid. Si une horde de loups ne lui tombe pas dessus avant.

Chapitre 18

Le donjon était très loin de ses quartiers privés, mais Richard ne pouvait pas se dérober : il devait interroger la mère coupable du meurtre de ses quatre enfants. Et, dans la mesure du possible, il lui faudrait comprendre ce qui était arrivé.

Kahlan était allée rassurer les invités de marque et leur répéter qu'ils ne devaient pas s'inquiéter à cause des prophéties. Cette répartition des tâches était idéale. La langue un peu trop vive du Sourcier lui avait souvent valu des problèmes. Formée aux difficultés de la diplomatie, Kahlan risquerait moins de perdre son sang-froid.

Richard aurait aimé que Verna, la Dame Abbesse des Sœurs de la Lumière, soit aux côtés de sa femme pour expliquer les dangers que courait un profane en s'intéressant aux prophéties. Les prédictions n'étaient jamais limpides, même quand elles le paraissaient, parce qu'elles s'adressaient à des détenteurs du don. En un sens, les prophètes de tous les temps communiquaient entre eux par le biais des présages. Seul l'un d'entre eux pouvait avoir les visions liées à une véritable prophétie – l'unique moyen de comprendre son sens, en réalité.

Sur les dégâts que risquait de faire un profane, Verna en savait plus long que quiconque. Et c'était bien à cause de ça, par exemple, que les Sœurs de la Lumière avaient emprisonné

Nathan pendant près de mille ans. Tant qu'il ne sortait pas du Palais des Prophètes, le vieil homme ne risquait pas de révéler des présages à des gens ordinaires.

Verna aurait pu convaincre les dirigeants et les ambassadeurs qu'ils n'avaient aucune chance de comprendre les prophéties. Hélas, la Dame Abbesse, comme Chase et sa famille, avait quitté le palais immédiatement après le mariage de Cara. Des sorciers en devenir avaient un urgent besoin de supervision. En principe, Zedd aurait dû accompagner Verna, mais il avait tenu à rester pour la réception. À présent, le mauvais temps et les événements en cours risquaient de le retarder beaucoup.

Dès que Richard eut fini de descendre l'échelle aux barreaux de fer rouillés, le capitaine des gardes du donjon se redressa de toute sa hauteur et se tapa du poing sur le cœur. En réponse, Richard inclina la tête. Puis il regarda autour de lui tout en s'époussetant les mains. Par bonheur, l'odeur de poix brûlée parvenait à couvrir la puanteur ambiante.

Le capitaine semblait inquiet de voir le seigneur Rahl en personne s'aventurer dans le donjon. Son anxiété diminua un peu lorsqu'il vit Nyda descendre à son tour l'échelle. Dans la pièce humide et sombre, le cuir rouge de la Mord-Sith et sa natte blonde semblaient venir d'un autre monde.

L'officier salua Nyda et s'autorisa même un sourire poli. À l'évidence, il connaissait la jeune femme.

Richard songea que ça n'avait rien d'étonnant. Par le passé, les Mord-Sith hantaient les donjons, et en particulier celui-là. Lorsque les ennemis réels ou imaginaires du seigneur Rahl étaient jetés en prison sur un seul mot de lui, les femmes en rouge étaient chargées de venir interroger et torturer les détenteurs du don.

Pour avoir été un de ces prisonniers, Richard en savait très long sur le sujet.

— Je veux voir la femme qui a tué ses enfants, dit-il en désignant la porte bardée de fer qui donnait accès aux cellules.

— Et l'homme qui a tenté d'assassiner sa famille ?

— Lui aussi, oui…

Le capitaine introduisit une grosse clé dans la serrure de la porte bardée de fer. Le mécanisme eut un peu de mal à fonctionner, mais dès que ce fut fait, l'officier poussa le lourd battant suffisamment pour qu'un homme puisse passer en rentrant le ventre. Une fois la clé raccrochée à sa ceinture, le capitaine prit une lampe sur la table et s'engouffra dans un couloir obscur. D'un geste vif et précis, Nyda s'empara d'une autre lampe suspendue à un crochet, puis elle se précipita, brûlant la politesse à Richard.

C'était toujours comme ça avec les Mord-Sith, dès qu'il y avait du danger. Au fil du temps, Richard avait appris que protester servait surtout à lui compliquer la vie. Du coup, il conservait les «ordres pas discutables» pour les moments de crise. Et les Mord-Sith lui obéissaient, dans ces occasions-là.

Le capitaine guida Richard et Nyda dans un dédale d'étroits couloirs pour la plupart creusés à même la roche. Après des milliers d'années, les marques de burin semblaient aussi fraîches qu'au premier jour.

Ils passèrent devant plusieurs cellules occupées. À la lueur de la lampe de l'officier, Richard vit que des doigts s'accrochaient aux minuscules guichets. Derrière certaines ouvertures, il vit même briller des yeux. Mais dès que Nyda leur apparaissait, les détenus reculaient, afin de ne pas attirer son attention.

Au bout d'un couloir très étroit et sinueux, l'officier s'arrêta devant la porte d'une cellule. Ici, pas de doigts accrochés aux petits barreaux du guichet, ni de paire d'yeux brillant de folie et d'angoisse.

Lorsque le capitaine ouvrit la porte, Richard comprit pourquoi. Le battant ne donnait pas accès à une cellule, mais à une sorte d'antichambre très petite au fond de laquelle se dressait une porte. Derrière se trouvait une geôle de sécurité.

Avec un bâton spécial, l'officier alluma la lampe suspendue à un crochet.

— Ce sont les cellules défendues par un champ de force, dit-il en réponse à la question muette de Richard.

Même si le palais était en réalité une rune de pouvoir géante qui renforçait le don des Rahl et affaiblissait celui des autres sorciers, le champ de force n'était pas une protection inutile. Derrière ce bouclier invisible, un sorcier était impuissant, quelle que soit la force de son don. Avec ces prisonniers-là, il n'était pas question de prendre des risques.

Levant sa lampe, le capitaine inspecta le guichet. Quand il fut certain que la prisonnière n'allait pas lui sauter dessus, il ouvrit la porte, poussant de toutes ses forces pour la déplacer dans une cacophonie de grincements de gonds rouillés.

Quand il estima que le seigneur Rahl pourrait entrer, l'homme s'écarta.

Agiel au poing, Nyda passa la première. La femme assise sur le sol recula jusqu'à être acculée au mur. Aveuglée par la lumière, elle se protégea les yeux.

Richard lui trouva un air parfaitement inoffensif. Sauf pour ses enfants, hélas...

—Parlez-moi de votre vision...

La femme jeta un coup d'œil inquiet à Nyda, puis elle regarda de nouveau le Sourcier.

—Quelle vision ? J'en ai eu beaucoup.

Pas vraiment ce que Richard s'attendait à entendre...

—Celle qui vous a incitée à tuer vos enfants.

La femme ne répondit pas.

—Quatre petits... Et vous les avez jetés dans le vide. Parlez-moi de la vision censée justifier un tel acte.

—Mes enfants sont en sécurité auprès des esprits du bien.

Richard leva un bras pour empêcher Nyda de bondir sur la tueuse et de lui faire goûter de son Agiel.

—Non, pas ça..., souffla-t-il.

—Mais seigneur Rahl...

—J'ai dit « non » !

S'il n'avait aucune sympathie pour l'infanticide, Richard refusait qu'elle soit torturée avec un Agiel.

Pas très contente, Nyda pointa son arme sur la femme.

—Réponds ! Sinon, je reviendrai te voir pour t'apprendre à ne pas te taire quand le Seigneur Rahl t'interroge.

—Le seigneur Rahl ?

— En personne, oui. Et maintenant, réponds à sa question.

— Quelle vision vous a incitée à tuer vos enfants ? répéta Richard.

— Je n'ai plus d'enfants, et c'est à cause de vous !

La prisonnière leva un bras, redoutant de recevoir un coup d'Agiel.

Richard posa un pied sur le banc creusé à même la pierre, appuya un coude sur son genou et se pencha vers la tueuse.

— De quoi parlez-vous ?

— Vous ne nous protégerez pas de ce qui adviendra quand le toit se sera écroulé. Bien au contraire, vous traitez par le mépris les avertissements que nous donnent les prophéties. (La femme leva fièrement le menton.) Au moins, mes petits n'ont plus rien à craindre.

— À craindre de quoi ?

— Des terribles événements qui se produiront.

— Quels événements ?

La femme voulut répondre, mais elle parut s'aviser soudain qu'elle n'avait rien à dire.

— Des événements…

— Je veux que vous m'en révéliez plus !

— Eh bien, je… je…

Portant les mains à sa gorge, la femme s'écroula sur le côté, eut un dernier spasme et ne bougea plus.

Alors que sa main volait vers la garde de son épée, Richard se retourna… et constata qu'il n'y avait personne derrière lui.

— Que se passe-t-il ? demanda Nyda.

— J'ai cru sentir une présence, mais c'est cet endroit qui me joue un sale tour, je crois…

Richard se pencha sur la femme. Du sang sourdait de sa bouche. À l'évidence, elle avait quitté ce monde.

— Eh bien, ça, alors…, marmonna Nyda. Seigneur Rahl, vous auriez dû me laisser utiliser mon Agiel. Avec un peu de chance, nous aurions eu une réponse.

— Je refuse que tu te serves de ton arme, sauf en cas d'absolue nécessité.

Nyda regarda son seigneur avec l'expression menaçante que les Mord-Sith pouvaient adopter à volonté. Pour bien connaître ces femmes, Richard savait que leur férocité plongeait ses racines dans la folie.

—C'était une absolue nécessité, insista Nyda. Vous êtes en danger, seigneur. Ne pas faire ce qui s'impose est de la folie. Si vous êtes frappé, nous souffrirons tous. Ce qui vous menace nous met en danger, vous le savez.

Richard ne contredit pas la Mord-Sith. Au fond, elle avait peut-être raison…

—Si tu avais utilisé ton Agiel, dit-il quand même, la femme serait sûrement tombée raide morte à ce moment-là.

—Ça, nous ne le saurons jamais…

Chapitre 19

Richard tint sa langue, car il n'était pas d'humeur à discutailler sur des faits auxquels on ne pouvait plus rien changer. Se détournant du cadavre, il sortit de la cellule pour retrouver le capitaine dans la pièce intermédiaire.

— La femme est morte... Conduisez-moi dans la cellule du bijoutier, avant qu'il rende l'âme aussi.

L'officier jeta un coup d'œil dans la cellule, peut-être parce qu'il pensait découvrir un sanglant spectacle, puis il tendit le bras.

— C'est la cellule d'en face, seigneur Rahl.

En quelques instants, l'homme eut ouvert la première porte, puis déverrouillé la deuxième. Après avoir jeté un coup d'œil par le guichet, il ouvrit le battant.

Nyda passa bien entendu la première, la lampe dans une main et son Agiel dans l'autre.

— Toi, sale bâtard ! cria le prisonnier dès qu'il aperçut Richard.

Il tenta de lui sauter dessus, mais l'Agiel de Nyda le frappa à la gorge. Son élan stoppé net, le bijoutier recula en gémissant de douleur.

Cette fois, Richard ne fit aucune remarque sur l'Agiel. Nyda avait eu tout à fait raison d'y recourir.

Sa patience n'étant pas loin d'être épuisée, le Sourcier entra directement dans le vif du sujet.

—Tu as essayé de tuer les tiens, aujourd'hui, dit-il, usant du tutoiement pour mieux déstabiliser son interlocuteur. Pourquoi?

—À cause du sort qui les attend…, grinça l'homme, la voix éraillée par les effets durables du coup d'Agiel. Et c'est ta faute!

En même temps que son accusation, le prisonnier avait craché du sang.

—Pourquoi dis-tu ça?

Le type brandit un index en direction de Richard.

—Parce que tu n'écoutes pas les prophéties!

L'homme avait crié et il le regrettait déjà, à voir son expression douloureuse. Pour ménager ses cordes vocales, il baissa la voix, mais sa rage ne faiblit pas:

—Tu te crois trop malin pour les écouter, pas vrai?

—J'en sais assez long sur les prédictions, répondit Richard, et les choses ne sont pas aussi simples que tu le crois.

—Menteur! J'ai déjà eu des visions, et elles sont très faciles à comprendre.

—Quelle sorte de visions?

Un peu moins furieux, l'homme continua à se masser la gorge. Avant de répondre, il jeta un regard méfiant à Nyda.

—Eh bien, j'ai parfois la prémonition qu'un client que je n'ai pas vu depuis longtemps va venir me passer une commande. Et ça ne rate jamais. Un jour, en fabriquant une chevalière pour un riche marchand, j'ai senti qu'il serait mort avant de pouvoir la mettre à son doigt. Et il a trépassé le lendemain.

—Ce sont des prédictions mineures, dit Richard. Des événements de la vie quotidienne. Rien à voir avec de vraies prophéties.

—Ces visions se sont réalisées. Elles me sont venues, et tout s'est accompli comme je l'avais prévu.

—Une vision concernant un client n'a aucun rapport avec un présage qui incite un homme à massacrer sa famille.

—Ce n'était pas un massacre, mais un acte de miséricorde!

L'homme se leva, les mains tendues vers le cou de Richard.

D'un coup d'Agiel, Nyda le renvoya sur le sol, où il se recroquevilla sur lui-même en geignant comme un enfant.

La Mord-Sith lui posa une botte entre les omoplates et se pencha sur lui.

—Si tu essaies encore, je te ferai regretter d'être né. Quand j'en aurai fini avec toi, tu auras envie de maudire mon nom jusqu'à ton dernier souffle, mais tu te comporteras correctement. Tu m'as comprise?

Tremblant de douleur, le bijoutier acquiesça tout en essayant désespérément de reprendre son souffle. Quand Nyda le poussa de la pointe du pied, il tomba sur le côté. Mais il se redressa, s'adossa au mur et… foudroya Richard du regard.

—Ma famille va subir d'inimaginables tortures parce que tu m'as fait enfermer ici avant que j'aie pu lui offrir une fin paisible.

—J'ai entendu parler de ta vision… Qu'elle soit vraie ou non, c'est toi le responsable de la souffrance des tiens. Sais-tu pourquoi? Parce que tu n'as jamais tenté de trouver une autre issue!

—Une autre issue? De quoi parles-tu?

—Supposons que ta vision soit authentique: des voleurs vont torturer ta femme et tes enfants pour savoir où tu caches ton or.

—C'est la pure vérité!

—Eh bien, d'accord, si ça te chante… Pourquoi n'as-tu rien fait pour protéger ta famille?

Le souffle toujours court, l'homme déglutit péniblement.

—La protéger?

—Exactement! Si tu aimes ta femme et tes enfants, pourquoi n'as-tu pas demandé de l'aide aux gardes de la Première Phalange, à Nathan ou à moi?

—Personne ne peut rien pour moi. On ne m'aurait pas cru, ou on n'aurait pas pu empêcher ces voleurs de torturer les miens.

—À cause de toi…, lâcha Richard. (Le bijoutier plissa le front de perplexité.) Dans ta vision, les voleurs veulent savoir où tu caches ton or. Ta femme et tes enfants ne le sachant pas, ils sont condamnés à mort. Parce que les voleurs ne les croient pas.

—C'est exactement ça! rugit l'homme, brandissant de nouveau un index vers Richard. Les miens vont mourir parce que tu ne crois pas aux prophéties!

—Non, ils souffriront parce tu n'y crois pas toi-même…

L'homme parut troublé.

—Mais j'y crois, et…

—Si c'était le cas, tu aurais tout simplement dit à ta femme et à tes enfants où tu caches ton or. En leur demandant de garder le secret, mais de ne pas hésiter à parler si quelqu'un les menaçait. Tu avais un moyen de neutraliser la vision. Mais tu aimes peut-être plus ton or que ta famille.

—Non, bien sûr que non!

—Alors, pourquoi ne pas avoir désamorcé la menace? Ou emmené les tiens loin d'ici?

—Eh bien… je ne sais pas.

Richard eut le sentiment que le bijoutier était sincèrement troublé.

—Pourquoi as-tu pensé à les tuer, pas à les protéger?

Le teint grisâtre, l'homme ne répondit pas.

—J'ai connu des situations semblables avec les gens que j'aime… Ma première idée a toujours été de les protéger, afin de donner tort aux prédictions. J'ai réussi chaque fois, sans tuer personne.

Le prisonnier baissa les yeux. En lui, quelque chose était à jamais brisé.

Pourtant, il leva les yeux et retrouva un peu de ses certitudes antérieures.

—Ils souffriront et mourront par ta faute! Tu sais ce qui va arriver, et tu m'enfermes ici. Ma femme et mes enfants seront torturés à mort parce que tu m'empêches de les délivrer de la vie à temps. Leur sang souillera tes mains!

» Tout ça parce que tu refuses d'accomplir ton devoir en te fiant aux prophéties.

Richard ne répondit pas. Face à la folie, il n'y avait souvent rien à dire.

L'homme se releva, le dos toujours appuyé au mur.

—Tu ne mérites pas d'être le seigneur Rahl! Et bientôt, tout le monde s'en apercevra.

Chapitre 20

Soucieuse d'amadouer les invités de marque, Kahlan leur offrit un repas de midi somptueux. Sur les tables de ce buffet, on trouvait de tout : viande rôtie, poisson, volaille et garnitures de toutes sortes. Consciente que ça contribuerait à adoucir les mœurs, l'Inquisitrice avait aussi prévu de très grands crus de vin et des musiciens chargés d'accompagner le fascinant ballet des servantes et des serviteurs qui se faufilaient souplement entre les convives, leur laissant juste le temps nécessaire pour s'emparer d'un verre ou d'une coupe au passage.

Alors qu'elle balayait la salle du regard, Kahlan se sentit terriblement seule. Elle aurait donné cher pour que Richard soit là. Il lui manquait, mais le devoir l'avait appelé ailleurs.

Et celui de Kahlan l'attendait…

Circulant entre les invités massés autour des tables – sans prendre le temps de se restaurer –, la jeune femme alla saluer un par un les convives, les remerciant d'être venus. Partout dans la grande salle, des domestiques expérimentés s'assuraient que nul ne manque de rien.

Beaucoup d'invités parlèrent des prophéties, soulignant qu'elles étaient selon eux le meilleur moyen d'avancer en toute sécurité vers le futur. Richard et Kahlan, affirmèrent-ils, devraient désormais leur accorder plus d'attention, s'ils entendaient faire face à leurs responsabilités.

L'Inquisitrice écouta patiemment, posant à l'occasion une question ou deux pour se faire préciser la pensée des invités.

Peu encline à se fier aux gens, y compris aux dirigeants des pays membres de l'empire victorieux, Cara suivait Kahlan comme son ombre.

À plusieurs occasions, des convives interceptèrent la maîtresse des lieux pour lui demander si on trouvait telle ou telle spécialité en cuisine. Loin de s'offusquer, Kahlan chargeait un domestique d'enquêter sur le sujet afin de satisfaire les désirs de chacun.

Lorsque le festin fut terminé, la jeune femme conduisit les têtes couronnées et les ambassadeurs dans une grande salle de réunion où elle grimpa sur une estrade afin que tout le monde puisse la voir. Des murs couleur vanille décorés de moulures géométriques jusqu'aux épais tapis bleus au liseré d'or, tout dans cette salle produisait une impression de confort et d'intimité.

À travers la série de portes-fenêtres qui donnaient accès à une terrasse, au fond de la pièce, Kahlan vit que le monde extérieur n'était plus qu'une vaste étendue de neige balayée par un vent assez fort pour faire trembler les vitres.

Ses hôtes étant nourris et détendus, Kahlan leur laissa encore quelques minutes pour bavarder ensemble. Peu à peu, les conversations moururent et toutes les têtes se tournèrent vers l'épouse du seigneur Rahl.

Du coin de l'œil, Kahlan vit arriver Nicci, qui s'arrêta derrière elle, au niveau d'une grande table flanquée de fauteuils superbes dont le dossier évoquait irrésistiblement les ailes déployées d'un aigle. Par le passé, Richard et Kahlan avaient souvent siégé à cette table pour recevoir des ambassadeurs ou des pétitionnaires.

Toujours sanglée dans son uniforme rouge, Cara prit place derrière Kahlan, légèrement en retrait sur sa gauche.

Après avoir pris une grande inspiration, la Mère Inquisitrice se jeta à l'eau :

— Mes amis, je sais que beaucoup d'entre vous s'inquiètent de ce que l'avenir nous réserve. On me dit que vous vous tournez volontiers vers les prophéties, et certains d'entre vous m'ont d'ailleurs confirmé de vive voix cette orientation. Consciente que ces préoccupations sont à la fois légitimes et nobles, j'aimerais que chacun ici ait l'occasion de s'exprimer et de formuler à haute voix ses craintes.

Avant de continuer, Kahlan laissa à son public le temps de sourire et de soupirer d'aise.

— Comme vous le savez tous, des gens qui pensent avoir des visions nous ont causé de graves problèmes, ces derniers temps. Parmi eux, quelques-uns, poussés par la peur, ont commis des actes injustifiables. Vous en avez eu un exemple devant les yeux hier. À cause d'une vision, cette femme a tué ses enfants, et eux, ils n'auront jamais d'avenir. À l'évidence, les présages ne les ont pas aidés, précipitant au contraire leur fin.

» C'est pour ça que Richard est absent, cet après-midi. Il doit s'occuper de ces tristes affaires, car tout ce qui est lié à la magie le concerne. Étant le seigneur Rahl en exercice et un puissant sorcier, il a pour mission de faire face aux ennuis de ce genre. Comme les années de guerre nous l'ont appris à tous, il est plus que compétent dans tous ces domaines.

» En bon dirigeant, il n'entend pas pour autant négliger vos questions et vos inquiétudes. En conséquence, il m'a chargée d'en débattre avec vous et de répondre à toutes vos interrogations.

Kahlan écarta les mains.

— Ceux qui ont quelque chose à dire, parlez maintenant, afin que tout soit clarifié en public.

Les invités parurent ravis par cette entrée en matière.

La reine Orneta entra aussitôt dans le vif du sujet :

— Le point le plus important, dit-elle en avançant jusqu'au premier rang, c'est que les prophéties sont notre principal guide.

— Désolée, dit Kahlan, mais ce n'est pas exact. Notre principal guide, c'est la raison.

D'un geste négligent, la souveraine balaya l'objection de l'Inquisitrice.

— Les prédictions nous disent ce qu'il faut faire pour assurer un avenir heureux à nos peuples.

— Dites-moi, Majesté, les prophéties, selon vous, nous révèlent-elles ce qui adviendra dans l'avenir ?

— Bien sûr que oui !

— Dans ce cas, les connaître ou les ignorer change quoi ? Il est impossible de modifier ce qui doit être, non ? Sauf s'il ne s'agit pas de prophéties mais de pures spéculations.

La reine se rembrunit.

— Les prédictions sont là pour nous aider à suivre le bon chemin.

— Admettons-le pour l'instant, dit Kahlan en souriant à la foule. Mais comme je vous l'ai dit, quelqu'un se charge de la magie. Alors, pourquoi vous casser la tête avec des énigmes qui vous dépassent ? En plus de Richard, les Sœurs de la Lumière et le grand prophète Nathan se penchent sur le problème. Sans parler de gens comme le Premier Sorcier Zorander et la magicienne Nicci… Ne leur faites-vous pas confiance ? Quant à mon mari, n'a-t-il pas prouvé qu'il ne prenait pas ses responsabilités à la légère ?

— Eh bien, oui, c'est exact, concéda Orneta.

— Que voulez-vous de plus, dans ce cas ?

Levant un bras très fin, la reine joua distraitement avec son collier de pierres précieuses.

— Mère Inquisitrice, je veux ce que désirent tous les gens réunis ici. Nous avons tous entendu de très sombres présages et nous voulons savoir ce que les prophéties ont à dire sur notre avenir.

— Reine Orneta, soyez assurée que nous ne sous-estimons pas ces problèmes. Voyons, nous sommes tous dans le même camp, et la prospérité future de l'empire est notre souci commun. Veuillez simplement comprendre que les prophéties ne sont pas accessibles aux profanes. Des détenteurs du don très expérimentés s'en occupent, et ça devrait apaiser vos craintes.

Dans un silence de mort, la foule regarda le roi Philippe, venu de l'ouest des Contrées, approcher de l'estrade et se camper à côté d'Orneta. Grand et musclé, ce héros authentique s'était battu comme un lion pour la liberté et il comptait parmi les premiers dirigeants à s'être ralliés à l'empire d'haran. Même si beaucoup d'invités avaient un statut égal au sien, tous le regardaient comme une sorte de modèle.

En grand uniforme – une tenue conçue pour mettre en valeur ses larges épaules et ses pectoraux –, Philippe portait sur la hanche gauche une épée de cérémonie au pommeau d'or et aux quillons d'argent. Si somptueuse qu'elle fût, cette arme, entre ses mains, s'était révélée être bien plus qu'un bel objet.

C'était un dirigeant plein de sagesse, Kahlan n'en doutait pas. Mais il était aussi connu pour son caractère soupe au lait…

Sa femme, Catherine, qui ne le quittait jamais, avançait sur ses talons. Vêtue d'une magnifique robe verte brodée de scintillantes feuilles d'or, elle était belle à se damner. Bien qu'elle eût autant d'autorité que son mari, selon la loi, elle s'intéressait très peu aux affaires de son royaume.

Comme chacun le savait, elle était enceinte et très près du terme. Ce serait le premier enfant du couple, un événement attendu avec impatience par les deux époux, maintenant que l'hypothèque de la guerre ne pesait plus sur l'avenir.

Philippe fit un grand geste circulaire.

— Tous les dirigeants des pays qui composent l'empire d'haran sont réunis ici. Parmi nous, Mère Inquisitrice, beaucoup vous étaient loyaux à l'époque où vous dirigiez les Contrées du Milieu. Nos peuples ont lutté, souffert et péri afin que nous nous retrouvions ici pour fêter notre triomphe. Et ils ont le droit de connaître, par notre intermédiaire, ce que leur réserve l'avenir qu'ils ont si souvent payé avec leur sang. Parce que nous les représentons, nous devons être informés de ce que disent les prophéties, afin d'être certains que les bonnes décisions soient prises à chaque étape.

Des acclamations saluèrent la déclaration du roi guerrier.

Pas décidée à se laisser souffler son poste officieux de porte-parole de la fronde, Orneta leva un bras pour imposer le silence à la foule.

— Les prophéties doivent être obéies. Mère Inquisitrice, nous voulons connaître les prédictions, afin de savoir si le Seigneur Rahl et vous vous y conformez.

143

—N'ai-je pas écouté tout ce que vous aviez à dire ? Et répondu que les prédictions ne sont pas pour les profanes ?

La reine eut un sourire à la fois maternel et méprisant – une expression très répandue parmi les têtes couronnées, et qui leur rendait de gros services.

—C'est ce que vous avez fait, oui… (Orneta jeta un coup d'œil en coin à Philippe, comme pour lui dire qu'il aurait mieux fait de la laisser parler.) Mais dans nos pays, des devins ont porté à notre connaissance des présages très inquiétants. C'est en partie pour ça que nous sommes tous venus assister au mariage. Quelque chose se prépare, tous les signes sont là…

» Dites-nous ce que prévoient les prophéties ! Dès que cette tempête sera terminée, nous enverrons des messagers prévenir nos peuples, afin qu'ils se préparent aux épreuves en gésine. Si on les garde secrètes, les prédictions ne servent à rien !

Kahlan se redressa de toute sa hauteur, cessa de sourire et afficha son masque d'Inquisitrice. Face à elle, les astuces d'une reine ne faisaient pas le poids.

La foule se mura dans un silence tendu.

—Je ne suis pas sûre du tout que vous vouliez vraiment entendre des prophéties…

Orneta ne saisit pas la chance de battre en retraite que lui offrait Kahlan.

—Mère Inquisitrice, nous avons tous apprécié le délicieux festin que vous nous avez offert. Vous êtes une hôtesse très adroite, mais ce que nous voulons – non, ce que nous exigeons –, c'est de connaître les prophéties afin d'être certains que le seigneur Rahl et vous prenez les décisions qui s'imposent.

—C'est ça, oui, dit Philippe, le poing levé pour bien marquer sa détermination. Nous devons avoir la certitude que les dirigeants de l'empire obéissent aux prophéties !

—C'est ce que vous pensez ? Les dirigeants de l'empire doivent obéir, selon vous ? Alors qu'il est souvent impossible de comprendre le sens d'une prophétie donnée ? Vous voulez que nous suivions à la lettre des prédictions volontairement formulées pour être vagues? Et vous nous soupçonnez de n'avoir pas la rigueur morale pour le faire?

Quelques invités crièrent que c'était exactement leur point de vue. D'autres hochèrent la tête, et d'autres encore, dans une horrible cacophonie, parlèrent en même temps pour dire en gros qu'ils étaient tout à fait de cet avis.

—Ainsi, soupira Kahlan, ce sujet fait l'unanimité…

—Il faut respecter les prophéties, dit Orneta quand le calme fut revenu. Nous devons les connaître et les suivre à la lettre.

Philippe croisa les bras, défiant Kahlan du regard.

La Mère Inquisitrice tourna la tête vers Catherine:

—Toi aussi, tu veux que les prédictions régissent l'avenir de ton enfant? Après ce qui est arrivé hier, tu ne crains pas qu'il en souffre?

La reine jeta un rapide regard à son mari avant de répondre:

—Le Créateur nous a donné les prophéties pour que nous leur obéissions. Ainsi vont les choses, Mère Inquisitrice.

Kahlan balaya de nouveau la foule du regard.

—Vous êtes tous d'accord avec ça?

Une nouvelle cacophonie témoigna de l'assentiment général.

—Très bien, soupira Kahlan, accablée. J'ai essayé de vous convaincre que c'était une affaire de spécialistes, mais puisque vous insistez, je n'ai plus qu'à me soumettre.

Les invités semblèrent ravis d'avoir eu gain de cause – et en même temps, quelque peu écrasés par les responsabilités qu'ils venaient de prendre sur leurs épaules.

—Qu'il en soit ainsi, dit Kahlan. Vous allez découvrir ce que les prophéties ont à vous dire.

Chapitre 21

Tous les invités tendirent le cou, impatients de vivre une expérience inédite : entendre des prophéties authentiques sorties d'un des grimoires de légende dont ils connaissaient l'existence par ouï-dire.

Kahlan jeta un regard en coin à Nicci. Depuis sa déclaration, tous les yeux étaient rivés sur cette magicienne à la fabuleuse beauté – une splendeur qui rendait encore plus inquiétants les pouvoirs dépassant l'imagination qu'elle détenait.

— Nicci, veux-tu bien prendre le livre que tu as apporté et lire la prophétie que nous avons récemment découverte sur notre avenir proche ? Tu sais, celle qui parle entre autres choses du rôle des hommes et des femmes de pouvoir réunis ici ?

— Avec plaisir, Mère Inquisitrice.

Le ton de Nicci exprimait mieux qu'un long discours ce qu'elle pensait de la rébellion des têtes couronnées.

Même si la conscience de vivre un moment historique leur faisait tourner la tête, car les grimoires et les recueils de prophéties n'étaient jamais exhibés en public, les invités semblèrent conscients du danger que représentait la magicienne en robe noire. Si Cara était intimidante, Nicci avait une personnalité écrasante, et personne, dans la salle, n'avait oublié le surnom qu'on lui donnait naguère, mais que nul n'aurait osé mentionner à voix haute devant elle.

La Maîtresse de la Mort…

Le désir d'entendre des oracles prit cependant le dessus sur l'angoisse.

— Nicci, dit Kahlan, lis le texte à ces braves gens sans altérer ni adoucir un seul mot. Pas de censure, surtout! Après ce que nous venons d'entendre, il semble clair qu'ils veulent connaître les prophéties dans leur intégralité, sans qu'une interprétation les parasite. Parce qu'ils entendent, et c'est leur droit, qu'on obéisse à la lettre à ces textes sacrés.

— Vous avez tenté de les mettre en garde, Mère Inquisitrice…

— De mon mieux, oui…

Nicci prit le livre qui reposait sur la table, le cala dans le creux de son bras et vint rejoindre Kahlan sur le devant de l'estrade. Comme s'il y avait quelque chose de menaçant dans son regard, ou dans son attitude, les invités du premier rang reculèrent tous d'un demi-pas.

Nicci brandit le livre.

— Il s'agit d'un recueil écrit par un prophète célèbre à une époque où le don de prédire l'avenir était à son zénith. Comme vous le pensez tous, cet ouvrage contient quelques prophéties, très noires, qui concernent directement les hommes et les femmes présents dans cette salle.

Tous les invités du premier rang avancèrent de nouveau.

Nicci ouvrit le livre, se préparant à lire, mais elle se ravisa.

— C'est un très vieux texte, rédigé en haut d'haran. Quelqu'un parmi vous parle-t-il cette langue?

Tous les dirigeants secouèrent la tête, puis regardèrent autour d'eux pour voir si une autre personne avait répondu par l'affirmative. Bien entendu, ce n'était pas le cas. Richard avait appris le haut d'haran. À part lui, une poignée d'érudits seulement pratiquaient cette langue morte. Et Nicci était du nombre.

— Eh bien, dit la magicienne, puisque je parle couramment le haut d'haran, je vais traduire directement, si personne n'y voit d'inconvénient.

— Bien sûr que nous sommes d'accord ! s'écria Orneta.

Elle croisa de nouveau les bras, comme une dame qui apostrophe une servante :

— Allons, finissons-en !

Nicci braqua sur la souveraine ses yeux bleus soudain glaciaux. Orneta en perdit un peu de ses couleurs.

— Vos désirs sont des ordres, Majesté !

Depuis qu'elle la connaissait, Kahlan enviait la voix de Nicci. Un timbre doux et très harmonieux qui convenait parfaitement au reste de sa superbe personne. Mais il suffisait d'une nuance, presque rien, pour que ce ton délicat et apaisant devienne tranchant comme une lame.

Très lentement, Nicci feuilleta le livre, cherchant à localiser un passage.

Philippe passa un bras autour des épaules de sa femme et l'attira vers lui. Un peu tremblante, Catherine se caressa doucement le ventre, comme si elle voulait rassurer son bébé.

Kahlan se força à détourner le regard de la future mère – une vision qui éveillait bien trop de choses en elle, en un moment où elle ne pouvait pas se permettre de faiblesse.

— Voilà ! lança Nicci en tapotant une page. Parce qu'elle est d'une importance capitale, cette prophétie est inhabituellement longue. Je m'excuse d'avance, mais je vais devoir procéder lentement pour la traduire avec toute la précision requise.

— Oui, oui, s'impatienta Orneta. Pourrait-on entrer dans le vif du sujet ?

D'autres invités soutinrent cette motion.

— Allons-y…, murmura Nicci. (Elle s'éclaircit la voix.) Voici le texte : « Au soir de la victoire, alors que se déchaînera une tempête printanière comme on n'en a plus vu depuis longtemps, tandis que les dirigeants se réuniront, les vents mauvais du changement charrieront avec eux une série de drames qui menaceront de plonger le monde dans la terreur, la douleur et l'affliction. De sombres ennemis rôderont dans la nuit, prêts à chasser les innocents et à les dévorer. »

Des gens ne purent s'empêcher de crier. Nicci balaya l'assistance du regard, attendant que le silence revienne. Quand ce fut fait, elle continua :

— « Dans cette parenthèse de temps, alors que se jouera le sort du monde, tandis que ses dirigeants seront tous rassemblés au même endroit, une occasion unique de préserver l'avenir se présentera. »

Les yeux ronds, les rois, les reines et les ambassadeurs attendirent que Nicci veuille bien leur révéler la solution miraculeuse qui sauverait le monde.

Avant de reprendre sa traduction, Nicci s'assura que tous les invités étaient suspendus à ses lèvres. Elle en fut vite convaincue.

— « Pour que se perpétue le cycle de la vie, il est indispensable que certaines créatures meurent. Pareillement, il convient que les cercles du pouvoir se renouvellent. Afin que se desserrent les mâchoires du piège, il faudra que les dirigeants de tous les pays, opportunément réunis, cèdent la place à une nouvelle génération. Ce sera l'unique moyen d'échapper au désastre.

» Renoncer à cette purification avec la louable intention d'épargner des vies aura pour conséquence une ère de douleur et de terreur pour tous les peuples du monde. Afin que germent les graines de l'avenir, la prospérité et la paix s'offrant à tous les survivants, le sang devra couler, et ce sera celui des têtes couronnées et nobles émissaires.

» Il en sera ainsi, afin d'épargner à l'humanité d'indicibles épreuves. »

Nicci balaya de nouveau l'assistance du regard. Puis elle reprit la parole et, cette fois, sa voix passa de la soie à l'acier :

— Eh bien, voilà une prophétie facile à comprendre, non ? Elle nous annonce de noirs événements et, en même temps, elle nous indique comment les éviter. N'est-ce pas vous qui disiez, un peu plus tôt, qu'on devait obéir aux prédictions ?

» De toute évidence, celle-ci exige que vous mouriez tous.

Chapitre 22

Un silence de mort suivit cette déclaration. Pétrifiés, les invités osaient à peine respirer. Quant à bouger…

—Mais… Mais…, bégaya la reine Orneta.

—Il n'y a pas de « mais », lâcha Kahlan, pas mauvaise non plus quand il s'agissait de prendre un ton coupant. Les mots d'une prophétie doivent rarement être pris à la lettre, car leur sens est parfois caché. Je vous l'ai dit, Nathan vous l'a dit et Richard l'a répété plusieurs fois.

» Dans le cas qui nous occupe, Nathan et d'autres experts ont travaillé nuit et jour pour aider Richard à découvrir l'éventuel sens caché de la prophétie. En agissant ainsi, ils accomplissaient leur devoir, puisque déchiffrer ces mystères est leur vocation. Depuis le début, Richard et moi vous répétons que les prédictions ne sont pas faites pour les profanes…

Le chancelier d'une des provinces de D'Hara – un type bedonnant vêtu d'une longue tunique bleue tenue par une ceinture ornée d'or – leva timidement un doigt.

—Bien sûr, vous avez raison, Mère Inquisitrice ! Nous en sommes conscients, désormais, et nous aurions peut-être dû…

Kahlan ne laissa pas le bonhomme pérorer à son aise.

—Cependant, dit-elle d'un ton qui coupa la chique au chancelier, il arrive qu'une prophétie dise très exactement ce qu'elle semble vouloir dire.

— Mais celle-ci a sûrement un sens caché ? avança Philippe.

Kahlan le dévisagea en affichant l'imperturbable sérénité que les Inquisitrices, dès leur plus jeune âge, apprenaient à feindre dans toutes les circonstances. Ce masque était devenu une part d'elle-même le jour où elle avait pour la première fois utilisé son pouvoir sur un criminel pour lui arracher le récit de ses abominables exactions.

— Vous vouliez connaître les prophéties afin d'être sûrs que Richard et moi les suivions à la lettre. Comme Orneta l'a si bien fait comprendre, il n'y a pas le choix. Et dans ce cas précis, navrée, mais il n'y a pas de sens caché.

Des larmes aux yeux, Catherine posa les deux mains sur son ventre et implora du regard son mari, qui détourna la tête, accablé.

— Vous n'êtes pas sérieuse ! explosa Orneta. Nous ne croyons pas que…

— Général ! appela Kahlan.

Benjamin sortit des ombres, au fond de l'estrade, et vint saluer la Mère Inquisitrice en se tapant du poing sur le cœur.

— À vos ordres ! cria-t-il.

— Les équipes de bourreaux sont-elles prêtes ?

Le mot « bourreaux » glaça les sangs des invités.

— Oui, Mère Inquisitrice. Les décapitations peuvent commencer quand vous voudrez.

La panique gagna l'assistance.

— Les décapitations ? s'écria le chancelier. Avez-vous perdu l'esprit ? Enfin, c'est impensable, et… et…

Kahlan dévisagea le gros homme avec la froide neutralité d'une Inquisitrice face à un condamné à mort.

— La prophétie exige votre fin à tous. Elle est très spécifique. Nicci, tu confirmes mon interprétation ?

— Oui, Mère Inquisitrice… Ma traduction est bonne… (Elle relut rapidement le texte.) Non, il n'y a pas le moindre doute : pour sauver le monde, nous devons verser le sang de ces gens.

Kahlan se tourna vers le chancelier.

— Eh bien, les décapitations étant très sanglantes, nous aurons vraiment obéi à la lettre.

— Et vous ? cria Orneta. N'êtes-vous pas une dirigeante ? Si nous devons mourir, vous êtes condamnée aussi !

— Pour des raisons de convenances personnelles, j'ai décidé que ce n'était pas le cas. Mais en ce qui vous concerne, la sentence est claire.

Les hommes de la Première Phalange, en cuirasse et armés jusqu'aux dents, choisirent cet instant pour sortir des ombres de la salle, où personne n'avait remarqué leur présence jusque-là. Ils vinrent saisir chaque invité par le bras, histoire d'étouffer dans l'œuf toute tentative de fuite.

— N'espérez pas que nous regarderons la mort en face sans broncher ! lança Orneta.

— Je n'ai jamais espéré ça de vous…, répondit Kahlan, très calme.

— J'aime mieux ça, dit Orneta tandis que deux soldats se campaient sur ses flancs.

— Pour une décapitation, continua Kahlan, baisser la tête est beaucoup plus pratique. Du coup, vous n'aurez pas à regarder la mort en face. Mes soldats vous forceront à vous agenouiller, afin que votre cou repose sur le billot. Ensuite, un bourreau expert à la hache vous offrira une fin rapide et douce. Nous avons prévu beaucoup d'équipes, pour que les exécutions ne traînent pas en longueur. Au service des prophéties, vous allez vous sacrifier et assurer ainsi bonheur et prospérité à vos peuples. Peut-on rêver d'un plus beau destin ?

Catherine avança et leva une main, l'autre restant posée sur son ventre.

— Mon bébé n'a pas encore pu voir le monde ! s'écria-t-elle. Vous ne pouvez pas le condamner à mort avant sa naissance !

— Catherine, ai-je condamné ton enfant ? N'as-tu pas dit que nous devions obéir aux prophéties parce qu'elles sont un don du Créateur ? Le juge, ce n'est pas moi, mais cette prédiction. En insistant pour que nous obéissions aveuglément aux présages, c'est toi qui as condamné ton bébé !

Kahlan se détourna de la foule et fit mine de s'en aller.

— Vous allez vraiment nous faire décapiter ? lança le gros chancelier. C'est sérieux ?

La Mère Inquisitrice se retourna.

— Mortellement sérieux, dit-elle, apparemment surprise que l'homme ait pu en douter. Nous avons lutté pour vous convaincre que les prophéties doivent être réservées aux prophètes, mais vous avez fait la sourde oreille. Décidant que cette réunion serait celle de la dernière chance, j'ai prévu des équipes de bourreaux pour mettre un terme définitif à cette affaire. En refusant de m'écouter, vous avez choisi pour moi, voilà tout. Il ne me reste plus qu'à être l'instrument du destin.

Les invités perdirent leur sang-froid, criant à tue-tête qu'ils n'avaient jamais voulu usurper le pouvoir du seigneur Rahl ou de la Mère Inquisitrice.

Échappant à la prise du soldat qui le tenait, le chancelier se jeta à genoux et se prosterna, le front plaqué sur le sol de marbre. Le voyant faire, d'autres nobles représentants l'imitèrent. Bientôt, tous les invités, y compris Catherine malgré son ventre rond, se retrouvèrent dans la même position – sans que les soldats aient esquissé un geste pour les en empêcher.

« Maître Rahl nous guide ! Maître Rahl nous dispense son enseignement ! Maître Rahl nous protège ! À sa lumière, nous nous épanouissons. Dans sa bienveillance, nous nous réfugions. Devant sa sagesse, nous nous inclinons. Nous existons pour le servir et nos vies lui appartiennent. »

Les dévotions… Une prière que les gens récitaient plusieurs fois par jour, partout dans le palais, jusqu'à ce que Richard, à l'occasion du mariage de Cara, ait mis un terme à des pratiques qui ne correspondaient pas à sa vision de la vie et du libre arbitre. Après une victoire contre la tyrannie, il n'était pas question de la remplacer par une autre, si éclairée fût-elle…

Les invités semblaient trouver que ce rituel, même s'il était obsolète, exprimait à merveille le fond de leur pensée.

Kahlan les laissa psalmodier un moment avant d'intervenir :

— Relevez-vous, mes enfants…

La phrase traditionnelle que prononçait une Mère Inquisitrice lorsqu'on se prosternait devant elle. D'habitude, Kahlan n'était pas à cheval sur le protocole. Mais il y avait des moments où il fallait savoir aller contre sa nature.

Les invités se redressèrent tous, l'air soudain bien plus respectueux et dociles.

—Mère Inquisitrice, dit une femme en robe rose et crème, nous avons exigé alors que nous aurions dû écouter. Je ne saurais parler au nom des autres, mais pour ma part, je suis désolée. J'ignore quel sort nous attend, mais je sais que nous avons eu tort. Le seigneur Rahl et vous avez tant fait pour nous, nous arrachant à la folie et au désespoir. Nous aurions dû vous faire confiance, convaincus que vous ne pourrez jamais nous nuire.

Kahlan s'autorisa un sourire.

—J'accepte tes excuses, mon enfant… Quelqu'un partage le sentiment de cette gente dame ?

Un « oui » unanime monta de l'assistance.

Kahlan décida que le jeu avait assez duré.

—Dans ce cas, on dirait que les bourreaux seront au chômage, aujourd'hui… Si vous nous laissez traiter cette prophétie, nous jurons de la déchiffrer, puis d'agir afin de vous protéger tous dans la mesure de nos moyens, qui ne sont pas négligeables. Et en luttant jusqu'à notre dernier souffle, s'il le faut.

À l'instar de Catherine, plusieurs dirigeants pleuraient de soulagement. D'autres approchèrent de l'estrade pour embrasser l'ourlet de la robe de Kahlan.

Le genre de manifestation qu'elle n'appréciait pas.

—Allons, allons, reprenez-vous, mes enfants.

La chape de plomb de la peur ne pesait plus sur l'assistance. Et tout le monde, même la terrible Orneta, se réjouissait que l'épreuve se soit si bien terminée. Cela dit, beaucoup d'invités semblaient un peu honteux de s'être comportés si mal…

Kahlan aussi se réjouit d'en avoir terminé.

Les gens défilèrent devant elle, la remerciant de les avoir épargnés. Tous promirent de ne plus se mêler des prophéties, à l'avenir, et de ne plus jamais se montrer si désagréables et déraisonnables.

Kahlan accepta avec grâce les excuses et les promesses et affirma qu'elle ne tiendrait pas rigueur à ses «amis» de ce moment de faiblesse après tout bien humain.

Lorsque les invités se retirèrent enfin, Benjamin revint sur l'estrade, qu'il avait quittée pour superviser les «exécutions».

—Mère Inquisitrice, dit-il, quelle actrice vous êtes! J'en ai eu des sueurs froides, par moments, alors que j'étais informé de la vérité.

—Merci de votre aide, Benjamin…, soupira Kahlan. Vos hommes et vous avez été parfaits, il faut le dire. Avec votre collaboration, nous nous sommes enlevé une sacrée épine du pied. J'aurais préféré les convaincre, cela dit, mais n'en demandons pas trop…

—Le problème est réglé, c'est déjà énorme… (Le général fronça les sourcils, l'air troublé.) Où êtes-vous allée chercher une idée si perverse?

—Une ruse que j'ai apprise de Zedd, peu après ma rencontre avec Richard. Hélas, je crains que le problème ne soit pas réglé. Nous avons gagné du temps, mais rien n'est vraiment fini. Il se passe quelque chose de très grave, sinon ces gens n'auraient pas réagi ainsi.

» Je les connais presque tous, et ce sont des hommes et des femmes de qualité. Pendant la guerre, ils ont combattu à nos côtés, ne reculant devant aucun sacrifice. Beaucoup ont perdu des parents et des amis… Ce comportement ne leur ressemble pas. Quelqu'un ou quelque chose les manipule, c'est certain. Nous avons écarté une menace, mais comme nos amis n'en sont pas la véritable source, elle refera surface.

—Kahlan a raison, intervint Nicci. Cela dit, la meilleure personne du monde peut être grisée par la fureur d'une foule et se mettre à penser des choses absurdes.

—Et finir par vous poignarder dans le dos? demanda Cara.

—C'est ce que nous devons empêcher, justement. Tant que nous n'interviendrons pas sur la source du problème, nous resterons sur la défensive, comme aujourd'hui.

—Dans ce cas, fit Cara, espérons que le seigneur Rahl trouvera vite la solution de l'énigme.

Kahlan désigna le livre que Nicci tenait toujours.

—C'est quel genre d'ouvrage? demanda-t-elle.

—Quand j'ai su que tu avais besoin de moi, et dans quel contexte, j'étais très loin d'une bibliothèque. Du coup, je suis passée aux cuisines. C'est un livre de recettes…

—Eh bien, tu nous as mitonné une très bonne prophétie, dit Kahlan.

Nicci eut un sourire sans conviction.

—J'aurais aimé arrêter si facilement les deux mères infanticides…

—Au moins, dit Benjamin, nous avons neutralisé à temps le bijoutier.

—Oui, fit Kahlan. J'espère que Richard reviendra du donjon avec des informations utiles.

Chapitre 23

Richard referma la double porte derrière lui après être entré dans la minuscule antichambre. Kahlan l'attendait, lui avait-on dit. Il avait hâte de la retrouver, et d'être seul avec elle loin de tout et de tous.

Quand il passa dans la chambre, sa femme le regarda dans le miroir de la coiffeuse, cessant un instant de se brosser les cheveux.

—Alors, Kahlan, comment t'en es-tu sortie avec nos invités ?

—Au bout du compte, ils ont compris que la sagesse consistait à nous laisser interpréter les prophéties.

Malgré sa fatigue et son inquiétude, après ce qui était arrivé dans le donjon, Richard ne put s'empêcher de sourire à sa compagne.

Kahlan posa sa brosse et se leva pour l'accueillir.

—C'est une excellente nouvelle, mais je savais que tu réussirais… (Richard enlaça Kahlan, et, de sa main libre, écarta une mèche de cheveux de son front.) Je suis content que tu t'en sois chargée. Moi, j'aurais explosé, et il leur aurait fallu des semaines pour se remettre de leur terreur. Je n'ai pas ton don pour la diplomatie. Alors, comment les as-tu convaincus ?

—En menaçant de leur faire couper la tête s'ils ne revenaient pas à de meilleurs sentiments.

Richard rit de ce qu'il prit pour une plaisanterie.

— J'imagine que tu les as subjugués, comme d'habitude, et qu'ils ont fini par te manger dans la main.

Kahlan posa les bras sur les épaules de Richard et noua les mains derrière son cou musclé.

— Richard, j'ai calmé le jeu provisoirement, mais quelque chose de terrible est en cours.

— Ce n'est pas moi qui dirai le contraire.

— Qu'as-tu appris de l'infanticide ?

— Elle a dit que des événements terrifiants se préparent et qu'elle a tué ses enfants pour les protéger.

— Quels événements ?

— Elle a voulu répondre, mais aucun son n'est sorti de sa gorge. Puis elle est tombée raide morte, exactement comme la tueuse d'hier.

— Elle est morte d'un coup, comme l'autre ?

— C'est ça, oui… Un spasme, puis plus rien. Ça confirme que ton pouvoir n'était pour rien dans la fin de la tueuse.

Alors que Kahlan assimilait la nouvelle, Richard regarda autour de lui. La chambre était vraiment très belle. Le plafond lambrissé, le mur du fond tapissé d'un tissu moelleux, le lit à baldaquin aux montants sculptés en forme de silhouette de femme… On eût dit des esprits du bien déployant leurs ailes pour protéger les dormeurs. De chaque côté du lit, un fauteuil tendu de satin vert incitait au repos et à la méditation.

— C'est la première fois que j'entre dans cette chambre, dit Richard.

— Moi aussi, fit Kahlan. Ma journée ayant été épuisante, je me suis un peu allongée en t'attendant, et je n'ai pas eu l'impression qu'on m'épiait. Cette chambre est peut-être assez loin des deux autres pour qu'on nous fiche la paix cette nuit.

— Un peu de repos ne me ferait pas de mal, dit distraitement Richard tout en inspectant la pièce.

Il ne vit rien de particulier – aucun signe laissant penser qu'on pouvait les espionner.

Cette chambre, presque une suite, était bien plus grande que les deux autres. Dans une alcôve, deux hautes armoires blanches semblaient elles aussi vouloir monter la garde sur les dormeurs. En face des fauteuils, un sofa confortable et une table basse invitaient à la détente – et à la dégustation d'appétissants fruits séchés présentés dans une coupe. Richard prit quelques tranches de pomme et en grignota une tout en continuant sa minutieuse inspection.

Estimant que sa femme et lui avaient assez d'ennuis le jour, il ne tenait pas à en avoir aussi la nuit.

Il aurait parié que tous les invités de marque s'étaient étonnés de son absence à la réunion. Kahlan étant ce qu'elle était, elle avait dû leur dire qu'il enquêtait sur le sujet même de leurs préoccupations. Ces gens devaient se sentir délaissés, croyant peut-être qu'il se fichait de leurs soucis. Mais il ne pouvait pas les informer de ses moindres faits et gestes, car ça lui aurait pris beaucoup trop de temps.

—Pourquoi tous ces événements étranges? demanda Kahlan. Quel est le sens de tout ça?

—Eh bien, répondit Richard en jetant un coup d'œil derrière un paravent, pour commencer, la femme qui a tenté de te tuer, hier… Comment dire, tout ça n'était guère logique.

—Depuis quand les meurtres sont-ils logiques?

—C'était une tentative particulièrement stupide! Pour nos invités, tu as frôlé la mort, mais nous savons tous les deux qu'il n'en est rien. Un seul attaquant ne fait pas le poids contre toi. Si cette femme en avait vraiment voulu à ta vie, elle aurait choisi une autre méthode.

—Nous le savons, comme tu dis, mais elle l'ignorait sans doute.

—C'est possible…

—Elle était décidée et prête à tout. Ne l'a-t-elle pas prouvé en tuant ses enfants? Elle a dû croire qu'une attaque éclair réussirait.

—Ou elle n'y a jamais cru un instant…

Richard tira les rideaux de la porte-fenêtre qui donnait sur le balcon. La balustrade était déjà couverte d'une neige printanière lourde d'humidité. Mais des flocons tombaient toujours, emportés dans un tourbillon incessant par les bourrasques. Une précaution n'étant jamais de trop, Richard s'assura que la porte-fenêtre était bien verrouillée.

— Le véritable but de l'attaque était peut-être de renforcer l'angoisse des gens au sujet de l'avenir – et leur peur des prophéties. Pense à l'impact qu'a eu cette femme couverte de sang lorsqu'elle a parlé de sa vision. Une mère qui tue ses enfants pour les sauver, ça marque les esprits. Et c'était peut-être ça, le but de l'opération.

— C'est un peu tiré par les cheveux, Richard... Après tout, cette tentative de meurtre et son issue t'ont été prédites par la femme que tu es allé voir, Lauretta, et par ce livre, *Notes sur la fin*. « La fierge prend le paon. » C'est exactement ce qui s'est passé, non ? Tout ça est loin de prouver que ma meurtrière potentielle cherchait à intoxiquer les esprits. En revanche, ça semble confirmer que certaines prophéties sont fiables et se réalisent. Celle-là, en tout cas...

Richard laissa retomber les rideaux et se tourna vers son épouse.

— C'est ce qu'on pourrait croire, à première vue. Si une prophétie annonce qu'une statue s'écroulera, et que quelqu'un la renverse pour démontrer que c'est une vraie prédiction, peut-on dire que le présage s'est réalisé ?

— Comment faire la différence, dans l'exemple que tu cites ?

— C'est tout le problème : on ne peut pas. Mais dans le cas qui nous occupe, ça paraît plus compliqué.

Kahlan éteignit la lampe qui brûlait sur la coiffeuse, puis alla régler au minimum celle qui trônait sur la table de nuit, plongeant la pièce dans une agréable pénombre.

— Richard, tu veux dire que quelqu'un manipule les gens et les événements pour faire croire que les prophéties se réalisent ?

— En fait, j'ai peur que nous ne mesurions pas la gravité du problème. La prophétie dont tu parles, selon moi, nous avertit qu'une femme touchée par ton pouvoir était la marionnette d'un ennemi invisible. Un simple pion, ou « paon », si tu préfères...

Kahlan se massa les bras pour se réchauffer.

—Donc, l'important n'est pas que la reine ait pris le pion, mais qu'il se soit agi d'un pion ? J'ai bien compris ta pensée ?

—Parfaitement, oui… Quelqu'un mijote quelque chose, voilà le sens de cette prophétie. Lauretta m'en a confié une autre : « Des gens vont mourir. »

—Richard, des gens meurent chaque jour…

—Oui, mais depuis peu, plusieurs ont quitté ce monde dans des circonstances mystérieuses. Les deux soldats qui cherchaient le gamin, six enfants – tous assassinés –, leurs deux mères, un ambassadeur défenestré, et un petit garçon dévoré par des animaux dans la tempête…

—Quand on met tout ça ensemble, la prédiction de Lauretta semble moins stupide, c'est vrai, dit Kahlan en posant une main réconfortante sur le bras du Sourcier. Mais il ne faut pas en rajouter, tu le sais très bien… La mort du petit garçon est consécutive à une attaque de loups. C'est une fin terrible, mais absolument pas mystérieuse.

—Certes, mais je n'aime pas les coïncidences.

—Nos légitimes soupçons au sujet des autres morts ne rendent pas celle-là plus suspecte, Richard.

Le Sourcier acquiesça. D'instinct, il n'était pas d'accord, mais Kahlan avait la logique pour elle.

—Nous devrions dormir… À force de penser à tout ça, je sens monter une migraine.

Kahlan regarda autour d'elle.

—Je suis là depuis un moment, et je ne me suis jamais sentie espionnée. Nous pourrions peut-être nous déshabiller, comme un soir normal.

Richard vit que son épouse était épuisée – tout comme lui. La veille, ils ne s'étaient pas beaucoup reposés.

Kahlan tourna le dos à Richard et souleva ses cheveux afin qu'il puisse déboutonner sa robe. Le Sourcier obéit à sa dame, puis il fit glisser le vêtement sur ses épaules et les embrassa toutes les deux. Lorsque des idées noires tournaient dans sa tête, il n'y avait rien de plus efficace pour l'apaiser que la beauté et la grâce de sa compagne.

Kahlan se glissa hors de la robe et la posa sur un petit banc de bois collé contre le mur. Sous le regard fasciné de son mari, elle traversa ensuite la pièce, immensément désirable, et se glissa sous les couvertures en lui jetant un regard mutin.

Repliant les jambes, Kahlan les entoura de ses bras, au-dessus des couvertures.

—Allons, seigneur Rahl, cessez de penser à une prophétie qui attend dans un livre depuis des millénaires. Vous avez besoin de repos.

—C'est vrai, concéda Richard.

—Alors, que fiches-tu encore debout ? Viens me rejoindre, je meurs de froid, toute seule dans ce grand lit.

Richard n'eut pas besoin de se le faire dire deux fois.

Chapitre 24

Serré contre Kahlan, Richard lui embrassait tendrement le cou lorsqu'un bruit presque inaudible, mais totalement étranger à ce qu'on aurait dû entendre dans la paisible chambre, le força à relever la tête.

Kahlan se redressa sur les coudes, le souffle court, et suivit la direction du regard de Richard.

—Qu'est-ce que c'est? souffla-t-elle.

Richard posa deux doigts sur les lèvres de sa femme pour lui intimer le silence, puis il plissa les yeux pour mieux sonder l'alcôve obscure où se dressaient les deux armoires.

Une entité mystérieuse, tapie entre les deux meubles, le regardait.

Les rideaux de la porte-fenêtre étaient tirés. Dans le cas contraire, ça n'aurait rien changé par cette nuit d'encre. À la lueur de l'unique lampe réglée au minimum, on distinguait à peine les contours des deux meubles. Aucun moyen, donc, de mieux voir l'improbable créature cachée entre eux.

Richard plissa encore plus les yeux pour mieux définir l'apparence de ce qu'il captait, jusqu'à présent, comme une masse plus sombre que la pénombre ambiante.

Alors qu'il devinait les formes très vagues d'une silhouette, il eut la certitude d'être observé. Cette fois, ça ne pouvait pas être le fruit de son imagination. L'intrus presque invisible l'examinait aussi.

Le Sourcier sentit une présence à la fois glaciale et maléfique.

Mais comment était-ce possible? Des hommes de la Première Phalange montaient la garde dans le couloir. Ces soldats d'élite n'étaient pas du genre à s'endormir pendant le service ni à relâcher leur vigilance. Entraînés et aguerris, ils étaient toujours sur le qui-vive. Et pour eux, une menace pesant sur Richard ou Kahlan était une insulte personnelle – oui, une injure à leurs compétences.

Bref, l'intrus n'avait pas pu tromper leur attention.

La créature tapie dans l'alcôve n'était pas très grande, voilà à peu près tout ce que Richard pouvait en dire. Immobile et silencieuse, elle attendait, recroquevillée sur elle-même entre les deux armoires.

Mais qu'attendait-elle exactement?

Dehors, la tempête se déchaînait, faisant parfois trembler les vitres de la porte-fenêtre. Dans le silence qui régnait entre deux bourrasques, Richard entendait seulement le souffle de Kahlan et le léger grésillement de la lampe à huile.

Un instant, il se demanda si un jeu d'ombre et de lumière ne le trompait pas. Mais non, il y avait bien une silhouette – et une masse beaucoup plus sombre que ce qui l'entourait.

Quelle que fût sa nature, l'intrus était plus noir que la nuit. Le regard fixe – s'il en avait vraiment un –, ce monstre était impitoyable.

Ses yeux s'accoutumant à la pénombre, Richard crut voir la silhouette d'un chien ramassé sur lui-même avant de sauter à la gorge d'une proie. En réalité, il s'agissait plutôt d'un enfant – une fillette, peut-être – très légèrement penché en avant, ses longs cheveux tombant de sa tête inclinée.

Mais ça ne pouvait pas être réel! Rien n'aurait pu entrer dans cette chambre, Richard en avait l'absolue certitude. En conséquence, l'intrus n'existait pas.

Pourtant, Kahlan le voyait tout comme lui, et contre sa poitrine, il sentait son cœur affolé battre la chamade.

Alors qu'il était au milieu du lit, serré contre Kahlan, son épée reposait sur la table de nuit, très près de lui et pourtant inaccessible. Car un instinct animal lui soufflait de ne surtout pas bouger.

Un instinct animal ? Ou simplement une prudence tout à fait logique, lorsqu'on était face à une créature inconnue réfugiée dans le noir ?

Quelle que soit la réponse, le Sourcier avait le sentiment qu'il ne devait pas bouger.

La créature ne bronchait toujours pas. S'il s'agissait d'une illusion d'optique, tout compte fait, Richard était en train de se ridiculiser.

Mais les illusions n'épiaient pas les gens.

Contrairement à cet intrus.

Incapable de supporter plus longtemps la tension, Richard s'écarta de Kahlan et tendit le bras vers son épée.

Dans l'alcôve, la créature sembla se relever, comme en réponse à son mouvement. Un bruit étrange retentit, à croire qu'on secouait un sac plein d'osselets.

Des craquements d'os ?

Richard se pétrifia.

L'intrus, lui, continua à se relever. Avec des grincements sinistres, comme si la créature était frappée de rigidité cadavérique, la tête oscilla de droite à gauche. D'autres craquements d'os retentirent, à croire que la colonne vertébrale du monstre n'avait plus bougé depuis des lustres.

Richard distingua enfin la paire d'yeux dont il avait senti l'existence depuis le début.

—Par les esprits du bien, souffla Kahlan, qu'est-ce que c'est ?

Richard n'en avait pas la moindre idée.

Avec la rapidité d'un serpent qui attaque, l'intrus bondit vers le lit.

Richard plongea en direction de son épée.

Chapitre 25

Du coin de l'œil, Kahlan vit la créature noire bondir vers le lit tandis que Richard plongeait pour s'emparer de son épée.

Dès qu'il eut refermé la main sur la poignée de l'arme, le Sourcier se laissa glisser hors du lit, puis il tira la lame au clair. La note métallique caractéristique de l'Épée de Vérité déchira le silence tel un cri de rage qui fit frissonner Kahlan de la tête aux pieds.

Richard se campa face à la menace. D'un signe de tête, il indiqua à sa femme de s'écarter de la trajectoire probable du monstre inconnu.

Puis il frappa, sa lame décrivant un arc de cercle à une vitesse prodigieuse. Le tranchant acéré coupa en deux la silhouette obscure. Ou plutôt, il l'aurait coupée en deux si elle ne s'était pas dématérialisée en un clin d'œil.

Haletant de fureur – la colère que lui insufflait son arme –, Richard resta planté où il était. Sondant la chambre, Kahlan constata que l'ennemi obscur n'était plus là. Dans le silence revenu, l'Inquisitrice entendit les roulements désormais lointains du tonnerre et les grésillements de la lampe posée sur la table de chevet.

Kahlan balaya de nouveau la chambre du regard. La créature ne semblait plus être là, mais dans le cas contraire, l'aurait-elle distinguée dans la pénombre ?

—Je n'ai pas l'impression qu'on nous épie, Richard…

—Moi non plus… La créature est partie.

Oui, mais pour combien de temps ? Au fond, songea Kahlan, elle pouvait réapparaître à tout moment et n'importe où dans la pièce.

—Richard, qu'est-ce que c'était, selon toi ?

Se levant, Kahlan caressa fugitivement le bras de son mari, puis elle approcha de la table et régla la lampe au maximum.

Profitant de la lumière, le Sourcier, sans rengainer son arme, procéda à une ultime inspection de la chambre.

—Je donnerais cher pour le savoir, dit-il en se décidant enfin à rengainer l'Épée de Vérité. Je détesterais devoir sonder tous les coins sombres et sursauter à tous les bruits en me demandant si la menace est réelle ou si je délire.

—Ça me rappelle mon enfance, quand j'avais peur des monstres imaginaires cachés sous mon lit.

—Une bonne comparaison, à un détail près…

—Lequel ?

—Ce monstre n'était pas imaginaire. Nous l'avons tous les deux senti. Et vu. Il était bien là.

—C'était le même que la première fois, tu crois ?

Richard tourna la tête vers sa compagne.

—Tu veux savoir si la créature imaginaire de ce soir était la même que celle d'hier ?

Malgré son inquiétude, Kahlan ne put s'empêcher de sourire.

—Présenté comme ça, c'est un peu ridicule, non ?

—Ridicule ou non, oui, je pense que c'est l'espion d'hier.

—Mais hier, nous ne l'avons pas vu. Pourquoi nous a-t-il dévoilé sa présence ?

Richard ne sut que répondre.

Tout en se frottant frileusement les bras, Kahlan vint se serrer contre son mari.

—Si nous ne savons pas ce qui se passe, ni même qui s'introduit dans notre chambre pour nous épier, comment mettre un terme à tout ça ? Nous risquons de ne plus jamais dormir en paix.

Le Sourcier enlaça Kahlan.

— Je sais, mais je n'y peux rien… Et sache que je le regrette.

— Richard, j'ai une idée… Au palais, le pouvoir de Zedd est affaibli, mais Nathan est un Rahl, lui. Ici, il est encore plus puissant. Nous devrions l'installer dans une chambre attenante à la nôtre. Il sentira peut-être la présence de cette créature. Qui sait, il saura peut-être la débusquer ? Par exemple, en la localisant pendant qu'elle nous espionne, et en envoyant des hommes la capturer.

— Je doute que ça fonctionne…

— Pourquoi ?

— Parce que nos ennemis, selon moi, ne sont pas dans le palais. Comme tu l'as souligné, ici, le pouvoir des Rahl est amplifié, et celui des autres perd son efficacité. À mon avis, l'espion est une sorte de projection envoyée par des adversaires qui ne résident pas entre ces murs.

— Donc, il n'y a rien à faire contre eux ? Nous devrons supporter d'être épiés chaque nuit ?

Richard serra les mâchoires pour contenir sa rage.

— Le Jardin de la Vie est protégé par un champ de force permanent, dit-il enfin. Ça nous mettrait peut-être à l'abri des regards indiscrets.

Kahlan parut séduite par l'idée.

— Ces champs protecteurs ont pour objectif premier d'interdire à toute magie, si puissante fût-elle, d'entrer ou de sortir…

— Donc, en toute logique…, murmura Richard.

— Pour être vraiment seule avec toi et pouvoir me reposer, je veux bien dormir sur l'herbe dans un sac de couchage.

— Je partage cette opinion, fit Richard. Je crois que nous devrions essayer.

— Tope là ! dit simplement Kahlan avant de commencer à se rhabiller.

Richard s'empara de son pantalon et l'enfila.

— J'aimerais quand même savoir quelle personne ou quelle entité – à moins que ce soient les prophéties elles-mêmes – s'amuse comme ça avec nous.

Kahlan ouvrit une armoire et en sortit ses vieux vêtements de voyage.

—Les prophéties essaient peut-être de nous aider.

Richard fronça les sourcils, comme s'il n'était pas convaincu.

—Ce qui m'inquiète, confessa-t-il en ramassant sa chemise, c'est que des prédictions qui semblent annoncer la même chose utilisent des mots différents. L'une parle de la chute du toit, et l'autre de la chute du ciel. Ce n'est pas du tout la même chose, tu en conviendras. Mais il y a un point commun, c'est la chute, tu seras là aussi d'accord. Et entre un toit et le ciel, il y a des… similitudes, pourrait-on dire.

—C'est peut-être une question de traduction… Le mot d'origine avait peut-être plusieurs sens, et on n'a pas choisi le même chaque fois. Ou il peut s'agir de références indirectes…

—Et si c'étaient dans les deux cas des métaphores? avança Richard en enfilant une botte.

—Des métaphores? répéta Kahlan en boutonnant son pantalon de voyage.

—Oui, comme celle qui parle de la fierge et du paon… De toute évidence, cette prédiction concerne la tueuse que tu as touchée avec ton pouvoir. Le mot «paon», ou «pion», est une façon de nous dire qu'elle n'est qu'une marionnette. Et celui ou ceux qui tirent les ficelles tenaient à ce que tous nos invités de marque assistent au spectacle.

—Tu penses que «toit» est une métaphore pour «ciel»? Ou le contraire?

—C'est possible… On parle bien du «toit du monde», dans des poésies.

—Si tu as raison, que signifie la prédiction?

—Eh bien… Et si c'était le monde qui menaçait de s'écrouler?

Kahlan n'aima pas du tout cette hypothèse.

Les deux époux se pétrifièrent soudain en entendant un grognement étouffé de l'autre côté de la porte. Puis quelque chose percuta les deux battants. Un instant, Kahlan redouta qu'ils soient arrachés à leurs gonds, mais ils résistèrent.

— Qu'est-ce que c'était ?

— Je n'en sais rien…, souffla Richard, sa main volant vers la poignée de son épée. Allons voir.

Le Sourcier entrebâilla la porte juste assez pour qu'ils puissent jeter un coup d'œil dans le couloir vivement éclairé par les lampes à réflecteurs. Du coin de l'œil, Kahlan vit que des hommes armés couraient en tous sens dans le couloir.

Des traînées de sang maculaient les murs et le sol.

Aux pieds des deux jeunes gens, le cadavre d'un gros chien noir gisait contre la porte. Deux piques étaient enfoncées dans ses flancs et du sang sourdait de plusieurs autres blessures.

Richard finit d'ouvrir la porte, la tête du molosse mort tombant à moitié dans la chambre.

Un officier vit Richard et Kahlan, sur le seuil de la pièce, et courut vers eux.

— Seigneur Rahl, je suis désolé…

— Que se passe-t-il ?

— Ce chien courait dans les couloirs, menaçant tous les gens qui le croisaient. Nous avons dû l'abattre, au bout du compte.

— D'où venait-il ? demanda Kahlan.

— Il peut appartenir à un des marchands ambulants… Quand les gens se sont réfugiés à l'intérieur du haut plateau, à cause de la tempête, ils ont bien entendu amené leurs animaux. Les chevaux et les mules sont dans des écuries, mais les chiens ont eu le droit de rester avec leur maître. Certains ont dû profiter de la confusion pour s'échapper, et celui-là est parvenu jusqu'ici.

Richard s'accroupit et passa une main dans la fourrure poisseuse de sang de l'animal. Même mort, il montrait toujours les crocs… Ce n'était pourtant pas une raison pour mourir ainsi…

— Ce pauvre chien a échappé à ses propriétaires ?

— C'est ce que je pense, seigneur Rahl. Nous l'avons repéré alors qu'il courait en direction de ce secteur, mais il a été impossible de l'intercepter. Il a fallu l'abattre, hélas… Navré de vous avoir dérangé en pleine nuit.

—Aucun problème, fit Richard. De toute façon, nous allions partir pour le Jardin de la Vie. (Il caressa de nouveau le chien mort.) Dommage pour ce pauvre cabot…

Même si les explications de l'officier tenaient la route, Kahlan ne put s'empêcher de songer à la prédiction de la tueuse : « *Des monstres noirs qui te traquent et que tu ne pourras pas semer.* »

Chapitre 26

Escortés par des hommes de la Première Phalange, Richard et Kahlan remontaient une série de couloirs interconnectés qui constituaient les «bras» du noyau de l'immense sortilège qu'était en réalité le Palais du Peuple. Parties intégrantes d'une formule hautement complexe, ces bras canalisaient le pouvoir en direction du Jardin de la Vie.

En plus des soldats d'élite qui accompagnaient les deux dirigeants de l'empire, des dizaines de sentinelles montaient la garde dans chacun de ces corridors. Particulièrement sensible, ce secteur du palais interdit au public était surveillé en permanence.

Richard s'arrêta devant l'immense porte et admira un moment les gravures revêtues d'or qui représentaient des forêts et des collines moutonnantes. Malgré son apparence – celle d'un petit parc d'agrément –, le Jardin de la Vie était en réalité une sorte de chambre forte destinée à contenir toute magie dangereuse qu'on pouvait avoir à invoquer. Dans le même ordre d'idées, ce lieu protégeait les sorciers de toute intervention hostile extérieure.

Le Jardin de la Vie avait été le cadre d'invocations parmi les plus dangereuses que l'humanité eût jamais connues. Par souci d'équilibre, comme c'était le cas partout dans le palais, les portes somptueuses rappelaient la beauté et l'importance de la vie face à ces noires instances surnaturelles.

Le Jardin de la Vie était pour Richard un lieu chargé de souvenirs terribles. Durant la plus sombre période de son existence, il y avait été traîné comme un vulgaire prisonnier. Plus tard, il y avait connu quelques-uns de ses plus grands triomphes.

Sentant Kahlan lui tapoter gentiment le dos, le Sourcier devina qu'elle savait à quoi il pensait.

Quand leur seigneur eut poussé un des lourds battants, les soldats prirent place des deux côtés du couloir, laissant les deux époux entrer seuls dans le jardin.

Dès qu'ils furent à l'intérieur, Richard et Kahlan respirèrent à pleins poumons le parfum des fleurs qui poussaient tout au long des sentiers serpentant jusqu'au cœur du grand parc intérieur. Devant les murs couverts de lierre, une multitude de petits arbres participaient à générer l'illusion qu'il s'agissait d'une vraie clairière, dans une forêt parfaitement authentique. Au centre de ce refuge bucolique s'étendait une grande pelouse circulaire. Au milieu, sur une zone dallée de pierre blanche, se dressait un autel de granit soutenu par deux colonnes à cannelures.

Très haut au-dessus de la tête des deux visiteurs, le toit vitré, dans la journée, laissait entrer à flots la lumière du soleil. La nuit, il offrait une vue saisissante sur le firmament nocturne constellé d'étoiles. Un spectacle devant lequel Richard se sentait toujours tout petit et très seul.

Ce soir, on ne voyait rien, car de la neige recouvrait le toit. À la faveur des éclairs, Richard remarqua que la couche n'était pas uniforme. Assez fine par endroits, elle était si épaisse et si dense ailleurs que la lueur pourtant vive de la foudre ne parvenait pas à la traverser.

Les roulements de tonnerre, de nouveau très proches, faisaient trembler le sol sous les pieds des deux époux.

Après avoir allumé quelques torches, sur le périmètre de la grande pelouse, Richard s'assit à côté de Kahlan sur un muret de pierre. Ensemble, ils admirèrent le paysage comme s'ils étaient vraiment au cœur de la nature.

Lorsque Richard lui prit la main, Kahlan tressaillit.

—Qu'y a-t-il? demanda le Sourcier.

L'Inquisitrice jeta un bref coup d'œil à sa main.

—Elle est un peu sensible, c'est tout…

Richard vit que les griffures, très enflées, avaient pris une méchante teinte rougeâtre. Sur sa propre main, les petites plaies avaient aussi tourné au rouge, mais elles semblaient moins infectées que celles de Kahlan.

À la lueur des torches, Richard inspecta la main de sa femme.

—Ce n'est pas très encourageant…, souffla-t-il.

Kahlan dégagea sa main.

—Ce n'est rien du tout, tu verras! (Frissonnant de froid, l'Inquisitrice changea abruptement de sujet.) Je n'ai pas le sentiment d'être épiée. Et toi?

Richard balaya du regard le grand jardin.

—Non, moi non plus…

Morte de sommeil, Kahlan avait du mal à garder les yeux ouverts. En plus de les tenir éveillés, cette affaire d'espion gâchait le peu de repos qu'ils parvenaient quand même à prendre.

Richard attira Kahlan contre lui. Reconnaissante, elle posa la tête sur son épaule et ferma les yeux.

N'était-il pas temps de s'étendre? Le Sourcier adorait dormir à la belle étoile, au pied d'un arbre. Durant presque toute sa vie, avant de rencontrer Kahlan, il n'avait presque jamais eu d'autre chambre à coucher que les bois de Hartland, sa ville natale.

—De retour dans la forêt…, murmura Kahlan d'une voix lourde de sommeil.

—Exactement…, souffla Richard.

—Un changement agréable, pour une fois…

Le Sourcier partageait cette opinion. Derrière le toit vitré, au-dessus de leurs têtes, la tempête se déchaînait. Sous la couche de neige, on ne voyait rien et tout semblait paisible.

Voyant de l'eau ruisseler sur certaines parties du toit, Richard comprit que la neige commençait à fondre. Il devait pleuvoir, désormais – le signe infaillible qu'une tempête printanière était proche de sa fin. Très souvent, c'était aussi le moment où ces fléaux naturels se révélaient les plus dévastateurs à grand renfort de bourrasques et d'éclairs.

— Tu crois que ça ne risque rien ? demanda Kahlan.

L'air inquiète, elle regardait le toit. La pluie compactait les masses les plus épaisses de neige, les gorgeant d'eau et les rendant de plus en plus lourdes.

— Kahlan, je n'en sais trop rien… J'ignore quel poids peut supporter ce verre.

— C'est la question que je me posais… Et je me demande s'il a cédé, par le passé ? En cas de rupture, être sous le toit risque de se révéler très dangereux.

Si le toit s'écroulait !

Ici, les plaques de verre renforcé de plomb constituaient un toit. Mais en même temps, on pouvait aussi les prendre pour un ciel.

Richard se leva vivement. Les deux prophéties étaient identiques. Elles parlaient très exactement de la même chose.

— Je crois que nous devrions sortir d'ici…

— Tu as raison. Je n'aime pas l'idée d'être ensevelie sous le verre brisé et la neige.

À cet instant précis, la foudre percuta le toit avec un bruit de fin du monde. Alors que Richard prenait Kahlan par les épaules, la faisant pivoter pour qu'elle ne soit pas éblouie par la lumière aveuglante, il entendit des craquements sinistres.

Affaiblie par l'impact de la foudre, la structure métallique qui soutenait les plaques de verre commençait à céder. Des surfaces vitrées explosèrent, envoyant voler un peu partout des éclats acérés. L'un d'eux percuta l'épaule de Richard, un autre s'enfonça dans sa cuisse et un troisième entailla le bras de Kahlan.

Alors que la foudre continuait à se diffuser dans le lacis métallique, minant sa résistance, la masse de neige gorgée d'eau devint trop lourde à supporter pour la partie centrale du toit, qui se révéla très logiquement la plus fragile.

Alors que l'improbable avalanche s'écrasait sur la pelouse, non loin des deux époux, faisant trembler sur ses bases l'immense jardin intérieur, un nouvel éclair s'engouffra dans l'ouverture toute fraîche et vint percuter le sol.

L'onde de choc des deux événements combinés produisit un souffle d'air qui éteignit d'un coup toutes les torches.

Dans l'obscurité, Richard entendit un craquement de pierre qui se fend.

Chapitre 27

Tandis qu'ils couraient en zigzag, afin d'éviter les débris qui volaient en tous sens, Richard et Kahlan se couvrirent les oreilles pour les protéger d'un vacarme de fin du monde. À la lumière stroboscopique des éclairs, le Sourcier, jetant un coup d'œil derrière lui, vit que le sol s'affaissait au centre du jardin.

Les énormes blocs de granit cachés sous la pelouse se désolidarisèrent et tombèrent dans le vide. Comme dans un sablier géant, l'herbe, la terre et le sable suivirent le même chemin.

Quand la pluie de débris cessa enfin, Richard leva les yeux et vit qu'il y avait une grande brèche dans le toit de verre. Par bonheur, la structure avait tenu sur les côtés, limitant les dégâts. Regardant mieux le cadre métallique qui soutenait les vitres, Richard constata qu'il était conçu pour résister à pratiquement toutes les « agressions ». Pendant des milliers d'années, il avait rempli sa mission, jusqu'à cette maudite tempête. La neige gorgée d'eau et la foudre – une combinaison mortelle.

Le vent s'engouffrait dans la brèche, charriant avec lui des flocons de neige et des grêlons qui tombaient dans le trou béant, au niveau du sol.

Sans cesser de surveiller le toit, Richard retira l'éclat de verre planté dans sa cuisse. Sortant un morceau d'acier et une pierre à briquet de son sac, il s'en servit pour allumer la torche la plus proche. Redoutant que des gens aient été tués par la chute du « plancher » du jardin, il courut vers le trou béant dans lequel de la terre et du schiste continuaient à tomber.

Kahlan le retint par la manche.

— Richard, recule ! Si le sol continue à s'écrouler, tu risques d'être entraîné dans sa chute.

Le Sourcier brandit sa torche afin de sonder la cavité. Malmenée par le vent et l'appel d'air, la flamme vacilla, mais elle résista. Se penchant, Richard constata que le sol du Jardin de la Vie était soutenu par une série d'arches qui constituaient le plafond d'une grande salle.

— Je crois que nous ne risquons plus rien… La foudre a fini d'affaiblir la partie du toit soumise à la pression de la neige, mais le reste tient solidement le coup. Quant au sol, lui aussi a cédé à l'endroit le plus faible. Regarde : la foudre a frappé la partie la plus fine de la voûte, entre deux arches presque indestructibles.

— Tu es sûr de ce que tu dis ?

— Pratiquement, oui… (Richard s'allongea sur le ventre et orienta la torche vers le vide.) Ce n'est pas une salle du palais, comme je l'avais d'abord cru… Sur la gauche, je vois un escalier…

Kahlan se pencha un peu plus.

— Un escalier ? Il n'y a aucune sortie d'escalier ici…

— Exact… Apparemment, un escalier servait jadis à rejoindre le Jardin de la Vie, mais il a été condamné.

— C'est absurde, dit Kahlan. Ce jardin a été construit pour être une sorte de coffre-fort magique. La présence d'un escalier n'a aucun sens. L'ouverture aurait affaibli le champ de force protecteur. Et quand on bâtit une structure de ce type, on ne la scelle pas par le bas non plus !

— C'est tout à fait logique, mais pourtant, les faits sont là…

— C'est idiot, sauf si ce qui se trouve sous le jardin faisait originellement partie du « coffre-fort ».

Richard avança de quelques pouces. La partie du sol encore intacte semblait solidement soutenue par les arches, comme il l'avait avancé.

—Cet escalier débouchait peut-être jadis dans le jardin, mais là, il se termine sur un palier. Tu vois l'endroit où s'arrêtent les marches? Je voudrais descendre jusque-là.

—Richard, le palier est beaucoup trop bas pour que tu puisses sauter.

Richard se releva, brandit sa torche et regarda autour de lui.

—Tu vois l'appentis où les jardiniers rangent les outils? Ici, les arbres doivent être régulièrement élagués, sinon, ils finiraient par atteindre le toit. Donc, il doit y avoir une échelle.

Lorsqu'il eut ouvert la porte de l'appentis, Richard découvrit qu'il ne s'était pas trompé. Tendant la torche à Kahlan, il s'empara de l'échelle de bois. Bien qu'elle fût très lourde, il parvint à la déplacer seul.

Quand il l'eut glissée dans le trou, il constata qu'elle avait la longueur voulue.

Levant les yeux, il vit à travers la brèche du toit que le vent se calmait. Les nuages s'effilochaient un peu, laissant apercevoir quelques étoiles.

—Si tu attendais ici? proposa-t-il en commençant à descendre l'échelle.

—Compte là-dessus et bois de l'eau fraîche, seigneur Rahl!

—Au moins, attends que j'aie atteint le palier et vérifié la solidité des marches.

Kahlan n'eut pas le cœur de refuser. Restant au bord du trou, les pieds calés contre un bloc de pierre qui jaillissait du sol, elle suivit du regard la progression de son mari.

Quand il leva les yeux vers sa femme, Richard eut l'impression que le trou était une gueule béante aux crocs acérés – les blocs de granit – qui venait de l'avaler, le propulsant dans le gosier de quelque improbable monstre de pierre.

Lorsqu'il posa le pied sur le palier, une sphère lumineuse trônant sur un support de fer émit une lueur verte presque irréelle. Ce n'était pas le premier artefact de ce genre que voyait le Sourcier. Il y en avait dans plusieurs secteurs du Palais du Peuple et dans les sous-sols de la Forteresse du Sorcier – entre autres endroits.

À première vue de banals globes de verre, ces objets magiques réagissaient à la présence d'un détenteur du don, lui éclairant obligeamment le chemin.

Lorsque Richard eut pris dans sa main la lourde sphère, sa lumière devint plus vive et moins surnaturelle.

—Au moins, nous n'aurons pas besoin de porter la torche, dit Kahlan en arrivant à son tour sur le palier.

—En effet…, fit Richard alors qu'il sondait les ténèbres. Tout ça n'a aucun sens !

—Que veux-tu dire ?

En avançant, le Sourcier écarta un épais réseau de toiles d'araignées.

—Il devrait y avoir une salle sous le jardin, ou une dépendance quelconque. Mais on dirait que personne n'a mis les pieds ici depuis un bon millier d'années. Au minimum…

Kahlan inspecta les murs couverts d'une épaisse couche de poussière.

—Au minimum, comme tu dis…

En descendant les marches, Richard prit garde à éviter les débris qui les couvraient par endroits. Une main sur l'épaule de son mari, Kahlan le suivait en imitant ses judicieuses précautions.

Au pied de la très longue série de marches, les deux époux débouchèrent sur une sorte de promenade qui faisait le tour d'une grande salle aux murs en blocs de granit. Des arches gigantesques se succédaient, créant la solide infrastructure qui soutenait le plancher du Jardin de la Vie. Le granit effrité et noirci semblait très ancien. De toute évidence, la lumière du jour n'avait plus pénétré en ces lieux depuis des lustres.

Le centre de la salle n'était pas plat, mais en forme de dôme. Une configuration qui contraignit Richard et Kahlan à utiliser la promenade pour atteindre l'autre bout de la grande pièce. La majorité des débris était tombée sur le dôme, mais certains avaient glissé sur la promenade, rendant le terrain très périlleux.

Richard se mit en chemin, escaladant des piles de gravats. Kahlan fit le tour du dôme dans l'autre sens, et elle aussi dut négocier bien des obstacles.

Cette salle qui n'en était pas une n'avait aucune utilité apparente. À coup presque sûr, c'était une pièce de maintenance permettant d'inspecter la structure du palais. Il y avait des endroits semblables un peu partout dans le complexe. Certains donnaient accès aux fondations, d'autres aux parties cachées des colonnades, des poutres et de divers éléments architecturaux.

Richard ne fut donc pas surpris outre mesure par ce qu'il découvrait.

Mais pourquoi avoir isolé cette zone du Jardin de la Vie ? L'escalier semblait avoir été condamné et en partie démonté. Le sol du jardin s'étant effondré, il serait impossible de déterminer si un accès existait jadis. Au fond, il s'agissait peut-être d'une zone ayant servi à la construction et qu'on avait ensuite scellée.

—Devant moi ! cria soudain Kahlan. Je vois un escalier en colimaçon qui descend vers l'étage inférieur.

Chapitre 28

Le globe lumineux brandi devant lui, Richard entreprit de descendre l'escalier dépourvu de rampe. Avec la terre et le schiste tombés sur les marches, l'exercice se révéla à la fois difficile et périlleux. Plus d'une fois, le Sourcier dut s'arrêter et nettoyer de la pointe du pied une marche afin qu'elle ne soit plus glissante.

L'escalier finit par déboucher sur le seuil d'une pièce obscure où l'air empestait l'humidité. Grâce à la lumière du globe, Richard distingua une porte de pierre dépourvue d'ornement. La seule issue visible, et qui permettait simplement d'entrer dans l'étrange pièce vide au milieu de laquelle trônait ce qui paraissait être un gros bloc de pierre.

— Où sommes-nous donc ? demanda Kahlan.

— Je n'en sais rien… Et ça ne me rappelle rien de connu. Tu crois que ça peut être une pièce de rangement ?

— Une pièce de rangement ? Inaccessible comme ça ? Ce n'est pas très logique…

— Tu as raison, concéda Richard.

De fait, à quoi aurait servi une pièce de rangement coupée de tout ?

Quand Richard avança, une série de globes lumineux s'allumèrent. Quatre sphères, très exactement, constata le Sourcier quand il eut fait le tour du gros bloc de pierre. L'intensité de leur lumière baissait dès qu'il s'en éloignait, mais la clarté se révéla largement suffisante pour une inspection en règle de la pièce. À quoi pouvait-elle avoir servi ? Et à qui ?

Au début, Richard ne s'intéressa guère au monolithe central. Probablement un bloc surnuméraire oublié là à la fin de la construction. Sa position dans l'espace, au centre exact de la pièce, paraissait étrange pour un élément inutile, mais malgré tous ses efforts le Sourcier ne parvint pas à imaginer quelle pouvait être sa fonction.

Des flocons de neige venus de l'escalier dérivaient dans les colonnes de poussière soulevées par Richard et Kahlan. À l'extérieur, la tempête n'était pas tout à fait finie, mais le curieux sanctuaire était hors de portée de ses bourrasques.

À la lueur des globes lumineux, les flocons ressemblaient à des lucioles.

Une rapide inspection confirma que la pièce n'avait pas d'autres portes. Aucun escalier en colimaçon n'en partait, et il n'y avait pas l'ombre d'une ouverture, comme dans une tombe.

Pour une raison qui lui échappait encore, cet endroit donnait la chair de poule à Richard.

Que penser d'un lieu délibérément conçu pour être scellé et oublié ? Surtout quand il était parfaitement vide ?

— Richard, souffla Kahlan, cet endroit a quelque chose de terrifiant.

— Peut-être parce que c'est un cul-de-sac… L'escalier que nous avons emprunté est le seul moyen d'y accéder.

— Tu as peut-être raison… Je détesterais être coincée dans ce trou à rats où personne ne me retrouverait jamais. Pourquoi avoir scellé cette pièce comme une tombe ?

Richard secoua la tête en signe d'impuissance.

Il n'aurait pas été surpris de trouver des ossements sur le sol, mais ce ne fut pas le cas. Dans les sous-sols du palais, il y avait des tombes, mais le Jardin de la Vie était situé au tout dernier niveau. De plus, les dernières demeures des morts, souvent somptueuses, étaient destinées à honorer leur mémoire. Ce trou à rats, comme disait Kahlan, n'avait rien d'un lieu de recueillement.

Regardant plus attentivement, Richard vit quelque chose au pied du mur du fond. Un bloc de pierre mal aligné, peut-être, et qui faisait une saillie.

En approchant, la sphère devant lui, Richard constata qu'il s'était trompé. Tout au long du mur, des petites bandes de métal couvertes de poussière étaient proprement empilées.

Richard se baissa, en prit une et l'examina. Un peu plus longue que son médium, la curieuse bande était assez souple pour qu'il puisse la plier sans effort. Toutes étaient identiques, et il devait y en avoir un nombre incalculable, car la « saillie » faisait en réalité toute la longueur du mur.

Richard posa la bande de métal sur sa pile et se releva.

—Il n'y a rien de gravé dessus, dit-il. De simples bandes de métal…

—Il y en a sur presque tout le périmètre de la pièce, dit Kahlan. Ça nous fait des dizaines de milliers de bandes, voire des centaines de milliers. À quoi servent-elles, et pourquoi sont-elles « inhumées » ici ?

—On dirait qu'on les a oubliées… À moins qu'on ait voulu les cacher ?

—Pourquoi dissimuler ainsi de banales bandes de métal ?

Incapable de répondre, Richard regarda autour de lui en quête d'éventuels indices. Mais cet endroit échappait à toute analyse. Du bout d'une botte, il sonda le sol. C'était de la pierre, sous une épaisse couche de poussière due à l'effritement des murs. Bien qu'il y eût un dôme au-dessus de la curieuse pièce, son plafond était parfaitement plat. Un faux plafond en plâtre, à l'origine, supposa Richard. Mais avec le passage du temps, on ne faisait plus la différence avec les murs, car toutes les surfaces intérieures avaient noirci.

Si on oubliait les bandes de métal et le monolithe, l'endroit n'avait rien de remarquable. Enfin, si, il y avait sa configuration. Si le sol du Jardin de la Vie ne s'était pas écroulé, il n'y aurait eu aucun moyen d'accéder à ce tombeau sans sépulture. Sans un accident hautement imprévisible, la pièce serait restée inviolée pendant des millénaires et des millénaires.

Tandis que Kahlan faisait courir une main sur les murs, à la recherche d'inscriptions ou du mécanisme d'un passage secret, Richard se concentra sur le monolithe carré placé au centre exact du faux sanctuaire. Très curieusement, le dallage s'interrompait autour du bloc, en conséquence entouré d'une étroite bande de terre. Des douves minuscules, aurait-on dit…

Le monolithe arrivait environ à la taille de Richard. Si sa femme et lui avaient tenté d'en faire le tour avec leurs bras, ils n'auraient pas pu joindre les mains…

Richard se demanda une nouvelle fois ce qu'était ce monolithe et à quoi il pouvait bien servir.

Alors que des flocons de neige dérivaient toujours autour de lui, il s'accroupit, le globe lumineux dans une main, et passa l'autre sur un des côtés du bloc.

Le monolithe n'était pas en pierre, comme il l'avait cru, mais en métal.

Le Sourcier gratta la couche de poussière pour mieux voir de quoi il s'agissait. La rouille et la saleté modifiaient l'aspect du métal, le faisant ressembler au granit des murs. Mais ce n'en était pas, il n'y avait pas l'ombre d'un doute.

— Kahlan, viens un peu voir, appela Richard.

L'Inquisitrice tourna la tête.

— Qu'as-tu trouvé ?

Richard tapa du poing sur le « bloc ». Le son lui apprit que l'étrange objet, doté de parois très épaisses, était creux.

— Ce monolithe est en métal… Et regarde donc ça…

Richard leva un peu le globe lumineux pour que sa femme puisse voir la surface qu'il avait nettoyée. Puis il désigna une petite fente qui courait verticalement sur quelques pouces à partir du bord supérieur du faux bloc. Plusieurs bandes de métal y étaient insérées.

Kahlan en retira une et l'étudia attentivement. À première vue, Richard ne distingua aucune marque, comme sur les autres bandes stockées le long des murs.

Intrigué, il nettoya une plus grande zone du curieux monolithe.

—Il y a une sorte d'emblème sur ce côté du bloc, annonça-t-il. Je n'arrive pas à voir ce qu'il représente.

Avec un bruit sourd qui fit trembler le sol et sursauter les deux époux, de la lumière jaillit du centre du plateau supérieur du bloc de métal. De la bande de terre qui entourait le monolithe s'élevèrent de fines colonnes de poussière.

D'instinct, Richard et Kahlan reculèrent d'un pas.

—Qu'as-tu fait ? demanda la jeune femme.

—Je n'en sais rien… J'essayais d'éliminer la rouille et la crasse pour mieux voir le symbole…

Un bruit métallique monta des entrailles du monolithe. Un grincement de fer qui frotte contre du fer, ou quelque chose d'approchant. Comme si de gigantesques rouages se mettaient en mouvement, le son gagna en intensité, à croire que le bloc s'éveillait à la vie – ou, en tout cas, à l'existence.

Ignorant que faire, les deux époux reculèrent un peu plus.

La lumière émise par le monolithe prit soudain une couleur ambrée.

Richard vit alors qu'une lueur sortait d'une petite ouverture, de l'autre côté du bloc. En faisant le tour, il entreprit de nettoyer le plateau supérieur, qui était peut-être bien un couvercle. Il mit bientôt au jour une autre fente, large d'une dizaine de pouces et recouverte d'une vitre qui s'insérait parfaitement dans la surface métallique du plateau.

Malgré l'épaisseur du verre et la crasse qui l'opacifiait, Richard parvint à apercevoir les entrailles de l'énigmatique bloc de métal. Une combinaison de rouages, de manettes et de courroies de transmission… Des dizaines de pièces mobiles venaient d'entrer en action dans ce qui ne pouvait être qu'une machine très compliquée.

Certains butoirs ou certains axes étaient à peine plus grands que l'auriculaire de Richard. Les plus gros, qui commandaient des composants énormes, devaient peser des centaines de livres, les rouages correspondants étant sans doute une dizaine de fois plus lourds. Le diamètre de certaines roues dépassait la taille du Sourcier, chacune de leurs dents mesurant un bon pied de long.

L'infrastructure métallique nichée à l'intérieur du monolithe était impressionnante par sa taille et sa complexité.

Toutes les pièces de l'impensable machinerie étaient attaquées par la rouille. En se remettant en mouvement, les rouages dont les dents frottaient les unes contre les autres subirent une sorte de polissage naturel. La rouille accumulée au fil des siècles se détacha du métal, formant à l'intérieur du bloc une sorte de brouillard rouge.

Les yeux plissés, Richard tenta en vain d'apercevoir le fond du monolithe. À travers la brume couleur rouille, il aperçut d'autres rouages en mouvement au-dessus de ce qui semblait bien être… des rouages en mouvement.

À croire que ces mécanismes s'empilaient sur une hauteur insondable.

Richard s'écarta afin que Kahlan puisse regarder à travers la partie vitrée. Ce faisant, il découvrit une autre fente, sur un côté et légèrement à gauche du « hublot ».

Le Sourcier s'agenouilla et constata qu'il s'agissait d'une fente identique à la première. Quelques bandes de métal y étaient engagées.

—Richard, regarde! s'écria Kahlan en désignant le plafond.

La lumière qui jaillissait du monolithe projetait un symbole sur le faux plafond plat. Et cet emblème tournait au rythme des rouages du monolithe.

Regardant par le hublot, Richard vit que les énigmatiques mécanismes perçaient des trous dans des plaques de métal afin de produire de manière composite le symbole qui se dessinait au plafond. D'autres rouages, faisant tourner les plaques superposées, assuraient la rotation de l'emblème.

—C'est le même symbole que sur le côté du bloc…

—D'où vient la lumière? demanda Kahlan.

—Elle ressemble beaucoup à celle que produisent les globes lumineux…

Richard fit le tour de la machine, la débarrassant de la saleté accumulée pendant son long sommeil. Sur chaque côté, il découvrit un emblème identique à celui qui tournait au plafond.

— Par les esprits du bien…, soupira-t-il lorsqu'il reconnut le symbole.

Chapitre 29

Kahlan dévisagea Richard, qui ne cachait pas son trouble, puis elle regarda le symbole lumineux couleur ambre qui tournait toujours au plafond.

—Tu sais ce que c'est, n'est-ce pas?

Le Sourcier hocha la tête.

—*Regula*…

Kahlan n'aima pas du tout les sonorités de ce mot. De plus, il lui semblait familier. Puisant dans sa mémoire, elle se rappela où elle l'avait entendu – et *vu*, surtout.

—Comme le titre du livre que nous avons regardé, l'autre jour?

—C'est ça, oui… Le symbole figurait sur le dos de la couverture.

—C'est vrai… Je me souviens, maintenant.

Alors que son mari suivait des yeux la rotation du symbole, Kahlan frotta contre son ventre sa main blessée. La douleur était pire depuis le moment où elle s'était sentie épiée dans la chambre, quelques heures plus tôt. En réalité, ça faisait si mal qu'elle en avait presque les larmes aux yeux.

Serrant les dents, l'Inquisitrice attendit que l'élancement se calme. Dans sa vie, elle avait été bien plus grièvement blessée. Quant à la souffrance, elle avait connu dix fois pire. Cela dit, de simples égratignures pouvaient provoquer une infection grave. Dès que possible, elle devrait montrer sa main à Zedd, qui saurait que faire.

Richard pouvait utiliser son don pour guérir, mais contrairement aux autres sorciers, il ne maîtrisait pas cette aptitude. En d'autres termes, il fallait une situation exceptionnelle pour que sa magie thérapeutique s'éveille. Très différent de celui de Zedd, de Nathan ou de Nicci – et plus puissant –, son don fonctionnait d'une manière unique. Peut-être parce qu'il était un sorcier de guerre, il lui fallait éprouver un sentiment d'urgence, ou être furieux, afin d'y avoir accès. Soigner des égratignures, si douloureuses qu'elles soient, n'entrait pas dans ce programme. Zedd, en revanche, n'avait pas ces limitations…

Mais la santé de Kahlan, en ce moment, n'était pas une priorité. Les problèmes avec les invités, la créature noire et la chute du toit avaient bien plus d'importance. Donc, elle consulterait Zedd quand tout ça lui en laisserait le temps.

— Tu sais ce que signifie le titre du livre ?

Sans quitter des yeux le symbole, Richard hocha la tête.

— Oui, mais la traduction est délicate… En haut d'haran, *regula* veut dire « commander ».

— Voilà qui paraît plutôt simple…

— Certes, mais ça ne l'est pas du tout… (Richard tourna la tête vers sa femme.) Le sens est bien plus étendu que celui de notre verbe.

— Tu peux me donner une idée de ce que tu veux dire ?

Pensif, Richard se passa une main dans les cheveux.

— Eh bien, il s'agit d'une sorte de contrôle autonome, mais dans une acception… (Avec une moue agacée, le Sourcier chercha comment préciser sa pensée.) C'est bien « commander », mais avec une autorité souveraine.

— Souveraine ?

— Oui… Pense à la façon dont les lois naturelles dirigent le monde des vivants.

Kahlan n'aima pas beaucoup cette métaphore.

— Si ce symbole est aussi sur le livre, ce dernier pourrait nous aider à comprendre ce qu'est cette… machine. Et nous apprendrions peut-être pourquoi elle est ici.

— C'est possible… Mais il y a un problème.

—Lequel?

—Ce symbole est identique à celui du livre, mais en inversé, comme l'image d'un miroir.

Kahlan ne vit pas très bien ce que voulait dire Richard. Pour elle, il s'agissait d'une série de cercles, d'un triangle et d'une succession d'autres figures qui ne lui disaient rien du tout.

—Comment peux-tu être sûr que c'est le même? Il est tellement complexe! Alors, à l'envers ou à l'endroit...

—Kahlan, j'ai étudié le langage des symboles et des emblèmes. Beaucoup de runes magiques sont en réalité des idées exprimées par des figures plutôt que par des mots. Les symboles que je vois se gravent dans ma mémoire. Ça m'a aidé à trouver la solution de bien des énigmes, par le passé. Ce symbole est nouveau pour moi, mais ses éléments me semblent étrangement familiers.

Avec un soupir accablé, Kahlan s'empara d'une des bandes de métal engagées dans la fente, du côté « hublot ». Quelque chose avait attiré son attention. En regardant mieux, elle vit des marques sur la bande.

—Richard, regarde! s'écria-t-elle, stupéfiée. (Elle tendit la bande au Sourcier.) Celle-là n'est pas vierge.

Richard saisit l'étrange objet et étudia la série de symboles qui y figurait – de la pyrogravure, à première vue.

—Des signes tous différents les uns des autres..., murmura-t-il.

—Il y a deux autres bandes dans cette fente, annonça Kahlan.

Elle les prit et les tendit à son mari.

—Des symboles également..., fit Richard après un examen minutieux. Chaque bande porte une série bien distincte. Et plus ou moins longue selon les cas. La dernière que tu as prise est la moins marquée...

La machine produisant davantage de bruit, comme si d'autres rouages s'étaient mis en mouvement, Richard se pencha pour regarder par le hublot. La lumière ambrée continua à projeter des symboles qui dansèrent autour du visage du Sourcier.

—De l'autre côté, la bande du bas d'une pile vient d'être séparée des autres et elle commence à se déplacer à l'intérieur de la machine.

Kahlan se pencha à son tour, tentant de voir ce qui se passait. Tenue par une sorte de clip, la bande de métal avançait au rythme des rotations d'une grande roue reliée au clip par un bras métallique. Quand elle atteignit ce qui semblait être un tapis mobile, le clip la libéra et elle fut prise en charge par un dispositif similaire relié à une autre roue.

Une vive lumière orange jaillit alors au cœur de la machine. Comme Richard, Kahlan dut détourner le regard, mais du coin de l'œil, elle vit un point lumineux très intense décrire d'étranges arabesques au-dessus de la bande. Ce rayon venant des profondeurs du monolithe se déplaçait sous la bande à une vitesse folle, mais selon un protocole bien défini.

Sous l'effet de la chaleur, la bande se couvrait peu à peu de symboles, devina Richard.

Lorsque le second clip la lâcha, un autre mécanisme similaire la prit en charge et la fit pivoter sur elle-même jusqu'à ce que les symboles soient visibles. Lorsque le point d'inflexion correct fut atteint, le clip la lâcha et un petit levier la poussa aussitôt dans la fente de sortie.

Un bruit métallique signala qu'elle y était engagée.

Richard et Kahlan se redressèrent et se regardèrent.

—Tu as vu ça? demanda le Sourcier.

—Il aurait été difficile de passer à côté…

Richard sortit la bande de métal de son logement provisoire.

La jetant sur le plateau supérieur de la machine, il secoua la main puis se souffla sur les doigts. Attendant que le petit morceau de métal ait refroidi, il le reprit et constata qu'il ne comportait en fait qu'un symbole.

—Tu sais ce que c'est? demanda Kahlan.

Richard la regarda d'une étrange façon.

—Je n'en suis pas certain… Tout ne correspond pas, mais les différences sont minimes. Kahlan, c'est la représentation emblématique du feu.

Chapitre 30

Devant le Jardin de la Vie, des centaines de soldats armés jusqu'aux dents allaient et venaient dans le couloir. Tous semblaient très nerveux. Sans doute, songea Kahlan, parce qu'ils avaient entendu le vacarme du toit en train de s'écrouler. Depuis, ils devaient se demander ce qui avait bien pu se passer derrière les lourdes portes. Redoutaient-ils qu'une attaque magique ait frappé leur seigneur ? En tout cas, ils semblaient prêts à défendre le palais jusqu'à leur dernière goutte de sang.

Cela dit, inquiétude ou pas, aucun D'Haran, y compris les Mord-Sith, n'aurait osé entrer dans le Jardin de la Vie sans une invitation du seigneur Rahl.

L'expression sinistre de Richard, lorsqu'il déboula dans le couloir, confirma à ses loyaux sujets qu'ils avaient bien fait de respecter son intimité.

Les jardiniers étaient les seuls habitants du palais qui entraient régulièrement dans le jardin. Avant de leur affecter ce poste, on les triait sur le volet, et ils ne travaillaient jamais sans être surveillés par plusieurs officiers de la Première Phalange.

Pendant la guerre, lorsque des artefacts incroyablement puissants étaient conservés dans le grand parc intérieur, les jardiniers eux-mêmes s'en étaient vu interdire l'accès. Durant des années, le jardin avait eu des allures de jungle sauvage qui s'harmonisaient parfaitement avec l'humeur plus que morose des habitants du palais.

Depuis la victoire, il avait fallu énormément de travail pour rendre au Jardin de la Vie toute sa splendeur passée.

Après ce qui venait d'arriver, les restrictions d'entrée risquaient de redevenir d'actualité – et de ne pas être levées avant longtemps. Au fil des siècles, le jardin était l'endroit où le seigneur Rahl en activité, quand ça s'imposait selon lui, se livrait à des invocations magiques terrifiantes et destructrices. En certaines occasions, l'endroit s'était même transformé en un portail donnant sur le royaume des morts.

Mystérieuse aux yeux de la plupart des gens, la magie avait tendance à les terroriser. Pourtant, Kahlan le savait, le pouvoir était souvent une glorieuse et triomphante affirmation de l'énergie vitale. Bien entendu, la médaille avait un revers… Hélas, les peuples, le plus souvent, ne connaissaient que ce côté sombre du pouvoir.

Pour les D'Harans, Richard était la bonne magie en lutte contre la mauvaise. Quant aux soldats, ils devaient être l'acier qui affrontait l'acier. Un rôle qu'ils étaient prêts à jouer au péril de leur vie.

Aujourd'hui, le Jardin de la Vie semblait être redevenu le refuge d'une magie dangereuse. Comme d'habitude, les sujets de Richard entendaient le laisser se charger du problème…

Au premier rang des soldats, les bras croisés, Nyda attendait patiemment que Richard et Kahlan la rejoignent. En uniforme de cuir rouge, elle semblait d'une humeur massacrante, mais chez une Mord-Sith, ça ne signifiait pas nécessairement grand-chose.

—Que s'est-il passé? demanda-t-elle.

Sans répondre, Richard prit la Mord-Sith par le bras et l'entraîna avec lui. Par-dessus son épaule, il s'adressa au commandant de la garde :

—Personne ne doit entrer dans le jardin. Personne, c'est compris?

L'officier se tapa du poing sur le cœur.

—Compris, seigneur Rahl!

Obéissant à leur chef, des soldats vinrent se camper devant les portes et d'autres prirent position dans le couloir et aux intersections avec d'autres corridors. La zone ayant déjà été sécurisée, les hommes retrouvaient sans peine leurs automatismes.

—Nyda, dit Richard, va chercher Berdine et dis-lui de nous retrouver dans la bibliothèque.

—Celle qui est juste en dessous d'ici? Là où elle travaillait ces derniers temps?

—C'est ça… Dis-lui de nous y rejoindre. Puis va porter le même message à Zedd, à Nathan, à Cara et à Nicci.

—Tout ce monde? En plein milieu de la nuit?

—Exactement!

Nyda se tourna vers Kahlan.

—Que s'est-il passé?

—Le toit s'est écroulé.

Chapitre 31

Assise devant une table de travail, dans la bibliothèque, Kahlan serrait dans son giron sa main blessée pendant qu'elle s'échinait à traduire quelques paragraphes d'un livre rédigé dans un obscur langage qu'elle avait appris dans sa jeunesse. Même si ses yeux avaient du mal à rester ouverts, l'Inquisitrice résistait au sommeil, parce que Richard avait besoin de vérifier certaines descriptions figurant dans l'ouvrage que Berdine et lui étudiaient.

Étouffant un bâillement, Kahlan leva les yeux quand elle entendit un grand bruit. À l'autre bout de la salle, Zedd venait d'entrer et il marchait si vite que sa longue tunique s'enroulait autour de ses jambes, manquant le faire trébucher.

Délaissant un instant le grimoire qu'il déchiffrait, Richard aussi jeta un coup d'œil à son grand-père.

Kahlan retourna à son travail. Du coin de l'œil, elle suivit cependant la progression du vieil homme à la tignasse encore plus en bataille que d'habitude.

— Fichtre et foutre, Richard, que se passe-t-il?

— Inutile de jurer, Zedd… J'avais besoin de te voir, c'est tout.

Le vieux sorcier s'arrêta de l'autre côté de la lourde table en chêne. Enfin apaisée, sa tunique retomba mollement le long de ses jambes malingres. Avant de river les yeux sur Richard,

Zedd jeta un bref coup d'œil à Kahlan, histoire d'évaluer la gravité du problème.

— Mon garçon, je jure quand ça me chante, figure-toi! Et j'ai d'excellentes raisons de râler. Tu sais ce que ça fait d'être réveillé en pleine nuit par une Mord-Sith?

Kahlan tourna la tête vers une fenêtre. Dehors, il faisait encore nuit noire. Au moins, la tempête semblait finie.

— Au cas où tu aurais oublié, fit Richard sans lever les yeux de son livre, oui, je sais ce que ça fait. A-t-elle utilisé son Agiel?

— Bien sûr que non!

— Dans ce cas, de quoi te plains-tu?

Zedd plaqua les poings sur ses hanches. Après un autre coup d'œil à Kahlan, il se décida à mettre de l'eau dans son vin.

— Que se passe-t-il, mon garçon?

— Il y a eu un… incident.

Le vieil homme foudroya son petit-fils du regard.

— Comment ça, un incident? Le cuisinier a laissé brûler la sauce du rôti? De quoi parles-tu?

— C'est un peu plus grave que ça… (Richard s'adossa à son siège pour dévisager son grand-père.) Nous avons découvert quelque chose sous le Jardin de la Vie.

— Découvert? Tu jouais avec un seau et une pelle?

— Non, le toit s'est écroulé.

— Le toit…

Zedd regarda Kahlan et vit qu'elle n'avait aucune envie de sourire.

À cet instant, Nathan, Nicci, Cara, Benjamin et Nyda entrèrent au pas de charge dans la bibliothèque.

— Qu'est-il arrivé? demanda Nathan d'une voix de stentor.

— Le toit du Jardin de la Vie s'est écroulé, annonça Zedd. J'ignore ce que Richard a fait pour obtenir ce résultat.

— Moi? s'écria le Sourcier. Je n'ai…

— Ainsi, la prophétie fragmentaire s'est réalisée? lança Nathan. C'est intéressant, certes, mais pas au point de nous tirer du lit au milieu de la nuit.

Croisant les bras, Richard attendit que les deux sorciers veuillent bien se taire. Lorsqu'ils le regardèrent avec de grands yeux, quêtant des explications, il patienta encore un peu, histoire d'être sûr qu'ils ne péroreraient plus, puis il se lança :

— Ce n'est pas tout… Le toit a cédé sous le poids de la neige gorgée d'eau. Quand cette masse s'est abattue sur le sol, percuté en même temps par la foudre, la terre s'est en quelque sorte ouverte. Dessous, nous avons découvert une salle qui n'a pas dû recevoir de visiteurs depuis des millénaires.

Zedd s'appuya des deux mains à la table et se pencha vers Richard.

— Bien entendu, il y a dans cette salle quelque chose qui justifie notre réveil en fanfare ?

— Bien entendu…

— Zedd, demanda Nathan, de quoi s'agit-il, selon toi ?

— Comment voudrais-tu que je le sache ?

Nicci foudroya du regard les deux sorciers.

— Si vous laissiez Richard nous le dire ?

— Pas bête, comme suggestion, marmonna Zedd. Alors, mon garçon, quand vas-tu te décider à cracher le morceau ?

Berdine tapota le grimoire que Richard et elle étudiaient.

— Le seigneur Rahl dit que ça parle dans cette langue.

Zedd et Nathan en sursautèrent de surprise.

— Ça ? répéta Nicci. Tu pourrais être un peu plus précise ?

— Oui, de quoi parles-tu ?

— Berdine aime ménager ses effets, dit Richard.

Il jeta une bande de métal sur la table, en direction de son grand-père. Avant de s'immobiliser, le petit objet refléta la lumière des lampes.

— Sous le Jardin de la Vie, dans une salle secrète, une machine grave des symboles sur des bandes comme celle-là.

— Une machine ? s'étonna Zedd.

— Une machine qui grave des symboles sur une bande de métal ? fit Nathan, perplexe.

— Oui… Ces inscriptions sont un langage, selon moi. Voilà pourquoi Berdine a dit que « ça » parlait…

Zedd passa une main dans ses cheveux blancs ébouriffés.

— Une machine…

Prenant la bande entre le pouce et l'index, il l'étudia attentivement. Nathan et Nicci regardèrent par-dessus son épaule tandis que Cara, Benjamin et Nyda se tordaient le cou pour voir de quoi il s'agissait.

— Que sont ces symboles ? demanda Zedd. La majorité d'entre eux m'est inconnue…

L'air sinistre, Richard brandit le grimoire sur lequel il travaillait avec Berdine.

— Ils viennent de ce livre, *Regula*…

Zedd regarda le volume comme si c'était un espion du Gardien en personne.

— C'était couru d'avance…, soupira-t-il.

— Hélas oui, renchérit Richard.

— Je connais quelques mots de haut d'haran, dit le vieux sorcier, mais pas celui-là. Que veut dire ce « *Regula* » ?

— Commander avec une autorité souveraine.

— Une autorité souveraine ?

— La traduction de Richard est édulcorée, dit Nathan.

— Très édulcorée, même, ajouta Nicci.

Kahlan ne fit aucun commentaire, se demandant seulement ce que la fichue machine était censée commander. Tout ce qui avait un rapport avec cette… chose – sa taille, sa complexité, sa façon de pyrograver des messages incompréhensibles et sa résistance à l'usure et au temps, après des millénaires passés dans l'ombre – lui donnait la chair de poule.

Alors que Nathan lui prenait la bande de métal pour l'examiner à son tour, Zedd désigna de nouveau le livre.

— Quel rapport entre ce grimoire et les bandes de métal ?

— Berdine avait raison, il s'agit d'un lexique – une sorte de manuel… Il sert à déchiffrer les inscriptions sur les bandes.

— Dans ce cas, réjouissons-nous que cet ouvrage soit en notre possession, intervint Nathan, visiblement pas convaincu que les choses puissent être si simples. Alors, Richard, où en es-tu de tes recherches ?

Le Sourcier hésita un moment, comme s'il n'avait pas envie de répondre.

— Nulle part, j'en ai peur…

— Je croyais que le livre permettait de déchiffrer les bandes ?

— C'est mon avis, mais ça ne fonctionne pas.

— Comment ça ? bougonna Zedd. Si tu as raison, ça doit fonctionner.

— Je suis d'accord, soupira Richard. Mais ça ne donne aucun résultat.

Chapitre 32

Zedd reprit la bande de métal à Nathan et la fit pensivement tourner entre ses doigts. Puis il soupira à pierre fendre, s'avouant battu.

— Les symboles sont gravés par une machine, dis-tu ? Elle ressemble à quoi ?

— Une boîte de métal carrée, dit Richard. À peu près grande comme la table… Il y a plusieurs fentes et une sorte de hublot qui permet de voir à l'intérieur. Dedans, il y a des rouages, des axes et une multitude de mécanismes reliés les uns aux autres. Le tout sur une très grande profondeur, d'après ce que j'ai pu voir. La machine ne repose pas sur le sol, elle en jaillit…

Zedd regarda une nouvelle fois le grimoire ouvert sur la table.

— Ce livre t'a-t-il appris quelque chose sur les symboles ?

— Les symboles sont un langage, comme tu le sais… Un aubergiste choisit une chope de bière pour illustrer son enseigne, et un maréchal-ferrant opte pour un fer à cheval… Dans le cas qui nous occupe, c'est bien plus compliqué que ça. Certains symboles me sont familiers, mais d'autres ne ressemblent à rien de connu. Puisqu'on les retrouve dans ce livre, j'ai supposé qu'il servait à déchiffrer les inscriptions.

— C'est ce que voulait dire Berdine avec son « ça parle dans cette langue » ?

Richard acquiesça tout en tapotant distraitement le grimoire. Puis il leva la tête vers ses trois interlocuteurs.

— Cet ouvrage, *Regula*, affirme que ces symboles sont le langage de la Création.

— Tu ne t'avances pas un peu ? intervint Nathan. N'oublie pas que ce livre ne déchiffre pas les symboles, contrairement à ce que tu attendais.

— Je comprends qu'on puisse avoir des doutes, mais je continue à croire que c'est la fonction de ce lexique. J'ai échoué, c'est un fait. Sûrement parce que je n'ai pas su insérer la bonne clé dans la bonne serrure, pas parce que ma théorie est fausse.

Zedd baissa les yeux pour étudier de nouveau la bande de métal.

— Je reconnais quelques-uns de ces symboles, dit-il, bizarrement mal à l'aise.

— Tu les as vus dans la Forteresse du Sorcier, c'est ça ?

— Ce sont donc bien des emblèmes qui représentent quelque chose de très précis.

— En gros, oui, mais c'est plus compliqué que ça...

— Comment est-ce possible ? demanda Nathan. Prenons par exemple un crâne avec deux tibias croisés au-dessous. Cet emblème signale un danger mortel. C'est simple, et je ne vois pas comment il pourrait avoir un autre sens.

— L'important, dit Richard, c'est la manière dont sont combinés les symboles. D'après ce que j'ai compris dans le grimoire, ces pictogrammes ne sont pas des représentations univoques – à l'inverse d'une chope, d'un fer à cheval ou de ton crâne affublé de deux tibias.

» Certains emblèmes, j'en conviens, ont un sens premier – en d'autres termes, ils représentent ce qu'ils représentent –, mais ça n'est qu'une toute petite part de leur fonction. En étudiant ce lexique, j'ai vu que ces éléments sont assemblés pour composer des images beaucoup plus complexes. Pour être clair, ce sont les « lettres » d'un langage d'une extrême sophistication. Comme dans toutes les langues, le sens de ces éléments varie selon la manière dont on les associe.

Richard désigna une bande de métal posée sur la table.

— C'est un cas particulier – la bande la plus simple de toutes. Elle ne comporte qu'un symbole et son message, par conséquent, est à la fois limpide et peu élaboré. L'emblème n'est modifié par rien, et il exprime simplement ce que la machine avait l'intention de dire.

Zedd jeta à Richard un regard incrédule.

— Ce qu'elle avait l'intention de dire, vraiment? Et c'est quoi, son message?

— Le feu.

— Plaît-il?

— Oui, ce symbole représente le feu. Pour une raison qui m'échappe, je ne trouve pas la traduction dans le lexique, mais je suis sûr de mon fait. Parce que j'ai vu ce symbole dans la toile de vérification de la Chaîne de Flammes – tu te souviens?

— Moi, en tout cas, je ne risque pas d'oublier, marmonna Nicci.

— Et moi non plus, grogna Zedd. Mais pourquoi cette machine graverait-elle le mot « feu », ou plutôt son symbole, sur une bande de métal.

— Ça, je n'en sais rien, avoua Richard. Mon idée, c'est que vous veniez voir la machine, Nicci, Nathan et toi, histoire de comprendre à quoi nous avons affaire. Qui sait, il s'agit peut-être d'une simple curiosité remontant à des millénaires? Mais si ce n'est pas le cas, je veux en savoir plus. La magie est sûrement impliquée, et vous êtes les trois plus grands experts du monde en ce domaine.

— Comment sais-tu que la magie est impliquée? demanda Nathan.

— Quelle autre énergie alimenterait cette machine? Certainement pas une roue à aube, pas vrai? La lumière qu'elle émet ressemble à celle de nos globes lumineux. Avec un peu de chance, l'un de vous trois identifiera la magie en question et saura nous dire à quoi servait cet artefact mécanique. La localisation de cette machine m'inquiète, vous devez le comprendre. Au cœur du palais, sous le Jardin de la Vie – bref, au centre d'un complexe qui est en fait un sortilège géant.

211

Zedd continua à faire tourner la bande de métal entre ses doigts, l'étudiant sous toutes ses coutures.

— D'accord, finit-il par dire, nous allons jeter un coup d'œil à ta fichue machine. As-tu appris d'autres choses dans ce livre, mon garçon ?

— Jusque-là, rien de plus que la théorie du langage complexe que je viens de vous exposer. Elle est très clairement expliquée en haut d'haran…

— Le langage de la Création…, marmonna Zedd.

— Exactement… Tenter d'interpréter les symboles individuellement est une énorme erreur. Le moyen le plus sûr de passer à côté du message que transmet chaque bande… Nous sommes face au langage de la Création, Zedd ! L'ennui, c'est que j'ignore comment le déchiffrer.

Zedd brandit la bande de métal.

— Si je comprends bien, tu affirmes que ces bandes doivent être combinées, comme les différentes parties d'une phrase. Et si nous y arrivons, tu penses que nous glanerons de précieuses informations.

Berdine jeta un regard en coin à Richard.

— Par les esprits du bien, un miracle vient d'avoir lieu ! Il vous écoute enfin, seigneur Rahl.

Zedd ignora le sarcasme.

— Le problème, c'est que tu n'as pas réussi à utiliser le lexique. Du coup, tu n'as pas la moindre idée de ce que racontent ces bandes ?

Richard tapota un moment la table du bout de sa plume.

— J'ai peur que ce soit un excellent résumé…

Chapitre 33

Visiblement plus inquiète que Zedd ou Nathan, Nicci semblait en revanche beaucoup moins sceptique qu'eux. Kahlan ne s'en étonna pas. Au fil du temps, la magicienne en était venue à se fier aveuglément à Richard – une fois que rien ne pouvait ébranler, tout simplement. Parce qu'elle l'aimait, l'Inquisitrice était encore plus encline à faire confiance au Sourcier.

Zedd avait élevé Richard. Le connaissant mieux que quiconque, il avait toutes les raisons de ne pas douter de lui. Étant son grand-père, il avait pourtant tendance à se montrer plus incrédule que les autres. D'où les fréquents bombardements de questions qui énervaient tant Richard.

Ne prenant jamais à la légère ce que disait son ami, Nicci passa à l'étape suivante :

— Pourquoi le livre ne remplit-il pas son office ? Que te manque-t-il pour que ça fonctionne ?

— J'ai la certitude que ça devrait marcher, mais je fais chou blanc encore et encore. Avec Berdine, nous tournons en rond depuis des heures. Pour résumer, le livre donne une sorte de mode d'emploi. « Quand il est combiné à tels autres éléments de telle façon, voilà le sens de cet emblème. » Mais lorsque nous appliquons cette règle, les chaînes de symboles ne veulent rien dire du tout. Sur ma vie, je ne saurais expliquer pourquoi.

Zedd eut un geste méprisant en direction du livre.

— Et si cet ouvrage n'avait aucun rapport avec la machine ? Ou un rapport bien plus lointain que tu le penses ? Richard, nous avons une machine dissimulée depuis des lustres et un grimoire d'origine inconnue dont il manque au moins la moitié. Comment être sûrs qu'il y a un lien entre les deux ?

Richard prit le livre, l'ouvrit à la page de garde et le fit tourner en direction de son grand-père.

— Tu vois ce symbole, qui occupe toute la page ? Le même figure sur le dos du volume. Plus que le titre, il définit ce qu'est vraiment l'ouvrage. Eh bien, le même emblème figure sur les quatre côtés de la machine.

— Il est identique ?

Richard confirma d'un hochement de tête.

— Mon garçon, as-tu idée de ce que représente cet emblème ?

— J'ai bien peur que non…

Zedd marcha de long en large devant la table pendant quelques instants.

— Le même dessin, tu es sûr ? Au détail près ?

— Pas un trait en plus ni en moins… Une copie parfaite et complète. J'ai essayé de comprendre son sens en me référant au lexique, mais ça n'a rien donné. Ça devrait réussir, et ça ne réussit pas ! (Richard tapota le centre de l'emblème.) Ce symbole pourrait être un neuf stylisé, tu ne crois pas ?

Zedd étudia un moment le dessin.

— C'est une interprétation raisonnable…

— Que ferait un neuf au centre de cet emblème ? demanda Kahlan.

Un chiffre ne paraissait pas à sa place parmi tant d'éléments occultes. De plus, le rond de ce neuf évoquait irrésistiblement la tête d'un serpent, un détail qui déplaisait à l'Inquisitrice, dont la phobie des reptiles était légendaire.

Zedd étudia de nouveau l'emblème.

— Le neuf est un élément clé qui relie plusieurs règles de magie capables d'influencer considérablement le cours de l'histoire. Le trois est un chiffre fondamental dans les Arcanes.

Entre autres usages, on y a recours pour les sorts de protection. Or, le trois est le père du neuf. En d'autres termes, trois fois trois font neuf. La base du pouvoir d'un neuf, ce sont les trois qui le composent et lui donnent toute sa puissance. Ça explique la présence du triangle sur ce dessin Créatif. Une figure géométrique dotée de trois côtés. Richard, il faut que je te prévienne : les multiples de trois sont souvent synonymes de problème.

— Comme « le destin frappe toujours trois fois » ?

— Par exemple, oui… Chaque pointe du triangle est accompagnée d'un symbole – les éléments d'architecture qui permettent de construire une toile. Ils lient le triangle au neuf et augmentent sa puissance.

— Si tu sais tout ça, tu dois avoir une idée de ce que signifie cet emblème ?

— Pas la moindre, mon garçon… Tu m'en vois désolé.

Nicci se pencha et suivit le dessin du bout d'un index – sans toucher le parchemin, cependant.

— Regardez le neuf, au centre : sa queue est carrément un crochet.

Avec cette simple remarque, Richard eut l'impression que Nicci était redevenue le professeur qu'il avait jadis connu. Une femme capable de lui apprendre à utiliser son don. En théorie, au moins, mais l'échec n'était pas imputable à la magicienne. Le don du Sourcier étant unique, personne ne comprenait comment il fonctionnait. Zedd lui-même était incapable d'aider Richard à le maîtriser.

Au changement d'attitude de Nicci, Kahlan devina qu'elle en savait assez long sur le curieux emblème.

— C'est exact, dit Richard, après un bref examen du neuf, mais ça nous avance à quoi ?

— Qu'en penses-tu, Richard ? Qu'est-ce que ça évoque en toi ?

— Le crochet nous indique qu'il ne s'agit pas seulement d'une toile qui utilise simplement le chiffre neuf… Il y a la volonté d'accrocher quelque chose… ou de s'accrocher à quelque chose.

— Tu es sur la bonne voie…, souffla Nicci.

—Ce crochet est-il censé lier tous les éléments du dessin? demanda Zedd, qui détestait être largué.

—Non, répondit Nicci avec une sereine autorité, il est là à l'intention d'un hôte.

—Un hôte? répéta Richard.

—Une personne ou un objet à qui s'adresse cet emblème. Un hôte qui doit être solidement arrimé à l'ensemble. En toute logique, Richard, quelle est la nature de ce crochet?

—Sa nature? répéta Richard, fasciné par le cours que lui prodiguait Nicci, même s'il avait un peu de mal à suivre.

—Qu'a dit Zedd au sujet de ce dessin?

Richard jeta un rapide coup d'œil à son grand-père.

—Qu'il est Créatif…

—Et ça t'inspire quoi?

Le menton reposant sur le bout de ses doigts, Richard étudia la queue du neuf inversé qui figurait sur la page de garde du livre…

—C'est logique…, souffla-t-il comme s'il parlait tout seul. Il y a un rapport avec la Création. Ce neuf semble presque embryonnaire, comme si…

—Et le crochet? souffla Nicci si bas que Kahlan faillit ne pas entendre.

—Le neuf représente la Création – la vie, tout simplement. Or, la vie est un cycle. La naissance, l'existence, la mort… La vie et la mort vont ensemble. La Création a besoin de la mort pour que le cycle se perpétue. Autrement dit, toute Création est suivie d'une Destruction.

» Le crochet, c'est la mort!

Un lourd silence accueillit cette déclaration.

Sans quitter Nicci du regard, Richard continua sa démonstration:

—Le crochet symbolise la mort – le Gardien qui attend patiemment de s'emparer des vivants.

Kahlan en eut la chair de poule.

—Je te félicite, Richard, dit Nicci, son regard bleu brillant de fierté.

Alors qu'ils se regardaient dans les yeux, le Sourcier et la magicienne paraissaient seuls au monde, comme si le reste de l'humanité avait cessé d'exister. Kahlan se demanda si Zedd savait le dixième de ce que Nicci venait de révéler à Richard sur l'emblème.

—Je n'aime pas ça, Richard, souffla la magicienne, soudain tendue. Quand on joue avec des notions et des forces pareilles, ce n'est pas pour enfouir le résultat de ses efforts. Sauf si le danger s'est révélé trop grand. La présence de symboles si chargés milite en ce sens, j'en ai peur.

Richard baissa les yeux sur le dessin.

—Pourquoi le neuf est-il à l'envers ?

Tout le monde se pencha pour mieux voir. Nathan fronça les sourcils, mécontent de ne pas avoir de réponse. S'avouant elle aussi battue, Nicci secoua la tête.

—À l'envers ? répéta Zedd.

—Oui… En fait, tout l'emblème est à l'envers. En tout cas, c'est ce que je pense.

—J'avais remarqué pour le neuf, mais je pensais que c'était une particularité unique… Maintenant que tu en parles, on dirait bien une sorte de reflet…

Richard étudia un moment le dessin, puis il leva les yeux vers son grand-père.

—Un reflet ! C'est ça ! (Il se leva d'un bond.) Zedd, tu es un génie !

—Je sais, je sais… Mais dis-moi, comment me suis-je surpassé, cette fois ?

—Grâce à toi, je viens de comprendre comment fonctionne le lexique. Tu m'as donné la clé que je cherchais ! Berdine, c'est à l'envers ! Dans ce livre, tout est à l'envers !

—Pardon ?

—Oui, oui, à l'envers ! Zedd, les règles que nous respections n'étaient pas les bonnes, et en conséquence la traduction n'avait aucun sens. Il aurait dû être très facile de traduire les éléments afin de commencer à comprendre ce langage, mais nous n'arrivions à rien. Et tu viens de m'expliquer pourquoi.

Zedd parut plus dubitatif que jamais.

—Aurais-tu l'obligeance d'être plus précis?

—C'est une mesure de sécurité, pour protéger les informations. (Richard se laissa retomber sur son siège.) C'est à l'envers par rapport à la façon dont la machine voit les emblèmes.

—Que veux-tu dire par là? demanda Nicci d'un ton circonspect.

Chapitre 34

Zedd agita une main pour manifester sa ferme intention d'être le premier à poser les questions.

—Mon garçon, si tu précisais ta pensée ? Que signifie ton histoire d'envers ?

—Les symboles qui figurent dans le livre… (Richard souleva l'ouvrage pour montrer à Kahlan l'emblème qui figurait sur le dos.) Ce dessin est identique à ceux que nous avons vus sur la machine. Tu te souviens ?

—Oui…, répondit l'Inquisitrice sans savoir où son mari voulait en venir. Ils sont tous similaires : ceux de la machine, celui de la page de garde de ce volume et celui du dos. Ce n'est bien entendu pas un hasard, puisque ces symboles sont des composantes du langage de la Création. Mais pourquoi penses-tu qu'ils sont à l'envers ?

—Très bonne question, approuva Zedd. De ton propre aveu, tu n'arrives pas à déchiffrer les bandes en te servant de ce lexique. Qui te dit que le neuf n'est pas le seul élément à l'envers de tous ces emblèmes ? Après tout, il est stylisé, et pas nécessairement conçu pour être une représentation réaliste.

» C'est très souvent le cas avec les symboles. Ils ne sont pas toujours la copie conforme de ce qu'ils représentent. Par exemple, la tête de serpent qui compose la partie supérieure du neuf est elle aussi stylisée. Et la représentation du feu, sur ton autre bande, n'évoque pas vraiment des flammes. Comme l'avance Kahlan, c'est volontaire, car il s'agit des éléments d'un langage.

—Ces symboles ne sont pas corrects, insista Richard. Ils sont à l'envers, tous, comme le neuf… Ces emblèmes sont faussés.

Le vieux sorcier leva les yeux au ciel.

—S'ils sont similaires partout où on les trouve, comment peuvent-ils être faussés ?

Nicci fit signe à Zedd de se calmer et de se taire, puis elle se tourna vers Richard, résolue à lui arracher des réponses concrètes.

—Comment sais-tu qu'ils sont faussés ? Ou à l'envers ?

—Parce que c'est l'image que nous captons de notre point de vue. Mais pas ce que voit la machine.

Nicci fronça les sourcils, une expression qui aurait incité plus d'une personne à retenir son souffle, le cœur battant la chamade.

—Tu as déjà dit ça…, murmura-t-elle, le regard rivé dans celui de Richard. Mais ça ne me paraît toujours pas très clair…

Richard joignit les paumes de ses mains, pliant et dépliant les doigts pour illustrer son propos.

—La machine se sert de la lumière pour projeter vers le haut l'emblème qui figure sur le dos du livre. Cette image est projetée de bas en haut, partant de l'intérieur d'une boîte de métal pour s'afficher au plafond.

Nicci comprit soudain, et elle parut profondément perturbée.

Toujours largué, Zedd plaqua les poings sur ses hanches, l'air pas commode :

—Et alors ?

—Eh bien, tous les symboles gravés sur la machine et présents sur le livre sont identiques, mais celui qui s'affiche au plafond, dans la salle secrète, est inversé par rapport à eux. Sur cet emblème, le neuf n'était pas à l'envers. Ce dessin nous montre l'aspect de l'emblème vu de l'intérieur de la machine, et projeté vers l'extérieur. Si elle avait des yeux, voilà ce que la machine verrait au plafond. En d'autres termes, c'est la façon dont elle voit ses propres emblèmes.

— La façon dont elle voit ses emblèmes ? répéta Zedd, de plus en plus frustré. Tu n'es pas sérieux, mon garçon ?

Richard prit une feuille de parchemin, trempa sa plume dans l'encre et dessina un grand neuf d'un trait volontairement épais.

— Voilà ce que la machine dessine avec de la lumière : un neuf.

— Continue…, marmonna le vieil homme.

Richard retourna sa feuille et la tint devant une lampe afin que Zedd puisse voir le neuf par transparence.

— Quand on regarde à l'intérieur de la machine, le symbole qu'elle projette au plafond ressemble à ça : un neuf à l'envers sur un plan horizontal.

» L'emblème gravé sur les côtés et représenté dans le livre est ce que nous verrions si nous regardions dans la machine au moment où elle projette un neuf. C'est inversé par rapport au résultat visible sur le plafond. (Richard retourna la feuille pour que Zedd revoie le neuf à l'endroit.) La machine ne le voit pas comme ça, lorsqu'elle le projette…

Kahlan se leva d'un bond, comme si elle venait enfin de saisir la lumineuse simplicité de cette démonstration.

— Richard a raison, bien sûr ! Tous ces symboles sont inversés.

Zedd regarda les deux jeunes gens comme si la folie furieuse était soudain devenue contagieuse.

— À vous entendre, on jurerait que cette machine est vivante. Mais c'est un ensemble de rouages et de manettes !

— Personne n'a jamais dit le contraire.

Une main sur la hanche, le vieux sorcier marcha le long de la table tout en réfléchissant.

— Je déteste le reconnaître, bougonna-t-il, mais votre histoire est logique, même si elle paraît absurde. Les grimoires qui contiennent une magie dangereuse sont en général dotés de protections, afin d'empêcher que n'importe qui les utilise.

Ton histoire de projection semble idiote, quand on l'entend pour la première fois, mais tout bien pesé, c'est une excellente protection.

—Assez facile à percer à jour, cependant, intervint Berdine. Le seigneur Rahl a eu besoin d'un peu de temps, mais il a trouvé la solution. Pour protéger un livre dangereux, on penserait à quelque chose de plus complexe.

—Tu crois qu'il en est ainsi? demanda Zedd à la Mord-Sith. Richard a trouvé parce qu'il a activé la magie qui projette l'emblème au plafond. J'ai le sentiment qu'il fallait une personne bien précise pour faire ça. Beaucoup d'artefacts sont destinés à des utilisateurs bien spécifiques. Quelqu'un d'autre aurait pu découvrir la machine, mais je parierais que seul Richard pouvait l'activer. Du coup, elle lui a fourni la clé permettant d'utiliser le lexique – tout ça pour qu'il comprenne ce qu'elle avait à lui dire. Personne d'autre, j'en suis sûr, n'aurait pu avoir accès à cette clé. C'est une double protection, en quelque sorte.

Zedd jeta sur la table la bande métallique qu'il tenait.

L'air pensif, Richard dévisagea son grand-père.

—Maintenant, c'est toi qui parles de la machine comme si elle était vivante.

Zedd se contenta de sourire.

—Berdine, nous allons devoir inverser toutes les règles que nous avons recensées puis les mettre en relation avec la traduction en haut d'haran.

La Mord-Sith prit une feuille de parchemin et trempa sa plume dans l'encrier.

—Seigneur, choisissez une des bandes…

Richard ramassa un des petits objets, le fit tourner entre ses doigts, regarda les symboles qui y étaient gravés puis le posa sur le haut de la feuille de Berdine, afin qu'elle s'en serve comme d'une référence.

—Nous allons en avoir pour un moment, Zedd, dit le Sourcier en tirant le grimoire vers lui. Les liens étant déjà déterminés, ça devrait être un peu plus facile que la première fois, cependant…

Chapitre 35

Richard se tourna vers Benjamin, qui se tenait un peu à l'écart avec Cara et Nyda.

—Général, je vais avoir besoin que tu fasses quelque chose pour moi.

—Oui, seigneur Rahl? lança Benjamin en faisant trois pas en avant.

Du bout de sa plume, le Sourcier désigna le plafond.

—Je veux que des ouvriers aillent réparer le toit du Jardin de la Vie. Le travail doit être achevé le plus vite possible.

Benjamin se tapa du poing sur le cœur.

—Je vais m'en occuper, seigneur Rahl!

—Zedd, Nathan et Nicci, pendant que Berdine et moi travaillons sur le lexique, vous devriez aller jeter un coup d'œil à la machine.

—C'est une idée qui me plaît bien…, souffla le vieux sorcier.

—Benjamin, j'ai une autre mission à te confier. (Richard désigna quelque chose dans son dos.) Tu vois la saillie que fait le mur? Une pièce comme celle-là n'a aucune raison d'avoir un coin pareil. Nous sommes au-dessous du Jardin de la Vie, et j'aimerais que tu déniches un plan en coupe des étages…

—Un plan en coupe?

—Oui. Je veux savoir ce qu'il y a sous le jardin, à part la machine. Et déterminer jusqu'à quel point cette machine s'enfonce à l'intérieur du palais. Nous devons déterminer à quoi nous avons affaire, et pour ça il faut découvrir où est le fond de la machine. Ici, nous ne sommes pas très loin sous le jardin. La machine est derrière le coin plus que bizarre dont je viens de parler, j'en mettrais ma main au feu.

—Seigneur Rahl, le rayonnage contre ce mur…, souffla Berdine en regardant pensivement la curiosité architecturale.

—Je sais, c'est là que nous avons trouvé le grimoire. Une raison supplémentaire de croire que la machine est de l'autre côté de ce mur. Je veux savoir jusqu'à quelle profondeur elle s'enfonce dans le palais.

—Seigneur Rahl, fit Benjamin, un pouce crochetant son épais ceinturon d'armes, je trouverai la réponse pendant que vous déchiffrerez les symboles.

—Nyda et moi, nous allons t'aider, dit Cara. Les Mord-Sith connaissent tous les couloirs, publics comme privés. En cas d'attaque, nous devons pouvoir nous déplacer très rapidement. Du coup, aucun corridor de service ou passage secret ne nous est étranger.

—Parfait, conclut Richard. Avec un peu de chance, nous aurons fini de déchiffrer les bandes avant que vous ayez achevé vos recherches.

Nathan braqua un index accusateur sur le livre.

—Vous avez ce qu'il faut? Assez d'informations pour déchiffrer tous les symboles? N'oublie pas, mon garçon, que cet ouvrage n'est pas complet.

—Je crois que ça ira…

Le prophète ne parut pas satisfait par cette réponse.

—Si tu peux tout déchiffrer avec ce qui est à ta disposition, que contient la partie du livre manquante? Quel texte est conservé dans le Temple des Vents?

Richard dévisagea son ancêtre avant de se décider à parler:

—Selon le peu qui est dit à ce sujet, les pages mises en sécurité dans le temple traitent de l'utilité et des fonctions de la machine.

—Voilà qui n'est pas très rassurant…, marmonna Zedd.

Kahlan partagea sans réserve cette opinion. S'ils ignoraient à quoi servait la machine, comment savoir dans quoi ils s'engageaient? La manière dont l'artefact géant avait été dissimulé n'augurait rien de bon…

Passant un bras autour de la taille de sa femme, Richard changea abruptement de sujet.

— Et si tu allais avec nos amis?

— Pourquoi donc?

— Tu as traduit tous les textes dont j'avais besoin… Avec Berdine, nous en aurons probablement jusqu'à l'aube, au minimum. Ici, tu n'as plus rien à faire, et il te faut du repos. Dans le Jardin de la Vie, tu seras à l'abri des regards indiscrets. Que dirais-tu de faire un bon somme pendant que Zedd et les autres étudient la machine?

— Nous veillerons sur son sommeil, Richard, dit Nicci. Aucun espion ne l'importunera.

— Merci, mon amie… Zedd, une fois là-haut, tu pourrais soigner la main de Kahlan. Ça s'infecte de plus en plus…

— Bien entendu, mon garçon, dit le vieil homme sans cacher que les étranges griffures lui déplaisaient fortement.

Kahlan ne fut pas surprise que Richard ait deviné à quel point sa main lui faisait mal. Depuis qu'elle le connaissait, il lui était presque impossible de cacher quelque chose à son compagnon.

Entendant un hurlement lointain, l'Inquisitrice leva les yeux vers les fenêtres. Mais le son ne venait pas de l'extérieur. Ça, c'était certain.

D'où provenait-il, dans ce cas?

Kahlan se souvint de ce que lui avait dit la tueuse, un peu avant de mourir.

« Des monstres noirs qui te traquent et que tu ne pourras pas semer. »

S'avisant que personne d'autre ne semblait avoir entendu le hurlement, l'Inquisitrice supposa qu'elle avait pris quelque gémissement du vent pour l'appel furieux d'un loup. Richard avait raison, elle était morte de fatigue. Du coup, son imagination lui jouait des tours.

Kahlan posa un baiser sur la joue de Richard et laissa glisser une main sur son épaule tandis qu'elle s'éloignait.

Le Sourcier lui prit le poignet. Elle aurait tant aimé qu'il vienne se reposer avec elle, lui tenant compagnie et la protégeant.

Mais il la lâcha et la laissa partir pour le Jardin de la Vie dans le sillage de Zedd, Nicci et Nathan.

Chapitre 36

Tandis qu'il étudiait l'antique parchemin céruléen déroulé sur son bureau, analysant le diagramme complexe où des multitudes de lignes reliaient entre eux les éléments du langage de la Création, Hannis Arc ne fut pas surpris de voir les sept silhouettes éthérées entrer dans la pièce comme une âcre fumée charriée par une bise mordante. Telle une improbable congrégation de spectres dérivant au gré d'un vent surnaturel, ces formes sans substance, serrées les unes contre les autres, errèrent un moment entre les ours et les monstres empaillés perchés sur des socles, puis elles slalomèrent au milieu d'une forêt de piédestaux de pierre soutenant d'énormes recueils de prophéties d'une inestimable valeur. Enfin, elles longèrent les présentoirs vitrés où était exposée une impressionnante collection d'objets rares.

Les Sept n'utilisant pas souvent les portes, les volets des fenêtres du rez-de-chaussée, plusieurs étages plus bas, restaient ouverts en signe d'invitation permanente. Même si elles passaient volontiers par les fenêtres, les Sept n'en avaient pas davantage besoin que des portes. Pour entrer quelque part, la moindre fissure leur suffisait, à l'instar des vapeurs méphitiques qui montent à l'aube de la tourbe immonde d'un marécage.

Les volets restaient ouverts afin que chacun sache, les Sept y comprises, qu'Hannis Arc n'avait peur de rien.

À Saavedra, la capitale de la province de Fajin, une cité qui se dressait dans une grande plaine dominée par la citadelle, beaucoup de gens dormaient les volets clos.

Dans les Terres Noires, c'était une pratique universellement répandue.

S'enfermer chez soi la nuit par crainte de ce qui rôdait à l'extérieur était somme toute logique. Si c'était judicieux pour les habitants de la capitale, ça l'était encore plus pour les téméraires qui vivaient dans des coins isolés. Les périls nocturnes n'avaient rien d'imaginaire, car il s'agissait de créatures armées de griffes et de crocs dont la soif de sang semblait inextinguible. Ce n'était pas l'unique menace, loin de là, mais toutes les autres surgissaient beaucoup trop vite pour qu'on ait le temps de réagir.

Hannis Arc ne redoutait pas les ombres qui hantaient la nuit. Pliant à sa volonté ces éléments malveillants du monde, il les dominait assez pour devenir la source même de la peur, et non une de ses victimes. Afin qu'ils soient toujours prêts à le servir, rugissant sur son ordre, il s'assurait d'instiller dans le cœur des autres les tisons ardents d'innombrables et terribles variations de la terreur.

Hannis Arc entendait que les gens aient peur de lui. S'ils le craignaient, ces misérables insectes le respecteraient, lui obéiraient et se prosterneraient devant lui. Consciencieux dans tout ce qu'il faisait, il prenait garde à alimenter régulièrement l'angoisse de ses sujets.

À l'inverse de presque tous les habitants des Terres Noires, Hannis Arc ignorait la peur. En revanche, une colère qui ne s'apaisait jamais brûlait en permanence en lui. C'était elle, en fait, qui n'y laissait pas assez de place pour que la peur puisse y prospérer.

La fureur qui l'animait brillait à la manière d'une étoile, lui indiquant son chemin dans les ténèbres les plus denses. Elle était toujours là pour le contraindre à agir, le conseiller et même le réprimander quand il négligeait de redresser les torts dont elle le pressait de s'occuper.

En plus d'être sa fidèle compagne, la colère était la meilleure amie d'Hannis Arc. Et la seule, pour dire la vérité.

La lueur des dizaines de bougies piquées sur un chandelier géant, à l'autre bout de la pièce, vacilla lorsque les sept familières les frôlèrent, s'attardant un peu comme si elles entendaient chevaucher le courant d'air chaud produit par les flammes.

Le vieux scribe Mohler leva les yeux du grimoire posé sur un lutrin dans lequel il était entrain d'écrire. Il plissa pensivement le front, comme s'il avait eu l'impression d'avoir entendu quelque chose. Une des sept silhouettes tourna lentement autour de lui, une main semblable à une volute de brume lui caressant la mâchoire. Comme s'il avait senti quelque chose, le vieil homme regarda autour de lui. Bien entendu, il ne repéra rien.

Il lui était impossible de voir les familières.

En revanche, la femme qui montait la garde près de la porte en était parfaitement capable.

Du bout de ses doigts ratatinés par l'arthrose, Mohler se tâta la joue. Ne sentant rien d'anormal, il laissa retomber sa main et recommença à consigner dans son grimoire les plus récentes prophéties transmises par l'abbaye.

Se laissant flotter jusqu'au plafond, les Sept tourbillonnèrent le long des arches de pierre puis frôlèrent les poutres massives tout en surveillant la grande salle chichement éclairée par le chandelier.

— C'est à toi de jouer, rappela Hannis Arc au vieil homme.

Mohler tourna la tête vers son maître.

— Oui, c'est vrai…

Posant sa plume, le scribe se détourna de son travail et, d'un pas traînant, alla se camper d'un côté du piédestal de marbre où trônait un plateau de jeu sur lequel s'affrontaient deux armées de pièces, l'une en albâtre et l'autre en obsidienne.

Le scribe avait eu tout le temps de réfléchir à son coup. Presque toute la nuit, à vrai dire, car Hannis Arc avait pris son temps pour jouer, analysant toutes les possibilités de son adversaire.

Aucune n'était très bonne pour l'évêque… Cela dit, certaines pouvaient se révéler moins fatales que d'autres.

D'une main hésitante, Mohler saisit une pièce blanche et la posa sur une case, capturant la pièce noire qui s'y trouvait.

Un coup qui, selon lui, avait des chances d'être décisif. En plus de supprimer du plateau une pièce importante pour les noirs, cette attaque menaçait d'une fin rapide en faveur des blancs.

Hannis Arc se leva. Les mains croisées dans le dos, il vint lui aussi se camper devant le plateau de jeu. Se grattant pensivement la joue, il imita à la perfection l'air accablé d'un joueur affecté par la perte inattendue d'une pièce. Dans ce genre de cas, on s'accordait généralement une longue réflexion.

Mais la prise de cette pièce n'avait rien d'inattendu. Avançant un paon noir, Hannis Arc attendit la réaction de son adversaire.

Mohler avait prévu cette riposte. Sans réfléchir de nouveau à la série de coups qu'il avait calculée, il prit le paon avec son roc d'albâtre, une contre-attaque qui devait selon lui mettre un terme rapide à la partie.

Hannis Arc avait prévu cet accès d'impatience chez le vieux scribe. De fait, la partie ne durerait plus très longtemps, mais elle n'aurait pas la conclusion qu'anticipait Mohler.

Contrairement à la plupart des gens, Hannis Arc ne péchait jamais par manque de patience. Depuis des heures, il se préparait à ce moment de triomphe sans jamais rien trahir de son excitation intérieure. Dans d'autres domaines, il lui était arrivé de se contenir ainsi pendant des décennies.

Se décidant enfin, il saisit sa fierge noire entre le pouce et l'index et captura le roc blanc apparemment si menaçant pour son roi. Quand il eut posé la pièce prise sur un côté du plateau, il dévoila enfin la profondeur de son piège :

— Mat forcé en sept coups, Mohler.

Sonné, le vieux scribe eut besoin de quelques instants pour comprendre. Quand il se fut représenté la série de coups mentalement, il chercha une éventuelle défense, n'en trouva pas et rendit les armes avec un soupir résigné.

— C'est imparable, oui… Une preuve de plus que je ne suis pas un adversaire à votre taille, évêque.

— Retire-toi, maintenant.

— Pardon ? Je n'ai pas fini de recopier les rapports de l'abbaye.

—Il se fait de plus en plus tard… Je ne resterai plus très longtemps ici. Tu viendras terminer ton travail demain matin.

Mohler s'inclina bien bas.

—Bien entendu, évêque… À vos ordres… (Le vieux scribe s'éloigna, mais il s'immobilisa et se retourna.) Avant que je m'en aille, avez-vous besoin de quelque chose? Une boisson, peut-être, ou quelque chose à manger?

Une des familières vint tourbillonner autour de Mohler, le taquinant. Le scribe regarda autour de lui, là encore comme s'il avait senti quelque chose. Mais il n'insista pas, sans doute convaincu que le grand âge lui jouait des tours.

Il regarda son maître, guettant une réponse.

—Non, il ne me faut rien de tout ça… Mais quand je reviendrai, demain, je tiens à commencer la journée en consultant les derniers messages de l'abbaye.

—Vous ne serez pas déçu, évêque… (Gagnant la porte, Mohler posa la main sur la poignée, mais il se retourna encore une fois, comme s'il lisait les sombres pensées de son maître.) Vous prendrez votre revanche, évêque! Les dernières prophéties annoncent que votre patience sera récompensée. Vous régnerez bientôt sur D'Hara, je vous le garantis. Les prophéties sont formelles.

Hannis Arc foudroya le scribe du regard, se demandant s'il était sincère où s'il le flagornait. Voyant une lueur d'espoir dans les yeux du vieil homme, il opta pour la première solution. Certains hommes avaient besoin d'être dirigés d'une main de fer. Mohler était du lot. Petit et mesquin, il se sentait rassuré de vivre à l'ombre d'un grand homme.

Mais il n'y avait pas que ça. Le scribe avait assisté à tout. Il savait que son maître bouillait de colère, et il connaissait la raison de cette fureur.

Comme toujours lorsqu'il repensait à ce drame, Hannis Arc revit une série d'images saccadées de cette terrible nuit.

Alors qu'il se débattait à chaque pas, jurant qu'il était loyal à la maison Rahl, on avait traîné son père dans la cour où des soldats s'étaient mis à le frapper à coups de gourdin.

Accroché aux jupes de sa mère, Hannis Arc se rappelait comment elle l'avait poussé dans l'entrée, le forçant à se cacher dans un coffre de bois avant de refermer le couvercle.

Des soldats étaient revenus s'emparer d'elle. Tandis qu'ils la traînaient à son tour dans la cour, Hannis Arc, par une fissure dans le bois, avait vu un autre bourreau faire éclater le crâne de sa sœur aînée d'un coup de masse d'armes.

Avant de mourir, sa mère avait hurlé longtemps…

Plus tard, quand il avait osé soulever très légèrement le couvercle du coffre, Hannis Arc avait vu le cadavre de sa sœur, le sang qui rougissait le sol de l'entrée et les pavés de la cour.

Ses parents morts… Les cris et les pleurs des domestiques forcés d'assister au massacre. Puis leur fuite éperdue, lorsqu'ils s'étaient avisés que leur propre vie ne tenait plus qu'à un fil.

Leur mission accomplie, les soldats ne s'étaient pas attardés sur les lieux de la boucherie. Craignant qu'ils reviennent pour lui, Hannis Arc avait passé la nuit entière dans l'obscurité de sa cachette.

Peu après l'aube, un jeune serviteur nommé Mohler, venant de la ville pour travailler à la citadelle, l'avait découvert dans son coffre et aidé à sortir.

Convaincu qu'il n'existait pas de meilleure défense que l'attaque, Panis Rahl avait pour habitude d'étouffer dans l'œuf toute menace potentielle. Avec une froide efficacité, ses soldats exécutaient sommairement toute personne susceptible de menacer leur maître. Victime du délire de la persécution, Panis Rahl avait fini par redouter le modeste dirigeant de la province de Fajin – un homme qui n'avait jamais seulement songé à porter un jour préjudice à la maison Rahl. Un innocent condamné à mort avec toute sa famille.

Mais les clairvoyants, comme on les appelait parfois, ne devaient pas être pris à la légère. Les détenteurs du don eux-mêmes se méfiaient de leurs mystérieux pouvoirs.

Les Terres Noires pouvaient représenter une menace pour la maison royale. De ce point de vue-là, Panis Rahl ne s'était pas trompé. Mais en frappant le dirigeant de la province de Fajin, il avait choisi la mauvaise cible. Ou, en tout cas, la mauvaise génération…

Sentant la colère bouillir en lui, Hannis Arc se répéta que l'heure de la vengeance avait sonné. Aucun seigneur Rahl ne le ferait plus trembler de peur, et il redresserait tous les torts. C'était lui que les soldats auraient dû tuer.

Le nouveau seigneur Rahl, disait-on, n'avait rien à voir avec Panis Rahl, ni avec Darken Rahl, un tyran qui avait réussi à être plus cruel et plus injuste que son meurtrier de père. Mais quelle importance ? La vengeance n'en serait pas moins douce…

Si maléfique qu'il fût, Darken Rahl était aveuglé par une obsession. N'étant pas encore prêt à frapper, Hannis Arc lui avait fait un cadeau empoisonné, afin qu'il regarde ailleurs pendant que son pire ennemi fourbissait ses armes. Une boîte d'Orden… Oui, la boîte d'Orden qui était cachée depuis des lustres au cœur des Terres Noires.

L'évêque de Fajin n'avait rien à faire d'un tel artefact. Très reconnaissant, Darken Rahl lui avait concédé une certaine autonomie et quelques privilèges des plus utiles.

Comme cela se passait souvent, l'obsession de Darken Rahl avait provoqué sa chute. Il avait fini assassiné par son fils, prénommé Richard. Un Rahl parricide, voilà qui n'avait rien pour étonner Hannis Arc.

Depuis sa prise de pouvoir, Richard Rahl ne s'était pas mêlé des affaires des Terres Noires et il ne leur avait demandé aucun tribut. Là encore, ça ne modifiait rien. De toute façon, il pouvait changer d'avis à tout moment, et imiter ses sinistres ancêtres.

Même s'il s'en abstenait, c'était un Rahl et cela suffisait à sceller son destin.

Le nouveau seigneur Rahl avait conduit l'empire d'haran à la victoire contre un tyran tel que le monde n'en avait jamais connu. Sans en avoir conscience, il avait sauvé Hannis Arc, l'homme qui allait bientôt lui briser l'échine.

Comme son père, Richard Rahl n'avait aucune idée de la puissance d'un homme comme Hannis Arc. S'il avait été moins bon tacticien, l'évêque aurait pu frapper plus tôt, pendant que son ennemi s'acharnait à fédérer l'empire d'haran et à gagner la guerre. Tout ça pour devoir la livrer à sa place, face à l'incroyable sauvagerie de l'Ordre Impérial ?

Plein de sagesse, Hannis Arc s'était tenu à l'écart du conflit, développant ses pouvoirs pendant que Richard Rahl menait une longue et difficile guerre. Histoire de ne pas se faire remarquer, l'évêque avait même envoyé des troupes combattre l'Ordre, comme l'eût fait tout dirigeant loyal à l'empire d'haran.

Se mettant à l'abri du danger, il avait peaufiné ses plans. La guerre terminée, l'heure de se venger de la maison Rahl avait sonné.

Richard Rahl était respecté, admiré et même aimé par des multitudes de gens. C'était un héros, un vainqueur et un chef incontesté. L'évêque s'en félicitait, car la chute n'en serait que plus dure. Du coup, l'irrésistible ascension d'Hannis Arc en paraîtrait plus glorieuse encore.

Mais se contenter de tuer un homme de cette envergure ne suffirait pas. Faire de Richard Rahl un martyr servirait sa gloire et n'aiderait pas Hannis Arc à prendre le pouvoir.

Assassiner un seigneur Rahl aimé de tous puis investir le Palais du Peuple en réclamant la couronne était le plus court chemin vers l'échafaud. Les choses ne pouvaient pas être aussi simples que ça. D'autant plus que l'évêque de la province de Fajin était aux yeux des D'Harans un illustre inconnu.

Personne ne lui obéirait. Pour l'instant, en tout cas.

La première étape était de miner la popularité de Richard Rahl. Semer le doute sur sa capacité à protéger le peuple, avant tout. Puis inciter les gens à ne plus le respecter. Une fois privé de son aura, Richard Rahl s'écroulerait comme un géant aux pieds d'argile.

Dans la panique qui suivrait, les D'Harans, enfin avides de se libérer du joug de la maison Rahl, seraient heureux de confier leur sort à un homme partageant leurs inquiétudes sur l'avenir.

Pendant que Darken Rahl jouait avec ses ridicules boîtes d'Orden, puis tandis que son fils combattait l'Ordre Impérial,

Hannis Arc avait inlassablement travaillé au grand dessein qui justifiait son existence : renverser la maison Rahl et prendre sa place. Et comme toujours, sa patience avait été récompensée.

Désormais, le triomphe était à portée de main.

—Ne t'inquiète pas, Mohler, dit Hannis Arc au scribe qui n'avait pas bougé, le laissant méditer tout son soûl. Je dirigerai l'empire, et ce jour viendra plus vite que nous l'espérions. Les rouages du changement se sont mis en mouvement, et sur le plateau de jeu, toutes les pièces sont en place. Plus rien ne m'arrêtera. La maison Rahl sera bientôt vaincue.

—Les prophéties sont de votre côté, maître. Et le Créateur aussi, j'en suis sûr. S'Il vous a protégé, le jour du meurtre de vos parents, c'est parce qu'Il avait un grand destin en réserve pour vous. Depuis, Il a favorisé votre ascension et éliminé bien des obstacles qui se dressaient sur votre chemin. Maintenant que la destination finale est proche, Il ne vous abandonnera pas.

—À travers les prophéties, Il nous annonce qu'il en sera ainsi.

—J'attends avec impatience que les ténèbres se déchirent une nouvelle fois, ainsi que les prophéties nous l'annoncent.

Hannis Arc se demanda ce qu'aurait pensé Mohler, s'il avait su que les ténèbres s'étaient déjà déchirées… au cœur même du fief ennemi.

Mais comment aurait-il pu se douter que les sept familières, blotties les unes contre les autres, au plafond, voyaient et entendaient tout ? Et qu'elles répéteraient fidèlement chaque mot à la Pythie-Silence ?

—Vous serez bientôt le maître de D'Hara, évêque. Oui, vous dirigerez l'empire.

Chapitre 37

Avant de sortir, Mohler ne leva pas la tête pour croiser le regard de la femme aux yeux bleus campée près de la porte. Très peu de gens avaient le courage de la regarder en face. Très peu, vraiment…

Alors que le vieux scribe refermait la porte derrière lui, Hannis Arc s'en retourna jusqu'à son bureau. Tandis qu'il relevait l'ourlet de sa longue tunique, histoire de la froisser le moins possible en s'asseyant dans un fauteuil confortable, il regarda les Sept dériver lentement vers lui.

Leur robe vaporeuse était nimbée d'une aura bleue surnaturelle. Le tissu éthéré ondulant sans cesse, Hannis Arc, en les regardant avancer sans vraiment bouger, eut l'impression que les familières évoluaient dans un autre monde – peut-être un autre plan – où soufflait en permanence une agréable brise.

Vues de loin, les sept créatures semblaient à la fois élégantes et amicales. Entités composées de lumière et d'air plus que d'os et de chair, elles ressemblaient à s'y méprendre à des esprits du bien.

Mais elles n'en étaient pas. Et de très loin !

Six d'entre elles se déplaçaient ensemble, se laissant paresseusement dériver. La septième approchait par l'autre côté du bureau.

Lorsqu'elle se pencha vers lui, Hannis Arc put voir son visage dans les profondeurs de sa capuche. Un visage ridé, grêlé de petite vérole et constellé de verrues. Un instant, il eut une vue parfaite sur les ignobles replis de peau et les yeux couleur de jaune d'œuf pourri.

La créature eut un sourire pervers chargé de haine et de malveillance.

Hannis Arc n'en fut nullement intimidé. Bien au contraire, il s'indigna qu'on lui montre si peu de respect, et ne chercha pas à cacher son mécontentement lorsqu'il parla :

— Jit a-t-elle achevé les missions que je lui ai confiées ?

La familière posa une main tavelée sur le bureau et se pencha davantage vers l'évêque. Avec ses longs ongles recourbés, sa peau parcheminée et ses doigts squelettiques, cette main évoquait irrésistiblement une serre.

La familière était assez proche d'Hannis Arc pour que la peur le paralyse. Mais ce qui aurait marché avec n'importe qui d'autre ne fonctionnait pas avec lui. La familière ne le troublait pas le moins du monde.

— Tu as osé nous convoquer ? siffla-t-elle. Et exiger des comptes de notre maîtresse ?

Hannis Arc abattit son bras avec toute la force dont il était capable. Le couteau qu'il tenait traversa la main de la familière, la clouant au bureau.

La créature poussa un hurlement qui parut assez fort et aigu pour casser les vitres de tous les rayonnages et fissurer les murs de pierre sur l'entier périmètre de la salle.

Le genre de cri, songea Hannis Arc, qui devait sortir de la gorge des malheureux traînés contre leur gré dans le royaume des morts. Un appel désespéré sorti d'un cauchemar pour se répercuter à l'infini dans le monde des vivants.

Les six autres familières battirent furieusement des bras. Puis elles vinrent se masser autour de leur compagne piégée, exprimant leur surprise et leur indignation dans une langue qui évoquait les trilles d'un oiseau – ou plutôt, les caquètements d'une volaille.

— Tu es surprise ? demanda Hannis Arc, un sourcil levé. Étonnée qu'une lame fabriquée par un vulgaire mortel puisse te blesser ?

Tout en essayant de dégager sa main, la familière poussa un nouveau cri assez puissant pour réveiller tous les morts de l'histoire. Ses lèvres bleuâtres se retroussèrent, révélant des crocs menaçants.

Cette tactique ne lui servit à rien.

Alors que le bureau, pourtant très lourd, tremblait sur ses pieds à chaque tentative de la créature pour se libérer, ses compagnes entreprirent de lui tourner autour en signe de solidarité indignée. Lorsqu'elles décidèrent de la saisir par les bras pour l'aider à se dégager, le couteau leur envoya une décharge d'énergie qui les força à reculer en couinant.

—Qu'as-tu fait? demanda la familière prisonnière.

—Je t'ai clouée au bureau… Ce n'est pas dur à voir.

—Comment as-tu réussi ça?

—Pour l'instant, ça devrait être le cadet de tes soucis. Si tu tiens à ta peau, tu ferais mieux de reconnaître que je ne suis pas un vulgaire mortel. Du coup, il serait judicieux de me manifester un profond respect. Comme tu viens de le découvrir, j'ai le pouvoir de dominer les misérables mangeuses de lézards comme tes sœurs et toi. Et j'ai la même chose en réserve pour votre maîtresse.

Une lueur de désarroi passa dans le regard haineux de la créature.

Hannis Arc eut un rictus mauvais.

—La Pythie-Silence ne vous l'a pas signalé lorsqu'elle vous a arrachées à la terre pour que vous la serviez? Au fond, elle avait peut-être ses raisons… Qui sait? la vermine comme vous n'a peut-être aucune importance à ses yeux.

—Tu souffriras atrocement à cause de ce que tu as osé me faire!

—Je viens de te conseiller le respect, et voilà que tu me menaces?

Saisissant le manche de la hache qu'il avait dissimulée sous son bureau, comme le couteau, Hannis Arc se pencha vers la familière.

—Pour cet outrage, tu vas perdre ta main. Encore une menace, et c'est ta vie que tu perdras!

L'évêque sortit le bras de sous son bureau et frappa. Un seul coup, net et précis, qui trancha la main de la créature au niveau du poignet.

Libérée, la familière tourbillonna follement dans la pièce, folle de douleur. Heurtant les murs, elle renversa un rayonnage et brisa la vitre d'une des bibliothèques.

L'immonde main resta clouée au bureau et continua un moment à trembler convulsivement.

— Regarde, lança Hannis Arc, tu perds de ton précieux sang un peu partout ! Comme c'est triste…

Les six autres familières reculèrent, croyant se mettre en sécurité. Soudain, elles paraissaient beaucoup moins arrogantes.

La créature blessée s'immobilisa enfin et foudroya l'évêque du regard tout en massant son moignon. Pliant un index, Hannis Arc la força à s'approcher de lui. À contrecœur, elle obéit, la colère et la peur enlaidissant encore l'horrible masque qui lui tenait lieu de visage. Malgré sa fureur et ses réticences, nota Hannis Arc, elle lui avait obéi.

En d'autres termes, elle commençait à le respecter.

— Ne me menace plus jamais, lâcha-t-il. Tu as compris ?

La familière baissa les yeux sur sa main, qui ne bougeait plus.

— Oui…

— Alors, maintenant, réponds-moi : ta maîtresse a-t-elle achevé ses missions ?

— Elle a espionné les gens que tu lui as désignés. En revanche, elle attend encore l'être qu'elle a convoqué. Mais les chiens la pousseront vers elle. (Levant sa main intacte, la familière braqua un index accusateur sur l'évêque.) Quand il arrivera, elle aura achevé ses missions, et elle sera débarrassée de toi.

— Elle vit sur mon territoire… Si elle ne m'obéit pas, elle ne bénéficiera plus de ma protection.

— Jit n'a pas besoin que tu la protèges !

— Sans mon aide, la trace de Kharga ne sera plus un refuge sûr contre les Demi-Hommes. Elle figurera tôt ou tard à leur menu, et vous sept aussi.

—Les Demi-Hommes? Ils n'existent pas! C'est une antique légende, rien de plus.

—Détrompe-toi, les Demi-Hommes existent. Sais-tu qu'ils fabriquent des armes extraordinaires efficaces même contre les morts?

—Des foutaises!

—Et selon toi, d'où me vient le couteau qui a cloué ta main au bureau?

La familière regarda de nouveau la partie de son corps à jamais perdue, puis elle braqua sur Hannis Arc des yeux brûlants de haine.

—Les Demi-Hommes ne sont pas une menace pour notre maîtresse, ni pour nous, dit-elle, recouvrant son arrogance. Même s'ils existent, ils sont coincés derrière le mur du Nord depuis des millénaires.

—Rectification : ils étaient coincés.

—Un vil mensonge! Ils sont incapables d'ouvrir une brèche dans le mur du Nord.

—Ce ne sera pas nécessaire… Je suis passé de l'autre côté du mur, j'ai marché parmi eux et nous avons parlé. Au terme de nos conversations, ils ont décidé de me jurer allégeance. En conséquence, je leur ai ouvert le portail. Désormais, ils rôdent dans les Terres Noires. Mais c'est moi qui choisis leurs proies et leur territoire de chasse.

La familière dévisagea un moment l'évêque.

—Penser que tu peux les contrôler est une grossière erreur.

—C'est Jit, pas moi, qui devrait avoir peur de commettre une grossière erreur.

—Jit peut se protéger! Elle n'a pas besoin de toi, et nous non plus! Les Demi-Hommes ne s'aventureront pas chez nous. Ils auront peur de Jit, comme ils redoutaient le mur. Ils ne prendront pas ce risque…

En signe de solidarité, les six autres familières vinrent se placer derrière leur compagne.

—Es-tu passée de l'autre côté du mur?

Une question dont Hannis Arc connaissait la réponse. Pendant des millénaires, le mur du Nord avait été infranchissable des deux côtés.

— Tu ne sais rien sur les Demi-Hommes, et ta maîtresse non plus. N'ayez pas l'arrogance de croire le contraire.

Hannis Arc dégagea la hache du bois et la brandit.

— Ils ne chassent pas sur votre territoire parce que je le leur ai interdit. Si je change d'avis, ils se réjouiront, surtout si je leur promets un succulent ragoût de liches puantes !

Les sept familières reculèrent. Prudentes, elles se gardèrent de tout commentaire.

— La Pythie-Silence, vous sept, les peuples des Terres Noires et les Demi-Hommes, vous êtes tous mes sujets ! Je dicte la loi et vous me devez une indéfectible loyauté. À ces conditions, vous continuerez à jouir de vos privilèges.

La curiosité d'une des familières lui fit oublier la prudence.

— Quels privilèges ?

— Eh bien, pour commencer, le privilège de vivre, bien entendu.

Aucune des créatures n'eut envie de demander des précisions.

— Dites à Jit qu'elle a intérêt à m'obéir. Répétez-lui chacun de mes mots. Ajoutez qu'elle devrait s'assurer que ses familières ne me manquent pas de respect. Sinon, vous n'aurez bientôt plus de mains pour continuer à la nourrir.

Les Sept reculèrent de nouveau, puis elles se détournèrent pour partir.

— Nous exécuterons tes ordres, évêque, dit la manchote. Notre maîtresse entendra chacun de tes mots.

— J'y compte bien.

Hannis Arc regarda les sept familières sortir par les fissures du chambranle de la porte. Comme Mohler, elles évitèrent soigneusement de croiser le regard de la femme aux yeux bleus.

Hannis Arc bouillait toujours de rage. Il redresserait tous les torts, comme il se l'était juré. Lorsqu'il se vengerait enfin de la maison Rahl, l'esprit de son père le verrait agir depuis le royaume des morts.

Une nouvelle ère commençait en D'Hara. Le règne des ténèbres imposé par les Rahl n'en avait plus pour très longtemps.

Richard Rahl perdrait d'abord le pouvoir, puis tout le reste lui serait impitoyablement arraché. Hannis Arc en faisait son affaire. Ensuite, le peuple terrorisé réclamerait à cor et à cri un nouveau chef.

La justice serait enfin rendue.

L'évêque retira le couteau du bois, la main morte restant piquée sur la lame. Se tournant vers la femme aux yeux bleus, il souffla :

—Veux-tu bien me débarrasser de ça ?

La femme en uniforme de cuir rouge approcha du bureau. Mais quand elle voulut saisir le couteau, Hannis Arc se ravisa.

—Non, j'ai une meilleure idée… Pose cette horreur sur un rayonnage, bien à la vue de mes visiteurs.

—Avec plaisir, seigneur Arc.

Chapitre 38

É touffant un bâillement, Richard leva les yeux de sa feuille de parchemin pour regarder Zedd entrer dans la bibliothèque. La lumière de l'aube filtrait déjà des fenêtres – la nuit avait passé comme un songe…

L'étrange tempête s'était calmée. Mais à l'évidence, elle avait été le héraut de problèmes beaucoup plus graves.

Richard ne doutait plus que des ennuis se profilaient. Mais de quelle nature ? Il n'en savait rien, et cette ignorance le minait, comme ça lui était souvent arrivé durant la guerre.

Le gamin sur le marché, la tempête, les morts étranges, les prophéties bizarres, le retour à la vie d'une machine si longtemps oubliée… Il ne pouvait pas s'agir de coïncidences ! En règle générale, celles-ci n'existaient pas, dès qu'il était concerné.

La machine l'inquiétait plus que tout le reste. Il aurait juré qu'elle était au centre de tout, et la traduction des bandes de métal confirmait cette intuition.

Depuis la découverte fondamentale – l'inversion des symboles –, la traduction des bandes s'avérait assez facile, même s'il s'agissait d'un travail fastidieux. Plus il glanait d'informations, et plus l'inquiétude du Sourcier grandissait.

Alors qu'il regardait son grand-père traverser la salle, Richard remarqua que son pas manquait de vigueur. À cet instant précis, Zedd ressemblait à un vieil homme épuisé. Le visage grisâtre, lui aussi devait s'interroger sur les nouveaux drames qui menaçaient. Peut-être parce que c'était l'épreuve de trop, il semblait avoir perdu l'enthousiasme presque enfantin qui avait si longtemps fait sa force. Plus encore que le reste, ce détail confirma à Richard que la situation était gravissime.

Baissant les yeux sur le livre posé à côté de sa feuille de parchemin, il tapota un paragraphe pour attirer l'attention de Berdine.

—Regarde le premier symbole…, dit-il. C'est celui que nous cherchons. Que donne-t-il, une fois remis à l'endroit?

Berdine lut en silence le commentaire en haut d'haran.

—C'est en rapport avec la notion de «chute».

Le langage de la Création lui devenant de plus en plus familier, Richard commençait à deviner le sens de bien des symboles. Il avait demandé l'avis de Berdine pour confirmer ses pires appréhensions. Et bien sûr, elle l'avait fait…

—C'est le dernier symbole, donc il…

—Il clôt l'action accomplie par le sujet, marmonna Berdine.

Elle n'en était pas encore à la conclusion que venait de tirer le Sourcier. Après avoir inscrit le symbole sur sa feuille de parchemin, elle entreprit de feuilleter le livre.

—Il me faut ce fichu sujet!

Richard tapota une des bandes de métal.

—Là… Si tout est à l'envers, c'est là qu'est le sujet.

Zedd s'immobilisa devant la table de travail et se pencha pour tenter de voir ce que venait d'écrire Berdine.

—Que consignes-tu là?

—La traduction de ce qui est écrit sur les bandes, répondit Richard. Comment va Kahlan? Tu as pu soigner sa main?

—Je suis le Premier Sorcier, non? (Zedd désigna la feuille de parchemin de Berdine.) Vous avez trouvé comment ça fonctionne? Les symboles ne sont plus un mystère pour vous?

—Nous maîtrisons notre sujet, Zedd, et c'est vraiment fascinant. Ces pictogrammes sont une forme incroyablement dense et riche de langage. Là où il nous faut plusieurs phrases, voire plusieurs paragraphes, pour exprimer une idée, le langage de la Création n'a besoin que de quelques emblèmes. Sur une dizaine de bandes peuvent figurer une très longue histoire ou des centaines d'informations précises. La concision poussée à ce point confine au génie.

Richard n'en était pas à ses débuts en matière d'étude des emblèmes. Il avait un talent inné pour les comprendre, les analyser et saisir leur fonction dans une toile magique. Désormais, il semblait évident que tous les symboles qu'il avait étudiés jusque-là avaient pour origine le langage de la Création. En d'autres termes, il y avait beau temps qu'il apprenait cette langue sans le savoir.

Une fois qu'il avait compris comment utiliser le lexique, commençant à traduire les symboles, une routine s'était mise en place. Au milieu de la nuit, un déclic s'était produit, et depuis il évoluait avec une relative facilité dans un domaine qui n'était pas vraiment nouveau pour lui. Comme s'il avait poussé une porte dont il ignorait l'existence, mais dont il aurait été de tout temps destiné à franchir le seuil. Tout son savoir antérieur l'avait alors aidé à aller beaucoup plus vite dans l'acquisition et la maîtrise d'un nouveau langage.

En réalité, ça ressemblait plus à l'apprentissage d'un dialecte que d'une langue. En conséquence, le Sourcier n'avait presque plus besoin du lexique pour comprendre les symboles.

Zedd s'empara d'une bande et la regarda fixement, comme s'il avait lui aussi eu une révélation. Mais ce n'était pas le cas.

— Que dit cette bande, mon garçon ?

— « Le toit va s'écrouler », voilà ce qu'elle dit.

— Pardon ? Comme la prophétie de la devineresse aveugle ? Cette Sabella que tu as rencontrée dans les couloirs ?

— Exactement !

— Après que le gamin malade vous a mis en garde contre les ténèbres ?

— Tout à fait !

— Le garçon qui délirait, selon toi ?

— Nous avons cru qu'il délirait, mais c'était sans doute une erreur... Après l'avoir rencontré, j'ai obtenu de Sabella et de Lauretta deux prophéties très semblables qui sont à présent confirmées par la machine. Le gamin a dit autre chose que nous avons également pris pour du délire : « Il me trouvera… Je sais qu'il me trouvera. »

— Typique d'un malade qui délire à cause de la fièvre…

Richard s'empara d'une autre bande.

— Cette bande était tout en bas de la pile, à l'intérieur de la machine. C'est donc la première qu'elle a gravée depuis qu'elle s'est réveillée de son long sommeil. Quand je l'ai traduite, j'ai failli ne pas en croire mes yeux. Tu sais ce qu'elle dit ? « Il me trouvera. »

— D'après toi, la machine a prédit que tu la trouverais ?

— Qu'en penses-tu ?

— Tu es sûr de ta traduction ?

Richard jeta un coup d'œil vers la porte. Nathan venait d'entrer, et il semblait aussi morose que Zedd.

— Maintenant que j'ai la clé, il n'y a aucun doute possible. (Richard prit une autre bande.) Sur celle-là, je croyais qu'il y avait exclusivement le symbole du feu. Eh bien, je ne me trompais pas : la traduction en haut d'haran est tout simplement le mot « feu ».

— Feu ? lança Nathan en approchant. Qu'y a-t-il avec le feu ?

Zedd s'empara de la bande que tenait Richard et la montra au prophète.

— La traduction confirme l'intuition de Richard. C'est le mot « feu ».

Derrière Nathan, Richard vit Lauretta entrer à son tour, une énorme pile de documents sur les bras. Deux soldats la suivaient, eux aussi chargés comme des baudets. Aider Lauretta à transférer toutes ses prophéties dans la bibliothèque n'allait pas être une sinécure pour les deux hommes.

Le Sourcier fut ravi de constater que la vieille ermite avait accepté son invitation.

— Feu ? grogna Nathan.

— C'est ça, oui, confirma Richard. Une autre dit : « Il me trouvera », et ce sont mot pour mot les propos du gamin malade. La troisième bande annonce que le toit va s'écrouler, comme Lauretta et Sabella me l'ont prédit.

Nathan s'immobilisa, les poings plaqués sur les hanches.

—Je suis ici à cause de Sabella, justement…

—Vraiment? Que lui arrive-t-il?

—Elle crée des problèmes… Quelques invités de marque sont allés la voir pour entendre ses prophéties. Ils continuent de vouloir connaître ce que l'avenir leur réserve.

—Fantastique…, soupira Richard. Et que leur a-t-elle révélé?

—Un seul mot: feu!

—Pardon?

—Elle n'a dit qu'un mot, Richard. Les invités sont allés le répéter aux autres représentants. C'est la panique, parce qu'ils redoutent qu'un incendie dévaste le palais. Plusieurs émissaires se sont réveillés en pleine nuit, sortant de leur chambre en tenue légère, parce qu'ils avaient rêvé à des flammes.

—Voilà qui est curieux…, marmonna Zedd.

Du coin de l'œil, Richard vit que Lauretta courait vers lui en agitant une feuille de parchemin.

—Seigneur Rahl! Seigneur Rahl! Je suis si contente de vous trouver ici!

Richard se leva lentement.

—Que se passe-t-il?

Lauretta s'arrêta, le souffle court, et tendit sa feuille au Sourcier.

—J'ai une autre prophétie pour vous… Je l'ai rédigée, comme d'habitude… Je voulais l'archiver jusqu'à notre prochaine rencontre, mais comme vous êtes là…

Richard prit la feuille et la déplia. Dessus, il n'y avait qu'un seul mot.

«Feu»!

—Qu'est-ce que c'est? demanda Zedd.

Richard lui tendit la prophétie. Dès qu'il l'eut regardée, le vieux sorcier écarquilla les yeux.

—Femme, tu as idée de ce que ça signifie? demanda-t-il en transmettant la feuille à Nathan.

Lauretta secoua la tête.

—Comme Sabella…, murmura le prophète.

— Et toi, mon garçon, tu as une idée?

— Eh bien, j'ai peur que…

Richard se tut, une idée lui glaçant les sangs. Après avoir jeté sa plume sur la table, il courut vers la porte.

— Suivez-moi! cria-t-il. Je sais ce que ça veut dire! Et j'ai deviné où prendra le feu.

Zedd, Nathan et Berdine emboîtèrent le pas au Sourcier. Malgré ses vieilles jambes, Lauretta suivit le mouvement.

Chapitre 39

Tandis qu'il courait dans le couloir de service, Richard commença à sentir la fumée. Dans la forêt, quand elle provenait d'un feu de camp, cette odeur était une promesse de chaleur et de sécurité. Dans un complexe bâti par l'homme, elle annonçait au contraire d'effroyables désastres.

Berdine saisit son seigneur par la manche pour l'empêcher de prendre trop d'avance. Dès qu'il y avait le moindre danger, toutes les Mord-Sith avaient le même réflexe : rester le plus près possible de Richard. Oubliant sa paisible personnalité d'érudite, Berdine redevenait dans les moments de crise une femme en rouge au moins aussi impitoyable que les autres. En courant, elle faisait de temps en temps voler son Agiel dans sa paume, comme pour s'assurer qu'il était bien là.

Au bout d'un couloir, derrière un rideau de fumée, Richard vit des soldats de la Première Phalange accourir avec des seaux. Dans leur précipitation, ils renversaient une partie de l'eau sur le sol.

Réveillées par le vacarme, plusieurs femmes se tenaient sur le seuil de leur porte et regardaient passer les sauveteurs.

— Où sommes-nous ? demanda Nathan lorsqu'il rattrapa Richard, Zedd sur les talons.

— Dans le quartier de Lauretta. Et il y a le feu chez elle.

À bout de souffle, Lauretta fut obligée de s'arrêter. Rouge comme une pivoine à cause de l'effort, elle tenta d'aspirer un peu d'air.

— Mon chez-moi ! gémit-elle en se prenant la tête à deux mains. Mes prophéties !

Un soldat défonça la porte d'un coup de pied. Une fumée noire jaillit du fief de la pauvre Lauretta. L'incendie faisait déjà des ravages, et il fallait avant tout l'empêcher de se propager aux autres appartements.

Les soldats vidèrent leurs seaux, mais Richard comprit que ça ne suffirait pas. Les flammes étaient bien trop vives.

Devant ce spectacle, Lauretta perdit toute raison.

— Non ! Non ! cria-t-elle. Ils vont détruire mes prophéties !

Le Sourcier n'eut pas le cœur de dire à la vieille femme que le feu s'en était déjà chargé. La prenant par le bras, il l'empêcha d'avancer davantage. Si on la laissait faire, elle brûlerait vive en essayant en vain de sauver ses prédictions. Ou mourrait à cause de la fumée avant même de les avoir atteintes…

Même à bonne distance, la chaleur était terrible. Et même si le palais était principalement en pierre, il y avait les planchers et les poutres en bois… Pour éviter une catastrophe, il fallait éteindre au plus vite l'incendie.

D'autres soldats vinrent jeter des seaux d'eau dans l'appartement. Pour ne pas être brûlés, ils détournaient la tête, accomplissaient leur mission et s'écartaient le plus vite possible. Comme pour se moquer d'eux, des flammes jaillissaient de la porte.

Richard ne s'était pas trompé : les seaux d'eau ne suffiraient pas.

Zedd l'avait compris aussi. Dépassant Richard, il traversa le rideau de fumée et vint se camper devant la demeure de Lauretta. Après avoir fait signe aux soldats de s'écarter, il tendit un bras vers la porte d'où sourdaient de plus en plus de flammes et de fumée.

Richard vit l'air onduler devant le vieil homme, renvoyant la fumée là d'où elle venait. Mais de nouvelles flammes jaillirent, comme si elles voulaient chasser le sorcier.

De fait, Zedd fut contraint à reculer.

— Fichtre et foutre ! Mon don est trop faible dans ce maudit palais !

Nathan vint prêter main-forte au Premier Sorcier.

Comme Zedd, le prophète n'eut aucun mal à repousser la fumée. Et face à lui, les flammes durent battre en retraite.

Nathan étant un Rahl, son don se trouvait renforcé par le sortilège très particulier en vigueur dans le palais. Les paumes orientées vers l'incendie, il avança inexorablement, forçant les flammes à reculer encore. Puis ses mains s'écartèrent l'une de l'autre en un grand geste circulaire.

Sans cesser de tenir Lauretta, Richard regarda son ancêtre isoler l'appartement du reste du palais, puis étouffer l'incendie à sa source. Lorsque ce fut fait, il tissa une toile spéciale qui fit très rapidement refroidir ce qu'il restait du fief de Lauretta.

Quand Nathan entra dans la demeure dévastée, histoire de s'assurer que le danger était passé, Richard lâcha Lauretta. En larmes, elle se précipita dans le sillage du prophète.

— Mes prédictions ! Créateur bien-aimé, mes prédictions sont détruites !

Richard approcha et vit que la vieille femme ne se trompait pas. Quelques piles avaient survécu, dans les coins, mais ça ne représentait pas le centième du « trésor » de Lauretta.

— Je n'ai plus rien…, gémit la vieille femme.

Tombant à genoux, elle plongea les mains dans les cendres.

— Allons, dit Richard, lui tapotant l'épaule, tu en écriras d'autres, Lauretta. La bibliothèque t'est ouverte, tu le sais bien…

Dans le couloir, des curieux tentaient de voir ce qui se passait. Beaucoup se couvraient le nez et la bouche pour les protéger de la fumée.

Dans cette foule, Richard reconnut plusieurs invités de marque. Tous arboraient une expression sinistre. Après tout, cet incendie était une confirmation de la prophétie qui courait dans le palais depuis la veille.

La foule s'écarta soudain pour laisser passer Cara. Comme si ces gens n'existaient pas, la Mord-Sith marchait avec une tranquille assurance. Quand il s'agissait de fendre une foule, les femmes en rouge n'avaient jamais de difficultés. Surtout lorsqu'elles paraissaient furieuses, comme la garde du corps de Richard.

—Vous allez tous bien ? demanda Cara. (Richard acquiesça.) J'ai entendu dire qu'il y avait des ennuis…

—Les prophéties de Lauretta se sont embrasées, dit Richard.

Dans la foule, il avait reconnu Ludwig Dreier, l'abbé de la province de Fajin. Le visage de marbre, l'homme avança pour se placer au premier rang des spectateurs.

—Il y a des blessés ? demanda-t-il.

—Non, répondit Richard. L'appartement de Lauretta était plein de documents – un vrai piège à feu.

Ludwig jeta un coup d'œil à l'intérieur de la demeure.

—Facile à dire, quand une prophétie l'annonçait !

—Une prophétie venant de qui ?

—La femme aveugle, pour commencer… Mais beaucoup d'autres personnes ont eu une prémonition.

Sondant la foule, Richard vit que la plupart des invités de marque buvaient les paroles de l'abbé.

—Lauretta n'était pas assez prudente avec le feu et son appartement débordait de paperasse. J'ai pensé tout seul que c'était terriblement dangereux, quand je suis passé la voir.

—Peut-être, mais il y avait aussi une prophétie !

—C'est vrai, dit Lauretta en revenant dans le couloir, l'air désespérée. J'ai fait moi-même cette prédiction, et je l'ai transmise au seigneur Rahl. Maintenant, nous savons ce qu'elle voulait dire.

L'abbé se tourna vers Richard, le front plissé.

—On vous a transmis un avertissement et vous ne nous avez rien dit ? Vous avez gardé le secret ?

—Je viens de lui remettre ma prédiction, précisa Lauretta. Dès qu'il l'a lue, il a couru jusqu'ici. Nous n'avons pas eu le temps de prévenir des gens, et nous sommes arrivés trop tard pour sauver mes prophéties.

L'abbé ne capitula pas.

—Il n'empêche, seigneur Rahl, que vous devriez accorder plus d'importance aux prophéties. En particulier quand la sécurité et la vie de vos sujets sont concernées. Votre devoir est de nous protéger, car face à la magie, nous dépendons entièrement de vous. Les prédictions sont un don du Créateur que vous ne devez pas négliger.

—Le seigneur Rahl est très respectueux des prophéties, intervint Nathan, l'air pas commode du tout.

—Dans ce cas, tout va bien, conclut Ludwig. Il faut juste qu'il continue.

Dans la foule, des murmures approbateurs saluèrent cette déclaration.

Agiel au poing, Cara se campa devant l'abbé.

—Le seigneur Rahl n'a pas besoin qu'on lui donne des leçons, lâcha-t-elle. Il nous protège tous.

Un moyen très clair d'avertir l'abbé qu'il dépassait les bornes.

—Seigneur Rahl, dit quand même Ludwig, votre épée ne vous met pas à l'abri des prophéties. En ce qui concerne l'avenir, votre arme ne nous est d'aucune utilité. La seule défense, ce sont les prédictions dont le Créateur nous a fait cadeau.

—J'en ai assez entendu ! s'écria soudain Richard.

Baissant les yeux, l'abbé fit un pas en arrière, puis il esquissa une révérence.

—Qu'il en soit donc ainsi, seigneur Rahl…, souffla-t-il.

Quand il eut reculé davantage, il se détourna et s'éloigna, suivi par plusieurs invités de marque.

—Permettez-moi de le tuer…, grogna Cara, les yeux rivés sur les omoplates de Dreier.

—Non, laissez-moi m'en charger, fit Berdine. Je manque d'entraînement, ces derniers temps.

—Si ça pouvait être si simple…, soupira Richard.

—Seigneur, murmura Berdine, ça n'est jamais très compliqué…

Alors que la foule se dispersait, Richard secoua la tête.

—On ne préserve pas la paix en tuant des gens.

Les deux Mord-Sith ne cachèrent pas leur scepticisme, mais elles n'insistèrent pas.

—Seigneur Rahl, dit Cara, Benjamin voudrait vous voir. Je lui ai promis de vous conduire au Jardin de la Vie.

Chapitre 40

Lorsqu'il franchit les portes du Jardin de la Vie, passant entre deux haies d'hommes de la Première Phalange, Richard remarqua qu'on avait déjà mis en place des échafaudages. Jouant les équilibristes sur des planches très étroites, certains ouvriers découpaient le métal tordu. Les suivant comme leur ombre, d'autres artisans posaient un nouveau cadre afin que les couvreurs puissent venir installer des plaques de verre.

Sous la fière lumière du soleil, des soldats patrouillaient. Gardant un œil sur les ouvriers qui évoluaient en hauteur, ils surveillaient également l'ouverture béante et obscure, dans le sol.

Alors qu'il avançait, Zedd, Nathan et Cara sur les talons, le Sourcier trouva perturbant que le jardin grouille ainsi de monde. Au fil du temps, il en était venu à considérer ce lieu comme un refuge intime. Ses prédécesseurs avaient dû éprouver la même chose, même s'ils avaient souvent choisi l'endroit pour réaliser des expériences magiques terrifiantes. La plupart du temps, c'était néanmoins un sanctuaire...

Dès qu'il aperçut Richard, Benjamin cessa de converser avec un de ses officiers et courut à sa rencontre. Sur les échafaudages, les ouvriers ne s'interrompirent pas, mais ils ne purent s'empêcher de regarder leur seigneur du coin de l'œil.

—Seigneur Rahl, vous allez bien ? J'ai entendu parler d'un incendie... La Mère Inquisitrice est également très inquiète.

—Je n'ai rien… (Richard désigna Zedd et Nathan, derrière lui.) Heureusement qu'ils étaient là, cela dit…

—Une chance, oui!

—Où est Kahlan, Benjamin?

—Elle étudie la machine avec Nicci.

Richard se dirigea vers le trou, mais Cara se précipita.

—Benjamin, j'ai dit au seigneur Rahl que tu voulais le voir.

Richard s'immobilisa près du haut de l'échelle mise en place dans la cavité.

—Seigneur, j'ai les informations que vous désiriez.

—Sur la profondeur de la machine?

Le général acquiesça.

—Pour commencer, vous aviez raison. L'étrange avancée, dans la bibliothèque, a bien pour cause la présence de la machine plusieurs étages au-dessous du Jardin de la Vie. Les architectes ont dû improviser…

La machine était donc derrière le mur où le livre intitulé *Regula* reposait sur un rayonnage. Voilà qui ouvrait bien des possibilités au sujet du rangement apparemment anarchique des ouvrages. Si les gens avaient ce sentiment, c'était peut-être par ignorance…

Richard tint l'échelle, laissant Zedd et Nathan passer les premiers. Puis il descendit, suivi par Cara et son mari. Au pied de l'échelle, le petit groupe dut contourner un tas de gravats avant de pouvoir gagner le premier escalier.

Après une descente périlleuse, Richard et ses compagnons se retrouvèrent dans la salle secrète éclairée par des globes lumineux. Kahlan sourit dès qu'elle vit son mari – en bonne santé et en un seul morceau!

Campée devant la machine, les bras croisés, Nicci jeta un coup d'œil rapide aux nouveaux venus.

—Pas d'activité? demanda Richard.

—Le calme plat, répondit Kahlan.

—Cette machine n'a pas émis un bruit ni diffusé la lumière dont tu nous as parlé, dit Nicci, s'arrachant à ses pensées. Elle est aussi inerte que durant ces derniers millénaires.

Zedd frôla le sommet de la machine du bout des doigts et frissonna à ce contact.

—Nathan et moi avons constaté la même chose : calme plat.

Richard n'eut pas le cœur brisé par cette nouvelle. Si la machine se rendormait pour les millénaires à venir, ce ne serait sûrement pas lui qui lui en voudrait.

—Comment va ta main, Kahlan ?

L'Inquisitrice sourit à Zedd.

—Même si son don est affaibli ici, notre Premier Sorcier a fait des merveilles, comme souvent…

Zedd s'empourpra de confusion.

—Guérir des égratignures n'a rien d'un exploit. En revanche, ne me demande pas de te recoller la tête sur les épaules – ni rien d'un peu compliqué, d'ailleurs…

Richard fut soulagé d'avoir un souci en moins.

—Benjamin, tu as donc pu déterminer jusqu'où cette machine s'enfonce dans le palais ?

—Avec mon aide, précisa Cara.

Comme Zedd, elle passa le bout d'un index sur le métal. Une sorte de défi à la menace latente.

—Alors, cette profondeur ?

—Seigneur Rahl, répondit Benjamin, j'ai peur de ne pas pouvoir vous donner une réponse précise… Pour être franc, nous n'avons pas trouvé le fond de la machine.

—Il y a pourtant des plans en coupe du palais, non ?

—Oui. Grâce à eux, nous avons pu établir que la machine s'enfonce jusque dans les entrailles du palais.

Richard en fut stupéfié. Le Jardin de la Vie était pratiquement le point le plus haut du complexe. Voilà qui faisait une vertigineuse distance…

—Jusqu'en bas ? C'est beaucoup !

—Richard, intervint Kahlan, c'est pire que ça.

—La Mère Inquisitrice a raison, j'en ai bien peur… Après avoir suivi le cheminement de la machine étage après étage, grâce aux plans en coupe, nous avons continué nos recherches dans les tunnels de maintenance des fondations. À l'endroit qui semblait logique, nous avons percé un trou dans le mur. Derrière, il y avait du métal ! Le même que celui de cette machine, bien entendu.

Richard étudia l'étrange machine qui brillait faiblement à la lueur des globes lumineux. Vue de l'extérieur, elle ne donnait pas l'impression d'être si grande que ça. Mais en regardant dedans, il avait déjà eu l'intuition qu'elle était comme un puits sans fond.

—Si elle traverse les fondations et s'enfonce dans le haut plateau, il est impossible d'évaluer sa taille.

Personne ne faisant écho à cette déclaration, Richard dévisagea ses compagnons, les trouvant bien moroses.

—Dites-lui, général, ordonna Nicci.

—Seigneur Rahl, cette machine s'enfonce bien dans le plateau, mais elle ne s'arrête pas là…

—Comment ça ?

—C'est assez compliqué, dit Cara, qui détestait devoir donner de longues explications. Une fois reconstituée la configuration de base – à savoir la manière dont les salles et les escaliers du palais sont en quelque sorte disposés en fonction de la machine –, suivre la « trajectoire » de cet artefact s'est révélé assez simple, surtout avec la précieuse assistance de Zedd et de Nathan. Avant la découverte de la machine, certains détails architecturaux m'ont étonnée, et je ne suis sûrement pas la seule au fil des siècles. À présent, beaucoup de choses paraissent logiques.

—Nous savons depuis toujours que le palais est en réalité un sortilège géant dessiné sur la face du monde, dit Nathan. Le Jardin de la Vie est le noyau de cette toile magique – et l'inviolable coffre-fort où peut être entreposé son pouvoir.

—Vous voulez dire que la machine est dissimulée au cœur même du sortilège ? Qu'elle serait son principe actif, en quelque sorte ?

—Je n'irai pas jusque-là… Pour que le sortilège soit actif, il est essentiel que son noyau ne souffre d'aucune rupture de continuité. Cela implique une disposition très rigoureuse des salles, des escaliers et des couloirs, et ce à tous les étages du complexe. Tout paraît organisé autour de la machine, mais en réalité, le but est d'assurer l'intégrité du noyau.

Pensif, Richard se concentrait pour imaginer la forme terriblement complexe du sortilège. Tout cela était directement lié à la science des emblèmes, un domaine qu'il maîtrisait de mieux en mieux. Du coup, il comprenait le concept, au moins en théorie.

—C'est logique, dit-il, pensant tout haut. Il faut respecter l'axe vertical du construct. Une toile magique n'a pas deux dimensions, mais trois. Une rupture de continuité verticale aurait sur le champ de protection le même effet qu'un corridor coupant en deux le Jardin de la Vie… Le sortilège a une dimension verticale et la configuration des salles et des couloirs, sur toute la hauteur du complexe, est un moyen de protéger et d'isoler le noyau.

—C'est ça, dit Nicci. Et la machine s'enfonce au cœur de cette cheminée naturelle.

Le mot « cheminée » fit à Richard l'effet d'un déclic.

—La cohérence axiale verticale du sortilège a été structurée à partir du bas – exactement comme on construit une cheminée. Voilà pourquoi le chemin qui conduit du pied du haut plateau jusqu'au palais décrit une gigantesque spirale. Ce n'est pas perceptible aisément, à cause des dimensions impliquées, mais on accède au palais par une sorte d'escalier en colimaçon.

—C'est bien ça, confirma Cara. Et la configuration interne du complexe reprend ce concept géométrique. Quand on a saisi ça, se représenter l'ensemble plateau-palais devient relativement simple.

Richard n'aurait jamais cru entendre un jour une Mord-Sith parler ainsi de la magie et la juger « relativement simple ».

—Dois-je comprendre que la machine traverse tout le palais, dans le sens vertical, jusqu'au niveau du sol du sommet du haut plateau ?

—Non, dit Cara, c'est pire que ça… Une fois que nous avons défini la forme géométrique, Zedd et Nathan nous ayant montré comment devait être dessiné le sortilège, nous avons pu repérer à tous les niveaux du palais l'axe vertical qui contient la machine. Et cet axe central, comme je l'ai déjà dit, se retrouve à l'intérieur du haut plateau.

— Mais vous n'avez pas pu percer les murs, à cet endroit, pour vérifier la présence de la machine. Du coup, vous ne pouvez pas affirmer qu'elle s'enfonce aussi au cœur du plateau.

— Percer n'était pas nécessaire, dit Benjamin.

— J'ai envoyé Nyda et quelques autres Mord-Sith, munies de notre carte, explorer les catacombes du haut plateau avec Benjamin. Cette expédition a repéré la même configuration que sur toute la hauteur du complexe et du plateau. Un noyau identique, et des protections similaires.

— C'est normal, admit Richard. C'est lié à la dimension verticale du Jardin de la Vie – en d'autres termes, du champ de protection – et à la nécessité de n'avoir aucune rupture de continuité. Si on pouvait saboter le construct par en dessous, il n'aurait aucune valeur.

— C'est dans ces catacombes, intervint Benjamin, que Nyda et moi avons percé un autre tunnel d'inspection. Et rencontré le même obstacle métallique – en d'autres termes, un côté de cette machine !

Sidéré, Richard en eut la tête qui tournait. La réalité dépassait ses plus folles hypothèses. Non contente de traverser tout le palais, la machine continuait son « chemin » à travers le haut plateau, puis elle s'enfonçait carrément dans les plaines d'Azrith.

Chapitre 41

Richard tenta d'assimiler toutes ces informations, mais il ne parvint pas à leur trouver un sens. Qu'était donc cette machine? Qui l'avait fabriquée? Pourquoi était-elle restée si longtemps cachée?

Plus grave encore: Pourquoi était-elle revenue soudain à la vie?

Bien entendu – et quel qu'ait été son usage jadis –, on pouvait imaginer que la machine, brusquement devenue inutile, avait été emmurée et oubliée. Considérant sa taille, on pouvait comprendre qu'on ait à l'époque renoncé à la démonter.

Mais il y avait une autre possibilité: parce qu'elle était une source permanente de problèmes, on avait emmuré cette fichue machine, et fait en sorte qu'il ne reste aucune trace de son existence. Les prophéties étaient bien connues pour semer le trouble dans la vie des hommes. Et la manière dont elles leur étaient transmises ne changeait rien à cette constatation… Bref, les oracles mécaniques ne valaient peut-être pas mieux que les autres.

Rien de tout ça n'expliquait le récent réveil de la machine.

Conscient qu'il était incapable pour l'instant de répondre à ces questions, Richard se tourna vers son grand-père:

— Qu'as-tu à me dire sur la nature de cette machine?

Zedd parut à la fois agacé et… penaud. Avant de répondre, il regarda Nicci et Nathan.

—Rien du tout, j'en ai peur.

Le genre de phrase que Richard n'aurait jamais cru entendre sortir de la bouche du vieil homme.

—Comment ça, rien du tout? Tu as bien dû glaner quelques informations!

—Désolé, mais ce n'est pas le cas.

—Zedd, cette machine est liée à la magie. Tu devrais au moins pouvoir nous dire quelque chose sur le pouvoir qu'elle utilise – ou qui se sert d'elle.

—Magie, magie, magie…, répéta le vieux sorcier, une main posée sur la machine. C'est toi qui le dis, mon garçon! Nous n'avons rien détecté. Cet engin de malheur est resté aussi silencieux que le tombeau où il repose. Pour le moment, ce n'est rien de plus pour nous qu'un ensemble de rouages, de manettes, d'engrenages et d'axes. Nous avons regardé à l'intérieur, mais ça ne nous a rien appris. Toutes les pièces semblent être composées du métal le plus ordinaire qui soit.

Richard se passa nerveusement la main dans les cheveux.

—Alors, quelle force a mis les rouages en mouvement, quand Kahlan et moi avons découvert la machine?

Agacé, Zedd haussa les épaules.

—Nous avons tout tenté pour la remettre en marche ou obtenir au minimum une réaction. En vain, mon garçon. Ensuite, les filaments de pouvoir, les sorts analytiques et les sondes magiques ne nous ont rien appris.

—C'est peut-être parce que ton pouvoir est affaibli, ici…

—Le palais n'a aucun effet négatif sur *mon* pouvoir, puisque je suis un Rahl, dit Nathan. Pourtant, je n'ai pas mieux réussi que Zedd.

Richard se tourna vers Nicci. Capable d'utiliser la Magie Soustractive, elle était très différente des deux vieillards. Avec un peu de chance, elle aurait détecté des indices magiques qu'ils n'étaient pas en mesure de remarquer.

—Nicci, toi, tu devrais pouvoir…

La magicienne secoua la tête avant que Richard ait fini sa phrase.

—Je signe la déclaration de Zedd. Comme Nathan et lui, je n'ai détecté aucune magie. Kahlan m'a raconté ce qui s'est passé après la découverte de la machine. La fente où vous avez trouvé des bandes est vide. Il n'y a plus eu aucune «production».

—D'accord, d'accord… Mais quelle force alimente cet engin?

—L'alimente pour quoi faire? Aucun rouage n'a tourné depuis ta première visite ici. Il n'y a pas davantage eu de lumière. La machine est inerte et silencieuse, comme elle l'était sans doute depuis des lustres.

—Nicci, toutes les pièces bougeaient et il y avait une étrange lumière!

—Je suis témoin, rappela Kahlan. Nous n'avons pas pu imaginer ça tous les deux.

—Nous ne le prétendons pas, dit Zedd en retirant sa main du sommet de la machine. Mais nous n'avons rien vu, et tant qu'il en sera ainsi nous ne pourrons rien dire.

En réalité, Richard était soulagé que la machine n'ait plus rien produit. Ça leur faisait un souci de moins, et quand on se débattait contre les prophéties, c'était toujours bon à prendre.

Le Sourcier posa une main sur le sommet de la machine.

Aussitôt, toutes les pièces se mirent en mouvement, faisant trembler le sol. La lumière jaillit, projetant un emblème au plafond. Le même que d'habitude, bien entendu…

Zedd et Nathan se penchèrent pour mieux voir par le hublot.

Criant assez fort pour couvrir le vacarme, Zedd désigna les rouages géants.

—Regardez! Une bande de métal se déplace dans le mécanisme, exactement comme Richard nous l'a dit.

Nicci posa les deux mains à plat contre le monstre de métal, sans doute pour tenter de sentir son pouvoir.

Mais elle dut les retirer et ne put étouffer un petit cri de douleur.

—Un champ de force de protection…, souffla la magicienne.

Échaudé, Zedd toucha le métal du bout des doigts. Lui aussi dut retirer sa main, et il la secoua comme s'il venait de se brûler.

— Fichtre et foutre! Nicci a raison!

— Là! s'écria Nathan, désignant le hublot en prenant garde à ne pas le toucher. La bande passe dans la lumière.

Alors que les deux vieillards se penchaient de nouveau pour mieux voir, des fragments d'emblèmes, projetés par la lumière, dansèrent sur leur visage.

La bande tomba dans la fente.

— Attention, prévint Richard, elle est très chaude!

Zedd s'humecta les doigts, saisit la bande et la jeta sur le sommet de la machine.

Richard vit aussitôt les emblèmes fraîchement gravés dans le métal. Du bout d'un index, il orienta la bande pour avoir un meilleur angle de vision.

— Tu sais ce que ça dit? demanda Nathan.

Richard acquiesça.

— «Le paon prend la fierge.»

— Rien de bien nouveau, fit Kahlan.

— J'ai peur que si…

— Regardez, dit Nicci, la machine grave une autre bande.

Dès que l'opération fut terminée, Richard prit la bande entre le pouce et l'index et la jeta à côté de la précédente.

Ce qu'il vit gravé dessus le stupéfia.

Le sentant bouleversé, Kahlan lui posa une main sur le bras:

— Richard, que se passe-t-il?

— Où est le problème, mon garçon?

Richard leva enfin les yeux de la bande.

— Ce que je vais vous dire ne sortira pas de cette salle. C'est compris?

Chapitre 42

Dès que Ludwig eut frappé d'une main légère, la porte s'entrebâilla.

—C'est vous, abbé? (Orneta ouvrit en grand le battant.) Je suis très contente que vous ayez pu venir.

Ludwig retira son bizarre chapeau et s'inclina bien bas.

—Comment aurais-je pu refuser l'invitation de la plus belle reine de ce palais?

Le sourire de la souveraine se figea. C'était de la flagornerie, et elle avait passé l'âge de se laisser abuser ainsi. Néanmoins, ça n'était jamais désagréable.

Se détournant, Orneta guida son visiteur à l'intérieur de la superbe chambre royale. Ici, le mobilier était en bois rare, les tentures coûtaient une fortune et le moindre bibelot se serait négocié à prix d'or chez un antiquaire. Au fond de la pièce, une double porte-fenêtre donnait accès à un balcon qui dominait les plaines d'Azrith.

Un endroit idéal pour une reine. Cela dit, les quartiers qu'on avait affectés à Ludwig n'étaient pas moins somptueux. En bon diplomate, il préféra ne pas le mentionner.

—Venez vous asseoir, abbé, proposa Orneta en glissant gracieusement sur un épais tapi aux riches motifs.

—Je vous en prie, appelez-moi Ludwig.

Jetant un coup d'œil par-dessus son épaule, la souveraine eut un sourire étonnamment humble.

—Ludwig, alors…

Ses cheveux auburn montés en chignon et tenus par un peigne incrusté de pierres précieuses, Orneta exposait généreusement son cou de cygne sans défaut.

Quand elle s'assit au bord d'un sofa, la fente de sa longue jupe s'ouvrit juste ce qu'il fallait pour révéler ses genoux pudiquement serrés l'un contre l'autre.

Se penchant en avant, elle s'empara d'une carafe de vin.

—Pourquoi vouliez-vous me voir, reine Orneta?

La souveraine tapota le sofa, juste à côté d'elle.

—Si je vous appelle Ludwig, faites-moi la grâce d'oublier le «reine» devant mon prénom.

L'abbé s'assit à une distance respectueuse de son hôtesse.

—Comme il vous plaira, Orneta.

La reine servit deux coupes de vin et en tendit une à son invité.

—Une souveraine qui fait le service? lança Ludwig, souriant.

—Mes dames de compagnie et mes servantes se sont retirées pour la nuit. J'ai bien peur que nous soyons seuls.

Orneta trinqua avec l'abbé.

—À l'avenir, dit-elle, et à ce que nous en savons!

Ludwig but en même temps que sa compagne. Il avait le goût du bon vin, et il ne fut pas déçu.

—Des libations très intéressantes, dit-il.

—Vous avez demandé pourquoi je voulais vous voir. Ces libations sont la clé de l'énigme. J'entends que nous parlions des prophéties.

Ludwig savoura une gorgée de vin.

—Pour en dire quoi?

—Eh bien, sachez que je leur accorde une grande importance.

—J'ai cru le comprendre lors de la réunion où la Mère Inquisitrice a menacé de nous faire décapiter parce que nous étions trop curieux à son goût… Votre façon de lui résister m'a beaucoup impressionné. Et on ne saurait vous en vouloir d'avoir vacillé face à une si terrifiante menace.

Orneta sourit, mais moins humblement, cette fois.

—Une méchante ruse, je parie.

—Vraiment? Vous croyez que c'était une mise en scène?

—Sur le coup, je n'ai pas pensé ça. Mais avec du recul…

—Le choc fut terrible, c'est vrai… Mais avec du recul, disiez-vous?

La reine prit le temps de peser ses mots.

—Je connais la Mère Inquisitrice depuis longtemps… Pas personnellement, mais parce que mon pays appartient aux Contrées du Milieu. Avant la guerre, quand l'empire d'haran n'existait pas, les Contrées étaient dirigées par un Conseil placé sous la coupe de la Mère Inquisitrice. J'ai eu affaire à Kahlan, et elle ne m'a jamais paru encline à perdre son sang-froid ni à faire montre de cruauté. Une femme dure, mais pas vindicative.

—Bref, son petit numéro ne colle pas avec le personnage?

—Non, ce n'est pas exactement ça… La guerre fut longue, et je sais qu'elle a été impitoyable avec nos ennemis. Chaque nuit, elle chargeait les troupes d'élite du capitaine Zimmer d'aller égorger des Impériaux dans leur sommeil. Le matin, elle demandait toujours à voir les chapelets d'oreilles rapportés par ces braves.

Ludwig fit de son mieux pour paraître choqué par ce récit.

—Mais elle n'a jamais été cruelle avec son peuple, ses alliés et les innocents en général. Je l'ai vue risquer sa vie pour sauver un enfant qu'elle ne connaissait pas. Nous décapiter tous aurait été une drôle de façon de nous donner une bonne leçon, non? Un comportement pareil ne ressemble pas à Kahlan, sauf quand elle n'a pas le choix…

Ludwig se fendit d'un long soupir.

—Vous la connaissez bien mieux que moi, donc, je ne vous contredirai pas.

—Mon souci, c'est de savoir pourquoi elle a fait tant d'efforts.

—Plaît-il?

—C'était un numéro très au point et parfaitement convaincant, au premier abord. Selon moi, elle s'est donné cette peine parce que le seigneur Rahl et elle ont quelque chose à nous cacher.

—Quoi donc, Orneta ?

—Des prophéties...

En fin stratège, Ludwig but une gorgée de vin, histoire de ne pas être obligé de parler. Un très bon moyen pour inciter un interlocuteur à révéler davantage son jeu.

—J'ai voulu vous voir, abbé, parce qu'on murmure que vous avez un lien avec les prophéties.

—Eh bien, ce n'est pas faux, en effet.

—Donc, dans votre pays, on respecte les prédictions ?

—La province de Fajin... C'est l'endroit d'où je viens. Notre évêque...

—Qui ça ?

—L'évêque Hannis Arc... C'est lui qui gouverne la province.

—Il croit lui aussi à l'importance des prophéties ?

Ludwig approcha un peu de la reine et se pencha vers elle, adoptant le ton de la confidence :

—Bien entendu, comme nous tous. Je recueille des prophéties pour lui, afin qu'elles l'aident à diriger notre pays.

—Ce que devraient faire la Mère Inquisitrice et le seigneur Rahl !

—Là, vous prêchez un convaincu...

—Bien entendu, c'est ainsi que je procède.

—Vous êtes une reine avisée, Orneta.

—Assez sage pour savoir qu'on ne néglige pas les prophéties... (La reine posa une main sur l'avant-bras de Ludwig.) Guider un peuple est une lourde responsabilité... et un exercice bien solitaire, lorsqu'on veut rester fidèle aux prophéties.

—Les grands prophètes sont toujours seuls... et je suis navré que vous partagiez leur sort. Il n'y a donc aucun roi pour vous aider à porter ce fardeau ?

—Pas de roi, non... Le devoir est mon seul compagnon depuis mon accession au trône, un peu avant mes trente ans, et après toute une vie passée à me préparer pour ce rôle. Comment aurais-je trouvé le temps d'avoir une vie personnelle ? Et de choisir un époux qui partage mes convictions ?

—Quel dommage ! Si le Créateur a fait de nous des êtres passionnés, il y a une raison. Pareillement, Il ne nous a pas donné les prophéties par hasard.

—Oui, j'ai entendu parler de vos croyances… Chez vous, on est certain que les prédictions ont un lien avec le Créateur. Pourtant, on ne Le vénère pas. Une étrange contradiction, non ?

Ludwig but une gorgée pour se laisser le temps de réfléchir.

—Orneta, avez-vous jamais parlé avec le Créateur ?

La reine eut un rire de gorge.

—Moi ? Non, Il n'a jamais perdu Son temps à s'adresser à moi.

—Que c'est intelligemment exprimé !

—Pardon ?

—Le Créateur est le père de tout : les montagnes, les mers, les étoiles… En outre, Il a créé la vie elle-même. Et toutes les espèces qui la composent.

Intéressée, Orneta se pencha un peu plus vers l'abbé.

—Imaginez-vous le démiurge capable de tels exploits ? Vous représentez-vous ce que peut être une entité qui a tout créé et qui continue, chaque jour, de donner naissance à de nouvelles vies ? Chaque brin d'herbe, chaque poisson, chaque nouveau-né aux quatre coins du monde… Comment, pauvres mortels, pourrions-nous simplement concevoir un être pareil ? En réalité, nous en sommes incapables. Créer à partir de rien et à l'échelle de l'Univers ? Voilà qui nous dépasse complètement. C'est pourquoi j'affirme que le Créateur est hors de portée de notre imagination.

—C'est bien raisonné, je l'avoue…

—Si nos humbles esprits sont incapables de concevoir une telle entité, comment pourrions-nous la connaître ? Ou avoir la prétention que le Créateur nous perçoive individuellement ? Et si nous ne savons rien de Lui, Le vénérer n'est-il pas présomptueux ? Qu'en penserait-Il ? Aimeriez-vous savoir que des fourmis vous adorent ?

—Je n'avais jamais vu les choses ainsi, mais votre raisonnement se tient.

—C'est pour ça que le Créateur ne vous a jamais parlé, ni à aucun d'entre nous. Il est le Tout, et nous ne sommes rien. Nous sommes des grains de poussière auxquels Il insuffle la vie. Une fois que nous mourons, nos corps retournent à la poussière. Au nom de quoi s'adresserait-Il à nous ? Vous pencheriez-vous pour parler à un grain de poussière ?

—Donc, vous pensez que le Créateur ne se soucie pas de nous ? À Ses yeux, nous ne sommes rien.

—Dans mon pays, nous croyons que le Créateur s'intéresse à sa création – donc aux humains – mais d'une manière globale. En conséquence, Il nous parle, mais pas directement.

Fascinée, Orneta se pencha un peu plus encore vers Ludwig.

—Il se soucie de nous, alors ? Et Il nous parle ?

—Bien sûr : à travers les prophéties !

Un lourd silence suivit cette phrase.

—Les prophéties sont la voix du Créateur ?

—En un sens, oui… (Ludwig aussi se pencha un peu plus vers la reine.) Le Créateur est à l'origine de tout. Le croyez-vous capable de mépriser Sa création ?

—Non, mais Il ne s'adresse pas à nous, à vous entendre.

—Pas directement, ni individuellement. Mais Il ne nous accable pas de Son silence. En plus de créer la vie, Il nous a aussi offert le don – la magie – afin que l'humanité puisse entendre Sa voix. Le Créateur est omniscient. Les prophéties expriment Sa volonté, et les prophètes sont Ses messagers.

Orneta se redressa pour finir de boire son vin. Puis elle tourna de nouveau la tête vers Ludwig.

—Dans ce cas, pourquoi la Mère Inquisitrice et le seigneur Rahl s'acharnent-ils à nous cacher les prédictions que nous a laissées le Créateur ? Ayant tous les deux le don, ils devraient savoir que les prophéties sont Sa façon de nous parler.

—Ils le devraient, oui…

La reine se rembrunit.

—Qu'insinuez-vous ?

Ludwig étudia un moment le visage d'Orneta. Malgré sa minceur extrême, cette femme était très attirante, constata-t-il.

— Orneta, qui aurait intérêt à nous priver des paroles du Créateur ? Cherchez bien, et vous trouverez… Qui se réjouirait que l'humanité soit privée du plus grand cadeau de son guide ?

Orneta ne fut pas longue à trouver – et elle ne put dissimuler sa stupéfaction.

— Le Gardien du royaume des morts…, souffla-t-elle.

Chapitre 43

Orneta se redressa un peu et s'écarta de Ludwig, les mains posées sur les genoux. La posture d'une personne qui souhaite réfléchir à une révélation.

— Selon vous, le Gardien a ensorcelé la Mère Inquisitrice et le seigneur Rahl ? Ils seraient… possédés ?

L'abbé recouvrit de ses mains celles de la souveraine, puis il murmura d'un ton sinistre :

— La mort est sans cesse à l'affût, prête à nous arracher la vie. Celui Qui n'a pas de Nom, comme on l'appelle dans mon pays, a pour unique but de nous entraîner dans les ténèbres éternelles de son royaume. Parfois, il lui arrive d'user de la séduction pour forcer les vivants à accomplir sa volonté.

La reine retira ses mains à Ludwig et se redressa tout à fait.

— Vous allez trop loin, abbé ! La Mère Inquisitrice et le seigneur Rahl ne sont pas des suppôts du Gardien. Je n'ai jamais rencontré de plus ardents défenseurs de la vie.

Refusant de laisser fuir sa proie, Ludwig se pencha davantage vers elle.

— Vous pensez que les marionnettes du Gardien sont toujours conscientes de leur sort ? Si c'était le cas, elles le serviraient bien moins efficacement…

Une lueur d'intérêt passa dans le regard d'Orneta.

— Ils seraient manipulés à leur insu par le Gardien ? Servant ses sombres desseins sans en avoir conscience ?

Ludwig inclina la tête vers la reine.

— Quand le Gardien veut se servir de quelqu'un, n'a-t-il pas intérêt à choisir une personne au-dessus de tout soupçon ? Un héros universellement admiré, respecté et suivi ?

Orneta détourna le regard.

— C'est assez logique… En théorie, au moins.

— D'après tous les cas que nous avons recensés, une constante s'impose : les personnes possédées n'ont pas conscience de ce qui leur arrive, et elles pensent œuvrer toujours pour le bien. Mais le Gardien tire les ficelles à sa convenance. Les « pantins » continuent à passer pour des gens de bien dignes de confiance alors qu'ils sont prêts à faire n'importe quoi pour leur maître.

Orneta joua distraitement avec le collier de pierres précieuses dont une bonne moitié disparaissait dans son décolleté.

— Il semble logique que le Gardien choisisse des serviteurs qu'on ne soupçonnera pas. Malgré tout…

— Chez moi, on se méfie d'instinct des gens qui se détournent des prophéties. Les hommes et les femmes chargés de lutter contre le Gardien savent tous que l'incrédulité, lorsqu'il est question de prédictions, est un indice très sûr de possession. Les prophéties étant la parole du Créateur, il est normal que les sbires du Gardien refusent de les entendre. Dans le même ordre d'idées, pourquoi ferait-on la sourde oreille aux propos du bien, sinon pour mieux entendre ceux du mal ?

Orneta resta pensive un moment. Puis elle parla, mais à mi-voix, comme si elle s'adressait à elle-même :

— Il a toujours cette femme, Nicci, collée à ses basques. On dit qu'elle était surnommée la Maîtresse de la Mort.

— La Mère Inquisitrice et le seigneur Rahl ont une aversion envers les prophéties qui n'a pas de sens. Vous avez tenté vous-même de les remettre sur le droit chemin. En vain, hélas…

Orneta croisa de nouveau le regard de Ludwig.

— Croyez-vous vraiment que les deux dirigeants de l'empire sont des agents du Gardien ?

D'un coup de pouce, Ludwig chassa un grain de poussière de son curieux chapeau.

—Chez moi, nous croyons aux prophéties et nous les étudions toutes, qu'elles figurent dans des recueils ou qu'elles nous viennent de « prophètes » qui s'ignorent. Dans les grimoires, beaucoup d'anciens textes nous aident à protéger les gens des noirs complots du Gardien, l'empêchant de s'emparer d'eux avant que leur heure ait sonné pour de bon.

» Dans ces textes, nous avons trouvé des allusions au seigneur Rahl.

—Vraiment ? Et que disaient-elles ?

—Dans les antiques prophéties, on l'appelle *fuer grissa ost drauka.*

—On dirait du haut d'haran... Savez-vous ce que ça veut dire ?

—C'est bien du haut d'haran. Et ça signifie « le messager de la mort ».

Orneta se détourna de nouveau. Allait-elle éclater en sanglots ? La panique la submergeait-elle ? Ludwig n'aurait su le dire, mais les choses s'engageaient bien pour lui.

—Désolé, je n'aurais pas dû... (L'abbé fit mine de se lever.) Je vois bien que vous êtes bouleversée. Je n'aurais jamais...

Orneta prit Ludwig par le bras, le forçant à se rasseoir.

—Ne vous faites aucun reproche, Ludwig... Très peu d'hommes seraient assez forts pour regarder en face une telle vérité, et moins encore auraient le courage de s'en ouvrir à une reine alliée à l'empire d'haran.

—Je donnerais cher pour me tromper, mais je ne vois aucune autre explication à ce refus obstiné des prophéties. Si vous ne préférez pas me mettre à la porte, je vous en dirai plus long...

Orneta serra plus fort le bras de l'abbé.

—Oui, ne me cachez rien ! Pour me faire une idée juste, je dois tout savoir.

—Eh bien, selon notre expérience, les sbires du Gardien servent d'abord ses intérêts en dissimulant au peuple les prophéties qui pourraient lui ouvrir les yeux. Connaissant les buts de son ennemi ancestral, le Créateur nous a adressé une multitude d'avertissements.

— Là encore, c'est logique, mais comment croire que… ?

— Savez-vous que le seigneur Rahl a découvert une antique machine cachée depuis des millénaires dans le palais ?

— Une machine ? Quel genre de machine ?

— Une machine qui délivre des présages.

— Vous en êtes sûr ?

— Je ne l'ai pas vue, mais j'ai entendu, entre autres rumeurs, les murmures des ouvriers qui sont entrés dans le Jardin de la Vie.

— Qui d'autre connaît l'existence de cette machine à présages ?

— Orneta, je ne suis pas un délateur… Des gens m'ont parlé sous le sceau du secret.

— Ludwig, c'est important ! Si vous dites vrai, c'est même capital !

— Hum… D'autres invités de marque, des souverains ou des ambassadeurs, en ont parlé dans le secret de leur chambre.

— Est-ce une rumeur ? Ou en avez-vous la certitude ?

Ludwig mima de nouveau une hésitation d'honnête homme.

— Le roi Philippe, comme vous, a demandé à parler avec moi de ces sujets. Il a eu des échos sur cette machine – je ne lui ai pas demandé ses sources – et il m'a dit qu'elle s'est réveillée d'un long sommeil pour produire de nouveau des présages. Le seigneur Rahl les garde bien entendu secrets, tout comme il nous cache l'existence de la machine.

» Partageant mon opinion, Philippe pense qu'il ne peut y avoir qu'une raison à ce comportement. Si on ne sert pas le Gardien, pourquoi empêcherait-on le Créateur d'aider l'humanité ?

Orneta croisa les mains sur son giron.

— Philippe n'a rien d'un idiot, dit-elle.

Ludwig haussa légèrement les épaules, histoire de montrer qu'elle le mettait mal à l'aise. Puis il repassa à l'offensive :

— Comme d'autres dirigeants des alliés de l'empire, Philippe souhaiterait que notre chef respecte davantage les prophéties et se laisse guider par leur sagesse. Avec les sombres présages qui s'accumulent dans chacun de nos pays, il pense que ce serait notre seule chance de salut. Bref, il voudrait que l'empire soit entre les mains de chefs qui accordent de l'attention aux avertissements du Créateur.

—Quelqu'un comme votre évêque, Hannis Arc?

Ludwig eut un sourire modeste, comme si une telle idée ne lui aurait jamais traversé l'esprit toute seule.

—J'admets que Philippe et d'autres dirigeants ont évoqué cette possibilité. Ils savent qu'Hannis Arc respecte les prophéties, et ils aimeraient le voir gouverner l'empire avec la sagesse qu'il met au service de la province de Fajin.

Orneta réfléchit un moment, comme si elle avait toujours du mal à y croire.

—Pourquoi le seigneur Rahl ne nous a-t-il pas parlé de la machine? Un tel artefact pourrait faire tant de bien.

Ludwig hocha la tête comme un professeur un peu déçu par un élève.

—Orneta, vous connaissez déjà la réponse à cette question. Il ne peut y avoir qu'une explication…

Se massant les bras comme si elle mourait de froid, la reine regarda autour d'elle, affolée telle une biche prise au piège.

—Je me sens si seule et si impuissante…

Ludwig posa une main sur l'épaule de sa compagne – une manœuvre d'approche éprouvée.

—C'est bien pour ça que nous avons plus que jamais besoin du soutien des prophéties.

Loin de se dégager, Orneta posa une main sur celle de l'abbé.

—Je n'ai jamais eu peur quand j'étais ici… Et voilà que je me sens terrifiée.

Lorsqu'elle le regarda, Ludwig vit qu'Orneta se sentait perdue. Redoutant de le croire, elle craignait dans un même temps de ne pas pouvoir lui faire confiance.

C'était le moment de donner le coup de pouce final.

—Vous n'êtes pas seule, Orneta…

Il se pencha et embrassa la souveraine.

Elle ne réagit pas à son baiser. Avait-il commis une erreur de calcul?

Non, voilà qu'elle s'abandonnait, fondant littéralement dans ses bras. Il aurait pu bien plus mal tomber, songea-t-il. Elle était plus vieille que lui, certes, mais pas tant que ça. Et il la trouvait plus attirante de seconde en seconde.

En cet instant de vulnérabilité, Orneta abandonnait les rênes à la passion.

Ludwig l'allongea sur le sofa. Se laissant emporter par le désir, elle ne fit rien pour résister quand il commença à déboutonner sa robe.

Chapitre 44

Kahlan se réveilla en sursaut parce qu'elle avait entendu des hurlements.

S'asseyant en poussant un petit cri, le cœur battant la chamade, elle regarda autour d'elle, certaine qu'un monstre allait bientôt lui sauter dessus. Elle voulut dégainer son couteau, mais elle ne le portait pas à la ceinture.

Plissant les yeux, elle sonda le bosquet obscur, non loin d'elle. Il n'y avait pas l'ombre d'un monstre.

Quant au bosquet… Malgré ce qu'elle aurait juré, elle n'était pas dans la forêt, mais à l'intérieur du Palais du Peuple. Épuisée, elle avait fait un somme à la lisière du petit bois intérieur. Il n'y avait ni molosses, ni loups ni bêtes sauvages d'aucune sorte. Bref, elle était en sécurité. Les « hurlements » étaient en fait les grincements de l'énorme porte du Jardin de la Vie. Les soldats venaient d'ouvrir pour laisser entrer quelqu'un…

Kahlan repoussa les cheveux qui lui tombaient sur les yeux et s'autorisa un long soupir. Elle avait dû intégrer les « hurlements » à un cauchemar, d'où sa panique actuelle.

Pour se calmer, elle inspira plusieurs fois à fond. Puis elle regarda de nouveau autour d'elle, soulagée que la réalité soit bien moins menaçante que son rêve.

Obéissant au cycle des saisons, les arbres du jardin bourgeonnaient joyeusement. Bientôt, ils arboreraient un magnifique feuillage. Une fois le toit réparé et les vitres remises en place, le soleil printanier avait peu à peu réchauffé le Jardin de la Vie, en faisant de nouveau un refuge confortable où Richard et elle pouvaient dormir. Un lit aurait été plus moelleux, mais le sommeil venait bien plus vite quand on ne se sentait pas épié par des espions invisibles.

Après s'être frotté les yeux, Kahlan dut les plisser pour mieux voir la lune qui brillait dans le ciel. La position de l'astre nocturne lui apprit qu'elle n'avait pas dormi bien longtemps.

On était encore en pleine nuit, comme en témoignait l'entêtant parfum de jasmin qui planait dans l'air. Étonnante particularité, les minuscules pétales de ces délicates fleurs blanches s'ouvraient exclusivement après le coucher du soleil…

— Richard est en bas ? demanda Nathan en désignant le trou qui conduisait à la salle secrète.

Se fichant du clair de lune et du jasmin, le grand prophète venait d'entrer et il était à l'évidence pressé de voir son lointain descendant.

— Oui, il surveille la machine avec Nicci. Pourquoi ? Il y a un problème ?

— Un gros, oui, répondit Nathan en se dirigeant vers l'échelle.

Kahlan vit que le prophète avait quelque chose dans la main. Se levant d'un bond, elle lui emboîta le pas.

La porte refermée, les soldats de la Première Phalange reprirent leurs positions défensives. Plus de vingt guerriers d'élite montaient la garde dans le Jardin de la Vie – un lieu si inexpugnable que deux ou trois d'entre eux auraient suffi à le défendre contre toute une armée.

Il était plutôt déconcertant d'être ainsi surveillée en permanence, mais ces hommes n'avaient aucun rapport avec la créature de la chambre. Eux, ils ne quittaient pas Kahlan des yeux pour garantir sa sécurité. Si elle ignorait tout des motivations de la créature noire, l'Inquisitrice aurait mis sa main au feu qu'elles n'étaient pas bienveillantes.

Depuis que la machine avait produit la première de ses deux plus récentes prophéties – « Le paon prend la fierge » – Richard entourait sa femme de tout un luxe de protection. Quand elle sortait du Jardin de la Vie sans lui, une petite armée de soldats l'escortait, Nathan, Zedd ou Nicci se chargeant des défenses magiques – et bien entendu, deux Mord-Sith au moins se joignaient à l'expédition.

Kahlan ne se plaignait pas qu'on veille sur elle, loin de là. Mais quand elle devait rencontrer des têtes couronnées ou des ambassadeurs, ce déploiement de forces la mettait en porte-à-faux. Alors qu'elle les bombardait de paroles apaisantes, son comportement donnait l'impression que le palais subissait un siège. Par bonheur, les invités de marque savaient que quelque chose ne tournait pas rond. Ayant assisté à la tentative d'assassinat, ils comprenaient que Richard ne veuille prendre aucun risque quand la vie de sa femme était en jeu. Mais la nature mystérieuse de la menace réveillait l'intérêt de ces gens pour les prophéties. Du coup, ils recommençaient à se sentir privés d'informations vitales.

S'accommodant des intempéries, beaucoup d'invités s'étaient confortablement installés dans leurs superbes appartements. Quelques rares souverains étaient partis, laissant au palais des représentants dignes de confiance.

Richard et Kahlan jugeaient primordial que tous les pays composant l'empire éprouvent un profond sentiment d'unité. Résolus à œuvrer pour le bien commun, ils devaient être gouvernés par une seule et même loi. Afin de réaliser cet ambitieux projet, le Sourcier et sa femme encourageaient tous les dirigeants à laisser une ambassade ou au minimum une légation au palais. En outre, tous ces dirigeants avaient en permanence une chambre royale réservée à leur nom. Beaucoup plus vaste que bien des villes, le complexe palatial ne manquait pas de place pour accueillir des invités.

Sauf quand il s'agissait de princes. Jusqu'à nouvel ordre, ceux-ci étaient indésirables au palais – d'où on les avait d'ailleurs promptement renvoyés.

Comme de juste, les gens exigeaient des explications. Mais Richard ne leur en donnerait pas. S'il s'y était risqué, il aurait dû révéler la dernière prédiction de la machine, et il s'y refusait.

N'aimant pas mentir, il avait dû improviser ses «omissions». La simplicité étant la première condition de la réussite, il avait dit une part de la vérité. On l'avait prévenu d'une menace, et il prenait des précautions...

À l'origine, trois princes étaient présents au palais. Le premier, un invité de *grande* marque, représentait son père, le roi de Nicobarese. Les deux autres étaient moins importants, mais Richard n'avait voulu prendre aucun risque. Les trois hommes étaient repartis chez eux avec une solide escorte commandée par un officier choisi par le général Meiffert en personne.

Ainsi, il ne restait plus un seul prince au palais. Quelques invités de marque s'en étonnaient et d'autres se plaignaient qu'on leur ait encore caché quelque chose. Tant pis pour eux! Le dernier présage délivré par la machine n'avait rien de plaisant, et Richard était décidé à tout pour interdire qu'il se réalise.

Souvent agacés par les questions qu'on leur posait à ce sujet, Richard et Kahlan avaient pris sur eux. De guerre lasse, les gens étaient passés à autre chose...

Lorsqu'elle eut descendu l'échelle, Kahlan dut allonger le pas pour ne pas être semée par Nathan. Doté de très grandes jambes, le vieux prophète ne semblait pas décidé à ralentir pour attendre la jeune femme.

Pénétrant par le trou toujours béant, la lumière de la lune nimbait d'une aura irréelle la tanière de l'incroyable machine. En descendant l'escalier qui donnait accès à la seconde salle, Kahlan se félicita que l'astre nocturne soit dans une de ses phases d'épanouissement. Sans son apport, il aurait fait nuit noire dans les entrailles du Jardin de la Vie.

Richard avait dû entendre les visiteurs, puisqu'il les attendait au pied de l'escalier en colimaçon. Curieuse de savoir ce qui pouvait être si urgent en pleine nuit, Nicci l'accompagnait.

Kahlan vit son mari soulever discrètement l'Épée de Vérité – avec deux doigts – histoire de s'assurer qu'elle coulissait bien dans son fourreau. Une vieille habitude dont le Sourcier n'avait jamais eu à se plaindre, bien au contraire...

—Que se passe-t-il, Nathan?

— Tu te souviens du dernier présage de la machine ?

— Celui qui ne devait pas sortir de la bibliothèque ?

Un vœu pieux, puisque Nathan l'avait trouvé mot pour mot dans l'ouvrage intitulé *Notes sur la fin...* Selon le prophète, cette découverte rendait la prédiction encore plus troublante, car ça confirmait son authenticité.

— Ce soir, reprit Nathan, une fois la lune levée, Sabella a énoncé une prophétie devant un groupe d'invités de marque. (Nathan désigna la machine, non loin de là.) C'est la copie conforme du présage de la machine et du texte que j'ai trouvé dans le livre.

— Et si j'envoyais notre devineresse aveugle très loin du palais, dans un endroit où elle pourrait gagner sa vie sans nous donner des sueurs froides ?

— Ça ne changerait rien, dit Nathan. Au moment même où elle parlait, trois personnes qui n'avaient jamais eu la moindre révélation ni aucune prémonition sont tombées en transe, répétant dans leur stupeur cette même prophétie.

— La même ? Vous êtes sûr ?

— Certain, mon garçon ! Beaucoup de gens étaient présents lorsque ces prophètes improvisés ont délivré leur message. Bien entendu, le bouche à oreille a fonctionné, et tout le palais serait au courant, à l'heure qu'il est, si la majorité de ses occupants n'était pas au lit. Mais demain, les rumeurs iront bon train, et comme tu as bel et bien renvoyé les princes...

— Pourquoi tous ces gens et pas vous ? Nathan, vous êtes un prophète. Les prédictions devraient passer par vous.

— Ce ne sont peut-être pas de vraies prophéties...

— On dirait que la machine veut s'assurer que les gens connaissent ses présages... Au moins, les princes sont en sécurité. Ça calmera peut-être les esprits.

— Richard, c'est plus grave que ça.

— Plus grave ?

— Quand j'ai su pour Sabella et les trois autres, j'ai voulu vérifier quelque chose. Lauretta était dans la bibliothèque, comme je m'en doutais, et elle écrivait fébrilement le texte que voici.

Nathan tendit au Sourcier une feuille de parchemin. Posant une main sur l'épaule de son mari, Kahlan se pencha pour lire avec lui.

« Durant la pleine lune, alors qu'il séjournera au palais, un prince de l'Ouest périra par les crocs. »

— C'est mot pour mot le présage de la machine, dit Richard d'une voix tremblante. Nicci, cette prophétie peut-elle avoir un rapport avec le jeu dont tu nous as parlé ?

— Le chaturanga ? C'est le cas pour « la fierge prend le paon », et pour « le paon prend la fierge ». Ce sont effectivement des coups de ce jeu. Mais cette histoire de prince et de crocs n'a rien à voir. Il y a comme un écho, c'est vrai, mais je suis formelle, ça n'est pas un coup de chaturanga.

Richard soupira de déception. Comment savoir si les deux derniers présages de la machine étaient liés ?

— Seigneur Rahl ! Seigneur Rahl !

C'était Cara, qui appelait du haut de l'escalier.

Elle descendit assez de marches pour pouvoir voir Richard et les autres en se penchant un peu.

— Seigneur Rahl, c'est Benjamin qui m'envoie. Vous devez venir dans les quartiers des invités. Et vite !

Chapitre 45

Sur les talons de Richard, Kahlan s'étonna de voir tant de gens massés dans les couloirs que son mari et elle remontaient à vive allure. Il y avait bien sûr des membres de l'équipe d'entretien de nuit, mais que faisaient là des invités de marque qui auraient dû dormir dans leur chambre plutôt que monter la garde devant une porte?

Jouant les éclaireurs comme toujours, Cara avait quelques longueurs d'avance sur les deux époux. Facile à repérer dans son uniforme rouge, elle s'orientait parfaitement dans l'aile des invités comme presque partout ailleurs au palais.

Des soldats allaient et venaient aussi dans les couloirs, tous sur le pied de guerre. Intrigués, les invités lancèrent aux deux époux des questions angoissées auxquelles ils ne prirent pas le temps de répondre. Qu'auraient-ils pu dire, de toute façon, puisqu'ils n'en savaient pas plus long sur le sujet…

Après une intersection, Kahlan vit que des gardes bloquaient carrément le corridor. Dès qu'ils virent Richard, ces hommes firent s'écarter les curieux afin de lui dégager la voie. Quand des membres de la Première Phalange faisaient cette tête-là, il fallait être suicidaire pour ne pas leur obéir.

Kahlan vit que la reine Orneta tentait de se frayer un chemin jusqu'au premier rang des curieux. Souveraine ou pas, elle semblait aussi inquiète et aussi troublée que n'importe qui d'autre.

Derrière la haie de gardes, des centaines de soldats d'élite se pressaient dans le couloir pourtant très large. Selon l'unité à laquelle ils appartenaient, ces hommes portaient une cuirasse, un plastron ou une armure recouverte d'une cotte de mailles. Dans tous les cas, ils étaient équipés pour la guerre, et tous brandissaient au moins une arme dégainée.

Les piquiers qui constituaient le second rang de la ligne défensive s'écartèrent pour laisser passer Cara, Richard, Kahlan, Nicci et Nathan. Lorsque ces hommes formaient un « mur d'acier » dans un couloir, il n'était plus question de passer, même pour une force largement supérieure en nombre.

Un troisième rang de défenseurs – des escrimeurs d'élite – s'écarta devant les nouveaux venus.

Kahlan se demanda ce qui avait pu attirer ici tant de guerriers.

Déboulant enfin dans une partie du couloir dégagée, Kahlan vit que Benjamin, entouré d'une poignée d'hommes, attendait devant la porte richement sculptée d'une chambre royale.

C'était le secteur des invités les plus prestigieux. Cela dit, Kahlan n'aurait su dire à qui on avait affecté cette chambre.

Dès qu'il se fut immobilisé, Richard baissa les yeux vers le sol. Suivant son regard, Kahlan vit que du sang avait coulé sous la porte, rougissant le marbre blanc d'une dalle et empoissant le chemin de couloir.

Agiel au poing, Cara vint se camper aux côtés de son seigneur. Nicci flanqua Kahlan, prête à la protéger. Entre une Mord-Sith et une magicienne, les deux époux n'auraient pas pu être plus en sécurité.

Nathan se plaça à l'arrière-garde.

—Que se passe-t-il, général ? demanda le Sourcier en désignant la porte.

—Nous n'en sommes pas sûrs, seigneur Rahl… Des voisins ont été réveillés par des cris horribles…

Richard dégaina sa lame. La note métallique à nulle autre pareille se répercuta dans tout le couloir.

— Tu sais qui réside ici ?

— Le roi Philippe, seigneur Rahl.

— Et que fichez-vous tous dans le couloir ? demanda le Sourcier, sa colère éveillée par la magie de l'épée. Qu'attendez-vous pour entrer et aller voir ?

Le général serra les dents.

— Nous avons essayé, seigneur Rahl, mais il s'est avéré impossible de défoncer la porte. Ces suites sont destinées à des invités importants très soucieux de leur sécurité. Les portes sont renforcées et munies de serrures spéciales.

Kahlan vit que le bois était fissuré, la preuve que Benjamin ne mentait pas.

— Considérant la violence de nos efforts, ajouta le général, je n'exclus pas la possibilité qu'on ait ajouté un bouclier magique.

— C'est possible mais, à part les membres de la famille Rahl, les sorciers sont très affaiblis au sein du palais. Qui aurait pu invoquer ce bouclier ?

Kahlan vit la colère de l'épée briller dans le regard de Richard. Il luttait pour la contrôler, mais ça risquait de ne pas durer.

Voyant que le général ne savait que répondre, Nathan intervint :

— Richard, même un sorcier affaibli serait en mesure de générer un bouclier assez fort pour barrer une porte… (Le prophète tendit le cou vers le battant.) Je ne capte rien, mais ça ne veut pas dire que le général a tort…

Benjamin se retourna lorsque des bruits de bottes retentirent dans le couloir.

— Oublions ça…, souffla-t-il. Nous allons ouvrir, maintenant.

Des soldats remontaient le couloir, portant un énorme bélier à tête d'acier. Un modèle si lourd que huit colosses aux muscles saillants suffisaient à peine pour le transporter.

Derrière, le roi Philippe, épée au poing, pestait contre les défenseurs qui prétendaient lui barrer le chemin. Dès que

Benjamin eut fait signe aux gardes de le laisser passer, il s'empressa de rejoindre Richard et Kahlan.

— C'est ma chambre! s'écria-t-il. Que se passe-t-il?

— Nous ne le savons pas encore, répondit le général.

Dès qu'il vit le sang, Philippe saisit la poignée de la porte et la secoua frénétiquement.

— Ma femme est à l'intérieur!

Il tenta de défoncer le battant à coups d'épaule – sans le moindre succès, bien entendu.

Richard prit le souverain par l'épaule et le força à reculer.

— Laissez faire ces hommes! Ils ont un bélier… Mais il faut qu'ils accèdent à la porte.

Oscillant entre la rage et la panique, le roi regarda Richard puis les soldats, puis enfin le bélier. Comme s'il reprenait ses esprits, il s'écarta et fit signe aux soldats de passer à l'action.

Les huit colosses ne se le firent pas dire deux fois. Prenant autant d'élan que possible, ils se précipitèrent vers la porte. Dans un vacarme épouvantable, le mur entier sembla trembler, mais la lourde porte ne céda pas.

Les soldats reprirent de l'élan et foncèrent de nouveau sur leur cible. Des éclats de bois volèrent dans les airs et à l'endroit de l'impact, le bois s'incurva nettement. Mais la porte n'avait toujours pas cédé et le troisième essai ne fut pas plus fructueux.

— Nicci, Nathan, ne devriez-vous pas essayer? demanda Kahlan, convaincue qu'un détenteur du don aurait plus de chances de réussir.

Mais Richard n'était plus d'humeur à attendre.

— Écartez-vous! lança-t-il aux huit colosses alors qu'ils faisaient mine de reprendre de l'élan.

Quand les soldats eurent obéi, Richard saisit son épée à deux mains et la leva au-dessus de sa tête. Lorsqu'il l'abattit, la lame fit siffler l'air.

Fabriquée des millénaires auparavant, l'Épée de Vérité était investie d'un incroyable pouvoir. Quand le Sourcier la maniait elle pouvait tout trancher, à une seule exception près: la chair des innocents.

La lame fendit la porte en deux. Tandis que tous les témoins levaient les bras pour se protéger les yeux des éclats de bois, un deuxième coup vint parachever le travail. Plissant les yeux, Kahlan vit que la lame avait traversé le battant et coupé la lourde barre de chêne qui le tenait fermé de l'intérieur. Richard flanqua un coup de pied à l'endroit que ses deux frappes avaient déjà affaibli. S'arrachant à ses gonds, la porte bascula à l'intérieur de la suite.

Sans attendre davantage, Richard s'enfonça dans un épais nuage de plâtre et de poussière.

Chapitre 46

Kahlan tenta de suivre Richard, mais Cara, intraitable dès qu'il s'agissait de protéger son seigneur, lui passa devant, Agiel au poing. Nicci brûla elle aussi la politesse à l'Inquisitrice. Dès que le Sourcier se jetait tête la première dans les ennuis, la Mord-Sith et la magicienne voyaient rouge. Tout aussi inquiète, Kahlan coupa la route à Benjamin et avança sur les talons des deux protectrices.

Fou d'angoisse, Philippe tenta de suivre le mouvement, mais des soldats le retinrent. Diplomate, Benjamin implora le roi d'attendre que Richard et les autres aient découvert ce qui se passait.

Dans la chambre, le Sourcier et ses compagnons s'étaient immobilisés.

L'odeur du sang monta aux narines de Kahlan, lui donnant la nausée. Jetant un coup d'œil par-dessus son épaule, elle vit que Benjamin se tenait sur le seuil, n'attendant qu'un mot pour entrer avec des renforts.

Au fond de la pièce, la porte-fenêtre était ouverte. Agités par le vent, les rideaux évoquaient irrésistiblement des fantômes.

— On n'y voit rien…, souffla Cara.

Nicci invoqua une flamme de poing. Avisant un chandelier, elle envoya la petite flamme embraser la mèche de toutes les bougies.

La lumière révéla à Kahlan un spectacle qu'elle aurait voulu ne jamais voir.

—Par les esprits du bien…, murmura-t-elle dans un silence oppressant.

Dans la chambre dévastée, Nicci retrouva deux ou trois lampes, les alluma et les posa sur le seul guéridon encore debout.

Les dégâts apparurent alors dans toute leur gravité. Les meubles brisés, les coussins éventrés, les fauteuils lacérés de coups de griffes ou de crocs – et peut-être des deux.

Un sofa était littéralement imbibé de sang. Des traînées rouges maculaient les murs, incroyablement nombreuses et larges.

La reine Catherine gisait sur le sol. Le cuir chevelu à demi arraché, elle portait des entailles sur tout le crâne et sur la partie supérieure du visage. La mâchoire déboîtée, elle rivait sur le plafond un regard à la fois horrifié et stupéfait.

Ses vêtements étant rouges de sang, nul n'aurait su dire quelle était leur couleur d'origine.

Catherine avait été éventrée – presque coupée en deux, en réalité. Le muscle de sa cuisse gauche, arraché à l'os, pendait contre son flanc. L'os lui-même était couvert d'entailles, comme si on avait voulu le ronger.

Des viscères jonchaient le sol. On eût dit l'œuvre d'une meute de loups – cette manière de déchiqueter une carcasse jusqu'à ce qu'elle ne soit plus reconnaissable.

Kahlan sentit ses genoux se dérober. Les avertissements de la tueuse retentissaient en boucle dans sa tête. Le calvaire que cette femme avait prédit pour elle, c'était Catherine qui l'avait vécu.

Dans la bouillie d'entrailles, Kahlan remarqua ce qui devait être un cordon ombilical. Au bout, elle découvrit les restes du bébé encore à naître de la reine. Le bas du corps était parfaitement formé. Le haut, lui, avait disparu.

Kahlan put quand même voir qu'il s'agissait d'un garçon. Un prince !

Avec un cri de rage, Philippe parvint à échapper aux soldats, trop respectueux pour se montrer vraiment violents avec lui.

Arrivé devant sa femme, le souverain se pétrifia.

Puis il cria. Un hurlement de désespoir, si déchirant qu'il aurait sans doute arraché des larmes aux esprits du bien.

Richard prit le roi par l'épaule et tenta de le tirer en arrière.

Philippe se dégagea, faisant face au Sourcier.

—C'est votre faute!

—Comment osez-vous lancer une accusation pareille? s'indigna Nathan.

Le roi ne l'entendit même pas. Dégainant son épée, il la brandit devant le visage de Richard.

—Vous auriez pu empêcher ça!

Sa lame toujours au poing, Richard lutta pour contrôler sa rage. Puis, avec son épée, il força Philippe à baisser la sienne.

—J'imagine à peine votre douleur, dit le Sourcier du ton le plus compatissant qu'il pouvait adopter quand la colère de l'épée bouillait en lui – surtout lorsqu'elle était alimentée, comme en ce moment, par une scène effroyable. Votre peine et votre courroux sont hautement compréhensibles.

—Qu'en savez-vous? Si vous vous intéressiez aux autres, vous les aideriez en tenant compte des prophéties.

—Les prédictions n'auraient pas empêché ce drame, assura Richard.

—N'avez-vous pas renvoyé les princes? Vous saviez, donc il ne tenait qu'à vous d'intervenir. Mais ce qui arrive vous arrange.

Nicci regardait le roi depuis son entrée dans la pièce, et elle continua. Au moindre mouvement suspect, son pouvoir le frapperait avant même qu'il ait compris ce qui lui arrivait.

Selon Kahlan, Philippe n'avait aucune conscience des risques mortels qu'il courait en défiant Richard, Nicci et Nathan. Elle-même était prête à le «calmer», s'il le fallait.

—Vous perdez l'esprit, dit Nicci. Le désir de trouver un coupable vous égare.

Le roi pointa son épée sur la magicienne.

—Je n'ai jamais été si lucide, au contraire! Je viens d'apprendre l'existence de la prophétie au sujet des princes. Si le seigneur Rahl ne nous l'avait pas cachée, cette horreur aurait pu être évitée !

—Et si vous n'aviez pas été dehors, à la chasse aux prédictions, lâcha Kahlan d'un ton glacial, vous auriez pu sauver votre femme et votre fils d'un sort atroce. N'est-ce pas le devoir d'un mari et d'un père ? Et maintenant, vous tentez de faire endosser la faute à d'autres ?

Richard tapota le bras de Kahlan, comme pour lui dire de ne pas s'acharner sur Philippe. Elle avait raison, bien entendu, mais ce n'était pas le moment d'insister là-dessus.

Sans quitter le roi du regard, le Sourcier n'esquissa pas un geste pour le désarmer. S'il l'avait voulu, rien n'aurait pu l'en empêcher, malgré tout le bien que pensait Philippe de ses qualités d'escrimeur.

—Vous n'avez pas accompli votre mission, qui est de protéger les gens…

—Richard fait tout ce qu'il peut pour protéger les autres ! s'écria Kahlan, son pouvoir prêt à frapper.

—Vraiment ? Alors, pourquoi ne nous a-t-il pas parlé de la machine à présages ?

Richard sursauta.

—Tout le monde est au courant ! lança Philippe. Alors, pourquoi avez-vous tenu à nous cacher des prophéties sans nul doute venues du Créateur en personne ?

—Nous ne savons rien sur cette machine, dit Richard. Est-elle notre alliée ou notre ennemie ? C'est impossible à dire. Et tant que nous ne connaîtrons pas la réponse, comment se fier à ses présages ? Voilà pourquoi…

—Seigneur Rahl, de qui êtes-vous le serviteur ? De la vie… ou de la mort ?

Cara leva le bras, son Agiel pointé vers le roi.

—Vous vous engagez sur un terrain glissant, Majesté. Visiblement, vous ne vous contrôlez plus. Faites un effort, sinon, vous finirez par dire quelque chose que vous regretterez encore dans dix ans.

Richard saisit le poignet de Cara et lui fit baisser le bras.

—Philippe, j'aurais fait n'importe quoi pour empêcher ça.

—Tout, sauf dire la vérité! On murmure que vous avez peur de dormir dans une de vos chambres. Maintenant, nous savons tous pourquoi. Mais vous n'avez averti personne au palais. En cela, vous nous avez trahis.

Richard serra les dents et ne répondit pas. Essayer de raisonner un homme en état de choc était peine perdue, Kahlan le savait.

—Vous n'êtes pas le chef dont a besoin l'empire d'haran!

—Je jure de trouver les coupables et de m'assurer que justice sera faite.

—La justice? Moi, je connais déjà le coupable. (Philippe rengaina sa lame.) Mon pays ne reconnaît plus votre autorité, Richard Rahl. Pour mon peuple et pour moi, vous n'êtes plus le chef légitime de l'empire.

Le roi baissa les yeux sur la dépouille de sa femme. Il les ferma très vite, peut-être pour refouler ses larmes. Ou pour résister à l'envie de tirer de nouveau sa lame au clair.

Puis il se détourna et sortit au pas de charge.

Chapitre 47

L'épée toujours au poing, Richard passa son bras libre autour des épaules de Kahlan, qui lui caressa gentiment le dos, manifestant ainsi toute sa compréhension. En un pareil moment, les mots n'étaient pas utiles, et de toute façon aucun n'aurait pu être assez fort.

En silence, Richard guida sa femme hors de la suite.

Durant la guerre, Kahlan avait vu d'innombrables morts violentes. Au fil du temps, sans s'y habituer, elle était parvenue à ne plus être affectée jusqu'au plus profond de son âme. Avec la paix, sa carapace s'était lézardée.

La mort de Catherine, à l'évidence, la bouleversait comme si c'était la première qu'elle voyait. Parce que Catherine était enceinte? Parce qu'elle avait vu les restes pathétiques d'un bébé arraché au ventre de sa mère avant d'être supplicié? Cela lui rappelait-il l'enfant qu'elle avait perdu après avoir été battue à mort par une bande de brutes?

Quoi qu'il en soit, l'Inquisitrice étouffa un cri de détresse et lutta de toutes ses forces pour ne pas pleurer.

Encore que, en l'absence de son mari pour veiller sur sa dépouille, c'était peut-être un hommage que Catherine méritait…

Une fois dans le couloir, Richard s'arrêta et étudia le sol. Le chemin de couloir empoissé de sang était un peu relevé, sans doute à cause des allées et venues incessantes et des efforts violents des porteurs du bélier.

Pour une raison inconnue, Richard semblait fasciné par ce spectacle.

Se penchant pour mieux voir, Kahlan découvrit qu'il y avait une marque sous le tapis.

Du bout de sa lame, Richard écarta le chemin de couloir.

Sur le marbre maculé de sang – le fluide vital de Catherine et de son fils à naître –, on avait gravé un symbole circulaire. À première vue, Kahlan trouva qu'il ressemblait à ceux qui emplissaient le mystérieux livre intitulé *Regula*.

—Tu sais ce que ça veut dire, Richard ?

—Oui, répondit le Sourcier, soudain très pâle. « Surveillez-les ! »

—Tu en es sûr ? demanda Nicci, qui avait elle aussi remarqué le symbole.

—Certain ! Benjamin, fais en sorte qu'on s'occupe dignement des restes de la reine. Avant le nettoyage de la suite, il faudra l'inspecter soigneusement. Qu'on étudie la moindre écharde et qu'on cherche des empreintes dans le sang, pour déterminer si elles sont humaines ou animales. Il faudra aussi être attentif aux crocs brisés. Les bêtes en perdent parfois lors d'une attaque. *Idem* pour les poils ou la fourrure. Nous devons savoir si les coupables sont des hommes ou des bêtes sauvages.

—À vos ordres, seigneur Rahl !

—La porte-fenêtre qui donne sur la terrasse était ouverte. À l'évidence, les agresseurs sont entrés par là.

—Ce niveau du palais est assez près du sol pour que ce soit possible, seigneur. Mais il n'y a jamais eu de loups au sommet du plateau. Des chiens, oui, mais pas de loups.

—L'attaque s'est produite, et ça pouvait tout à fait être une bande de molosses. Même domestiqués, les chiens tuent les gens de cette façon quand ils sont en meute.

—Je superviserai les recherches, seigneur Rahl, dit le général.

—Moi, je vais enquêter sur autre chose… Fais dire aux invités que nous penchons pour une attaque d'animaux, des loups ou des chiens. Qu'ils ferment et verrouillent toutes les issues de leurs appartements. Des sentinelles devront se relayer en permanence dans les couloirs. Si elles voient n'importe quel animal à quatre pattes, qu'elles le tuent et vérifient ensuite le contenu de son estomac.

Alors que le général se tapait du poing sur le cœur, Richard partit au pas de course. D'abord surprise, Kahlan ne tarda pas à le suivre, Cara, Nathan et Nicci sur les talons.

Le long du couloir, les gardes s'écartèrent pour laisser passer leur seigneur. Les lignes de défense firent de même, forçant la foule de curieux à céder le passage au Sourcier et à ses compagnons.

Des invités s'accrochèrent à la manche de Richard, implorant qu'on leur dise ce qui était arrivé et s'il y avait du danger.

Sans ralentir, le Sourcier confirma qu'il y avait un grand péril, mais que les soldats contrôlaient la situation.

Une fois sorti des quartiers des invités, le petit groupe franchit une porte lourdement gardée le jour comme la nuit.

L'aile privée du palais, où aucun visiteur n'était autorisé. Comme il était apaisant d'être enfin loin des gens, de leurs questions et de leurs yeux accusateurs.

Le petit groupe traversa des salles chichement éclairées et coupa par des bibliothèques obscures. Un raccourci, comprit Kahlan.

—Où allons-nous? demanda-t-elle à Richard alors qu'ils s'engageaient dans un couloir plus large que la moyenne.

—La dernière chambre où nous avons dormi…

—Celle où nous avons été… épiés?

—Exactement!

Quelques minutes plus tard, dans un couloir aux murs richement lambrissés, Richard s'arrêta devant la porte de la dernière chambre où le couple avait dormi, peu après la tentative d'assassinat et la mort de la tueuse convaincue que des monstres allaient dévorer ses enfants et la Mère Inquisitrice.

Des « monstres noirs », avait-elle dit.

De la pointe d'un pied, Richard souleva le chemin de couloir.

Un symbole était gravé dans le marbre. Le même que devant la porte de Catherine, pour autant que Kahlan pût en juger.

—Le sens est identique…, murmura Richard, sinistre. «Surveillez-les!»

—Nous avons senti qu'on nous observait, dit Kahlan. Je me demande si Catherine a eu la même impression…

—Moi, j'aimerais savoir qui a gravé cet emblème sans se faire remarquer – au cœur de mon palais!

Chapitre 48

Seul dans la salle secrète, les mains croisées dans le dos, Richard contemplait la machine en essayant de comprendre ce qui était en train de se passer. Dans le Jardin de la Vie, au-dessus de sa tête, il était resté un long moment étendu avec Kahlan, la serrant contre lui jusqu'à ce qu'elle cesse de pleurer. Lorsqu'elle s'était enfin détendue, la jeune femme n'avait pas tardé à s'endormir. Se levant en silence, Richard était descendu dans la « tanière » où la machine se tapissait depuis des siècles.

Qui avait créé cette machine et dans quelle intention ? Sur l'identité du père de l'artefact, Richard n'avait aucune idée. Sa fonction, en revanche, semblait être de produire des prédictions. Comment l'avait appelée Philippe, déjà ? La machine à présages ?

Bizarrement, cette explication semblait bien trop simple. Du lexique, on pouvait déduire que Regula était le nom de la machine – un élément qui compliquait beaucoup les choses, quand on prenait la peine d'y songer.

Cela dit, l'ouvrage intitulé *Regula* n'était en gros qu'une suite de traductions des symboles qui composaient le langage de la Création. La machine utilisant cette langue pour ses prédictions, le livre était un adjuvant précieux, mais il ne contenait aucune information historique ou magique susceptible de mieux définir la machine. En haut d'haran, *Regula* signifiait « commander avec une autorité souveraine ». Quel rapport avec des présages gravés sur une série de bandes de métal ?

Il y avait bien une hypothèse : grâce à ses prédictions, la machine contrôlait les événements. Mais quelqu'un d'autre pouvait tirer les ficelles dans l'ombre et s'assurer que la réalité ressemble aux prophéties.

D'autre part, il fallait noter que les présages de la machine semblaient ne pas suffire. Plusieurs habitants du palais avaient émis les mêmes augures, au mot près, comme si quelqu'un avait voulu s'assurer que tout le monde soit informé. Mais pourquoi ce refus du secret ?

Si la machine contrôlait bel et bien les événements, son nom n'était plus un mystère. Mais cette hypothèse-là n'était pas facile à avaler, pour quelqu'un d'aussi rationnel que Richard.

S'il avait dû parier, le Sourcier aurait tout misé sur un seul numéro : toutes les explications manquantes figuraient sans doute dans la partie absente du livre – celle qu'on avait cachée au cœur du Temple des Vents. Cette section du texte devait être capitale, sinon, qui aurait pu consentir tant d'efforts pour la dissimuler ?

Richard n'avait guère envie de retourner dans le temple. Pour commencer, ce ne serait pas si facile que ça, et ça risquait de générer plus de questions que de réponses, au bout du compte.

Mais n'était-il pas trop tard dans la nuit pour penser à des choses pareilles ? Soudain, Richard n'eut plus qu'une envie : remonter, se serrer contre Kahlan et l'entendre répéter que tout s'arrangerait et qu'il n'était pas coupable du sort tragique de Catherine. Intellectuellement, il le savait, mais se le faire dire était toujours réconfortant – même si ça ne changeait rien, au final, parce qu'il était impossible de modifier le passé.

Richard devait découvrir ce qui se passait… et y mettre un terme.

Les invités de marque allaient être dans tous leurs états, il le savait. À cause du meurtre de Catherine, alors qu'elle était reçue au palais, mais surtout parce que Philippe avait mis en cause la légitimité du nouveau seigneur Rahl. Le roi avait cédé à ses émotions, ça tombait sous le sens, mais ça n'empêcherait pas une foule de gens de se rallier à sa cause. Face à une telle menace,

Richard ignorait que faire. Mais pour l'instant, ce n'était pas son souci principal.

Tandis qu'il se reprochait de ne pas avoir pensé au quatrième prince présent au palais – l'enfant royal encore à naître –, Richard n'avançait pas d'un pouce sur le chemin de la vérité. En l'accusant, Philippe et les autres s'éloignaient aussi du cœur du problème. Oubliant sa culpabilité, le Sourcier devait découvrir ce qui s'était produit et pourquoi on en était arrivé là.

Une créature ou une personne s'était introduite dans la chambre pour tuer Catherine. Ce n'était pas un hasard, mais une des étapes d'un plan sophistiqué. *Primo*, quelqu'un avait voulu qu'on surveille la reine. *Secundo*, le symbole gravé dans le sol n'était pas arrivé là tout seul. *Tertio*, l'espion avait patienté, attendant que Catherine soit seule pour la frapper.

Voilà au moins comment Richard imaginait les choses. Cela dit, même si sa présence était hautement suspecte, le symbole ne pouvait pas être automatiquement relié au meurtre. En conséquence, il ne fallait pas se laisser aveugler par ce qui pouvait être une coïncidence.

Il n'en restait pas moins stupéfiant que quelqu'un ait pu entrer dans les quartiers privés du seigneur Rahl – au nez et à la barbe de gardes d'élite – pour graver le même emblème devant la porte du maître de D'Hara et de son épouse.

Même s'il crevait d'envie de voir Kahlan, Richard avait besoin de réfléchir. Et pour ça, il valait mieux qu'il soit seul.

D'instinct, il lui semblait que la machine à présages était au cœur du raz-de-marée de ténèbres qui s'était abattu sur le palais.

Le gamin malade l'avait bien dit : il y avait des ténèbres au palais… Richard ne doutait plus désormais de la véracité de ses dires. L'obscurité tombait sur ses compagnons et lui comme un linceul.

— Qu'es-tu donc ? murmura Richard en posant une main sur la machine. Pourquoi fais-tu tout ça ?

Comme en réponse, un bourdonnement monta de l'artefact tandis que ses rouages se mettaient en mouvement. Ce n'était pas comme les fois précédentes, où le choc, très violent, avait fait trembler le sol. Là, tout se mettait en route en douceur, très lentement. Il y avait une progressivité, comme si la machine avait acquis une sérénité qui lui faisait jusque-là défaut.

Richard se pencha pour regarder par le hublot. Dans les entrailles de la machine, la lumière augmentait d'intensité à mesure que le mécanisme prenait de la vitesse. Comme toujours, le symbole apparut au plafond, mais en devenant graduellement de plus en plus lumineux.

La machine atteignit cependant vite son plein régime, et le sol trembla, comme d'habitude. Tout devint alors exactement comme les premières fois, après un « éveil » beaucoup plus calme et apaisé.

Une bande de métal s'engagea dans le circuit de gravure, sous une lumière maintenant aveuglante. Un rayon se forma et commença à inscrire des symboles sur la partie inférieure de la bande. La chaleur était telle que la partie supérieure rougit par endroits, comme si elle risquait d'être traversée.

Suivant l'itinéraire de toutes les bandes que Richard avait vues passer dans la machine, celle-ci finit sa course dans la fente proche du petit hublot. Après s'être humecté les doigts, Richard l'en retira et la posa sur le sommet de la machine afin qu'elle refroidisse.

Très surpris, il s'avisa soudain que la bande n'était pas du tout chaude. La touchant du bout d'un index, il constata qu'il ne s'était pas trompé. Pourtant, il y avait bien des symboles gravés dessus. Mais pour une raison inconnue, le métal n'avait pas chauffé, cette fois.

Incompréhensible !

Tournant la bande afin de pouvoir la lire, Richard plissa les yeux et déchiffra l'étrange ensemble de symboles composant un seul et unique emblème qui constituait une phrase dans le langage de la Création.

« J'ai fait des rêves. »

Richard se pétrifia, presque certain d'avoir mal traduit. Regardant de nouveau l'emblème, il répéta le processus, s'arrêtant après chaque phase, et obtint… exactement le même résultat.

Ultime vérification, il répéta la phrase à voix haute :

— J'ai fait des rêves…

Troublé, Richard s'éloigna d'un ou deux pas de la machine. Jusque-là, elle avait toujours délivré des présages. Cette dernière phrase n'avait pas de sens – en tout cas, il ne pouvait pas s'agir d'une prophétie. À croire que la machine faisait à Richard des confidences sur elle-même…

Regula marqua une courte pause, puis ses engrenages se remirent en mouvement et prirent très vite de la vitesse. Une nouvelle bande fut entraînée dans le mécanisme et finit sa course dans la fente.

Richard la regarda un long moment avant de s'en emparer. Comme la première, elle n'était pas chaude. Et ce qu'elle « disait » était encore plus incroyable :

— « Pourquoi ai-je fait ces rêves ? » lut le Sourcier à voix haute.

La machine semblait poser une question à Richard. Et il n'avait pas la moindre idée de la réponse.

En revanche, il se souvenait d'avoir très récemment entendu les deux phrases qu'il venait de lire. C'était Henrik, le garçon malade, qui les avait prononcées. Comme Kahlan, Richard avait cru que la fièvre le faisait délirer. Mais c'était faux.

La machine s'était exprimée par la bouche du garçon. Le pauvre ne délirait pas, il était en quelque sorte possédé.

Par la bouche d'Henrik, la machine avait ensuite demandé si le ciel était toujours bleu. Puis elle avait voulu savoir pourquoi « ils » l'avaient abandonnée.

À l'évidence, elle voulait savoir pourquoi on l'avait enterrée « vivante » !

Qu'avait-elle dit à la fin ?

Oui, c'était ça…

« Il me trouvera… Je sais qu'il me trouvera. »

Était-ce une prophétie ? Un présage comme elle avait l'habitude d'en produire ? Ou l'expression d'une terrible angoisse ?

Chapitre 49

Cessant de boire l'eau du ruisseau, Henrik leva la tête pour sonder les ombres, au cœur des arbres. Les molosses approchaient. Il entendait des brindilles craquer sous leurs pattes, et les premiers aboiements ne tarderaient pas à se faire entendre.

Du dos de la main, le petit garçon essuya les larmes de terreur qui roulaient sur ses joues. Les molosses venaient pour lui, il le savait, et ils ne renonceraient pas avant de l'avoir attrapé. Depuis ce jour terrible, au Palais du Peuple, où ils l'avaient menacé pour la première fois, ils ne le laissaient plus en paix.

Sa seule chance ? Continuer à fuir !

Glissant le pied dans un étrier, il s'accrocha au pommeau de la selle et se hissa sur le dos de sa monture. Après avoir enroulé les rênes autour de ses poignets, il ferma les poings, verrouillant sa prise avec les pouces, et talonna la jument, la lançant au galop.

Il aurait aimé marquer une pause assez longue pour manger autre chose qu'un biscuit et un morceau de viande séchée. Son estomac criait famine. Hélas, il avait eu à peine le temps de boire un peu avant d'être obligé de reprendre sa fuite éperdue.

Il aurait voulu boire et manger plus… Mais c'était impossible. Les molosses le suivaient de trop près.

Il devait conserver sa maigre avance. Sinon, ils le tailleraient en pièces.

Au début, il avait couru sans savoir où il allait. Son instinct lui avait soufflé de s'éloigner de la tente et de ne plus jamais y retourner. Sa mère était résolue à le protéger, il n'en doutait pas, mais elle en aurait été incapable. Après l'avoir éventrée, les molosses en auraient fini avec lui.

N'ayant pas le choix, Henrik avait couru jusqu'à ce que ses jambes refusent de le porter plus loin. Par bonheur, il avait vu les chevaux, dans un petit enclos. Ravi qu'il n'y ait eu personne aux alentours, il avait sellé la jument et « emprunté » un autre équidé. Cerise sur le gâteau, il avait découvert de la nourriture dans les sacoches de selle. Sans ça, il serait sans doute déjà mort de faim…

Était-il moral de voler les chevaux ? Cette question ne l'intéressait pas. Sa vie était en jeu et il fuyait. Qui aurait pu lui jeter la pierre ? Ou prétendre qu'il aurait dû accepter d'être dévoré vivant plutôt que de commettre un larcin ?

Encore une fois, il n'avait pas eu le choix.

Malgré sa terreur, il était obligé de s'arrêter lorsqu'il faisait trop noir pour chevaucher. En plusieurs occasions, il avait pu s'introduire dans un bâtiment abandonné où les molosses ne risquaient pas de le trouver. Chaque fois, il était reparti très tôt le matin, quand ses poursuivants le croyaient encore endormi. D'autres nuits, il avait dormi dans les hautes branches d'un arbre, toujours pour se mettre hors de portée des chiens. Au bout d'un moment, ceux-ci cessaient de tourner en rond autour du tronc en grognant. Probablement parce qu'ils avaient eux aussi besoin de manger et de dormir.

Quand aucun refuge ne s'offrait à lui, Henrik allumait un feu et ne s'en éloignait pas une seconde, prêt à saisir un tison ardent et à le brandir pour tenir les molosses à distance, s'ils l'attaquaient. Mais ça n'avait jamais été nécessaire. Les chiens détestaient le feu. Regardant le gamin de loin, ils allaient et venaient en grognant, impatients de voir se lever le soleil.

Parfois, à son réveil, Henrik ne les voyait plus. S'étaient-ils enfin lassés de le poursuivre ? Hélas non. Immanquablement, il les entendait aboyer dans le lointain, et le cauchemar continuait.

Le cheval le moins résistant avait fini par crever, tant Henrik l'avait poussé. Sellant la jument, il avait laissé la carcasse aux molosses avec l'espoir que ce festin les retarderait.

Ils n'avaient même pas pris le temps de se repaître du cadavre, suivant inlassablement Henrik dans la forêt obscure semée d'arbres géants où il s'était enfoncé.

Depuis peu, il commençait à reconnaître le paysage, car il avait grandi à quelques journées de cheval de là, dans un petit village bâti sur les rives vallonnées d'un bras de la rivière Caro-Kann.

Il avait déjà suivi cette piste avec sa mère. Les arbres lui rappelaient des souvenirs confus : un voyage, une visite à une mystérieuse dame… Mais tout ça était si loin.

La jument fit un écart, ramenant Henrik au présent. Engagée sur une pente très raide, la monture risquait en permanence de glisser. La frondaison occultant le ciel, il était impossible de voir à plus de trois pas devant soi ou sur les côtés. Mais le gamin n'avait pas besoin d'y voir pour savoir ce qui l'attendait.

Après une longue et sinueuse descente sur un semblant de piste, le sol redevint plat dans une zone où les arbres poussaient encore plus près les uns des autres. Ici, il aurait tout aussi bien pu faire nuit, car on n'y voyait même pas à trois pas de distance. Mais comme il n'y avait pas d'autres solutions que de suivre la piste, tant les broussailles étaient épaisses, ça n'était pas vraiment gênant.

Arrivée au bord d'un précipice, la jument hennit d'indignation et s'immobilisa. Pour elle, la route s'arrêtait là. Un chemin serpentait bien entre les rochers, mais la pente était beaucoup trop raide.

Henrik mit pied à terre et tenta de sonder le gouffre. Il devait abandonner la jument, c'était acquis. Mais parviendrait-il à négocier la descente ? Rien n'était moins sûr…

Les aboiements des molosses lui rappelèrent une fois de plus qu'il n'avait pas le choix.

Il dessella la jument, afin qu'elle ait une meilleure chance de s'en tirer. Plus il lui flanqua une grande claque sur la croupe et la regarda partir au galop.

Entre les arbres, il repéra le grand molosse noir qui commandait la meute. Comme il le redoutait, le chien ne s'intéressa pas au cheval. C'était lui qu'il poursuivait, et il ne renoncerait pas.

Henrik s'engagea sans plus tarder dans la périlleuse descente.

Si le chemin semé de saillies et de crevasses était impraticable pour un cheval, les molosses n'auraient aucune difficulté à le négocier. Bien au contraire, ils iraient sûrement plus vite que lui – une raison de plus pour ne pas perdre de temps.

Sans se demander où il allait ni pourquoi il y allait, le petit garçon fonça tête baissée. Depuis le jour où il avait griffé le seigneur Rahl et la Mère Inquisitrice, il fuyait sans se demander pourquoi ni vers où. En traversant les plaines d'Azrith, il n'avait qu'une idée en tête : fuir les molosses. D'instinct, il avait compris que c'était l'unique direction qui lui offrait une chance de salut. Dans son esprit, il n'y avait jamais eu d'autre possibilité.

Lorsqu'il arriva au pied de la pente, le visage poisseux de sueur et de crasse, Henrik jeta un coup d'œil derrière lui et aperçut le molosse marron au poil court qui suivait en général le chef de meute. Plus gros et plus musclés que les autres, ces deux chiens se partageaient sans doute le pouvoir sur le groupe. Et visiblement, ils avaient un but en commun : rattraper et dévorer l'enfant qu'ils traquaient depuis des jours.

Sans prendre le temps de se reposer, Henrik continua son chemin sur un terrain relativement plat où les entrelacs de lianes et de broussailles semblaient vouloir composer un rideau impénétrable. Il s'y fraya pourtant un passage, l'estomac retourné par l'odeur de pourriture qui montait du sol boueux.

Au-delà du rideau de végétation, il aperçut des arbres au tronc très largement évasé vers le bas – une nécessité, sans doute, pour pouvoir s'enraciner dans un marécage. Sur la pente, il avait reconnu des cèdres et d'autres variétés d'arbres. Au niveau du sol, il n'y avait que ces étranges géants aux branches tendues comme des bras squelettiques et couvertes de mousse. Dans certains cas, cette moisissure pendait comme une tenture dont l'ourlet frôlait la surface d'une eau croupie. Partout, les lianes évoquaient des toiles d'araignées gigantesques et mortelles.

Dérangés par l'irruption d'un intrus, des lézards s'enfuirent à toutes jambes sur le chemin d'Henrik. Plus placides, des serpents enroulés autour de branches basses le regardèrent passer, leur langue se dardant dans l'air étouffant d'humidité.

Sous l'eau, des formes noires ondulaient, ajoutant une menace invisible à toutes celles qui crevaient les yeux.

Alors qu'il s'enfonçait dans le marécage, les lianes et les broussailles formèrent autour d'Henrik une sorte de tunnel végétal d'où il lui devint très vite impossible de s'écarter. Autour de lui, mais à l'extérieur de cette enclave, des cris d'oiseaux et d'autres animaux, bien plus hostiles, retentissaient régulièrement.

Les molosses n'avaient pas renoncé, il les entendait toujours haleter et grogner.

Henrik s'immobilisa, se demanda s'il allait avoir le courage de continuer.

Devant lui s'étendait le territoire qu'on appelait la trace de Kharga. Pour s'y aventurer, lui avait dit sa mère, il fallait en avoir vitalement besoin, car fort peu de voyageurs en revenaient. À l'époque, sa mère et lui avaient compté au nombre des rares survivants. Était-il raisonnable de défier deux fois le destin ?

Le cœur battant la chamade et le souffle court, Henrik sonda les ténèbres. Il savait ce qui l'attendait au bout du chemin.

Jit, la Pythie-Silence.

La revoir était la chose la plus horrible qui pouvait lui arriver. À une exception près : être déchiqueté vivant par la horde de molosses qui lui donnait la chasse.

Les grognements se firent plus proches. Comme depuis le début, avancer était le seul espoir.

Chapitre 50

Après une longue progression dans le tunnel végétal puant, Henrik atteignit une zone plus dégagée du marécage. La piste qu'il suivait, constamment menacée d'être submergée par la tourbe, devint progressivement une sorte de tapis de racines, de lianes mortes et de branches brisées – un compost bienvenu, dans la mesure où l'étroit chemin, sinon, aurait sans nul doute disparu sous la surface glauque de la vase. Bien entendu, on risquait de glisser à chaque instant, mais il ne fallait pas trop en demander.

Henrik se demanda ce qui se passerait s'il tombait dans la vase aux relents méphitiques. Un instant, la perspective d'être dévoré par les molosses lui parut moins terrifiante.

Épuisé et mort d'angoisse, il avançait comme un automate dont l'unique moteur était la peur. Que n'aurait-il pas donné pour pouvoir faire demi-tour et retourner auprès de sa mère! Mais rebrousser chemin, c'était se livrer aux chiens.

L'étrange tapis végétal devint par endroits assez large pour que plusieurs personnes puissent y avancer de front. Mais la plupart du temps, il restait très étroit, évoquant une sorte de passerelle courant au-dessus des eaux turbides. Par moments, des branches ratatinées et des lianes formaient une sorte de balustrade à laquelle Henrik fut parfois obligé de se tenir pour ne pas basculer dans le vide.

Le pont naturel craquait et tanguait en permanence, comme s'il s'était agi de quelque antique monstre agacé qu'on ose marcher sur son dos.

L'eau portant particulièrement bien les sons, Henrik n'aurait su dire si les molosses étaient aussi près qu'ils le semblaient. Avaient-ils moins de difficultés que lui à avancer sur la passerelle végétale ? Ou leurs pattes, au contraire, glissaient-elles encore plus facilement que ses pieds ? Avec un peu de chance, ils devaient se les coincer assez facilement entre les racines… C'était possible, mais il valait mieux ne pas trop compter là-dessus.

Un linceul de brume enveloppant le marécage, Henrik ne distinguait presque rien devant et derrière lui. Sur ses flancs, au cœur d'une jungle puante, il lui sembla voir briller des yeux.

Des yeux qui suivaient sa progression, guettant le moindre faux pas…

Alors qu'il tentait autant que possible de marcher au centre de la passerelle – mais parfois il devait contourner des entrelacs de racines qui l'auraient à coup sûr fait trébucher –, Henrik vit une silhouette noire passer dans l'eau à côté de lui. Le monstre, quel qu'il fût, tirait dans son sillage un énorme morceau de viande à moitié pourrie et déchiquetée par des crocs géants. À quel animal avait jadis appartenu cette chair suppliciée ? Les sangs glacés, Henrik songea qu'il pouvait s'agir d'une cuisse d'homme…

Soudain plus que nerveux, il jeta un coup d'œil inquiet au pont végétal branlant. Flottait-il sur l'eau ou était-il soutenu par des piles ? Quoi qu'il en fût, il frôlait assez la vase, le plus souvent, pour qu'un monstre puisse saisir Henrik par une cheville et l'entraîner vers une mort horrible.

Ce destin serait-il pire que ce qui l'attendait au bout du chemin ? Plus atroce que le sort que lui réserveraient les molosses ? Aucune des trois possibilités ne le séduisait, mais que pouvait-il faire, sinon fuir les chiens, éviter une chute mortelle… et finir par se jeter dans les bras de l'horreur ?

Les jambes de plus en plus lourdes, Henrik se demanda combien de temps il pourrait encore courir. Au cœur de la brume, des bêtes invisibles continuaient à crier, comme si elles se communiquaient des informations.

Selon toute logique, songea Henrik, il devait traverser un très grand lac, probablement très profond. Mais avec si peu de visibilité, comment en être sûr ?

Un peu partout, des grappes de nénuphars oscillaient au gré du courant tel un tapis végétal en quête d'une des très rares apparitions de la lumière du jour – la source de la vie, si cruellement absente en ces lieux consacrés à la mort.

Henrik glissa plusieurs fois et dut son salut à la « balustrade » plus ou moins naturelle. Les grognements s'étant faits plus lointains, il supposa que les molosses avaient eux aussi du mal à avancer. Mais ils ne renonçaient pas, lui interdisant de ralentir, s'il tenait à sa vie.

Alors que la lumière baissait de plus en plus, Henrik vit que des bougies brûlaient sur les deux côtés du pont, balisant le chemin. Quelqu'un venait-il les allumer chaque soir, ou produisaient-elles de la lumière en permanence grâce à une mystérieuse magie ? Lors de sa première visite, se souvint-il, elles étaient déjà là. Dans ce royaume de ténèbres, un peu de clarté était toujours bienvenue, en pleine journée comme au milieu de la nuit…

Le pont végétal commença à devenir plus stable et plus régulier, comme s'il était mieux entretenu ou plus solidement soutenu. Tout autour, les arbres qui jaillissaient hors de l'eau, leurs racines souvent en partie visibles, se redressèrent et finirent par former une sorte de double haie de végétation. Des lianes et d'autres plantes vinrent renforcer cette illusion, composant de nouveau un tunnel au cœur duquel s'enfonçait la passerelle. Mais cette fois, tout cela semblait moins sauvage, comme si la main de l'homme y était pour quelque chose.

Une constante demeurait : l'eau malodorante et les créatures impossibles à identifier qui y rôdaient.

Les bougies étant placées plus près les unes des autres, leur lumière s'intensifia, facilitant la progression d'Henrik.

Ici, il y avait une balustrade des deux côtés de la passerelle, et elle n'avait plus rien de naturel, comme si on avait délibérément

317

voulu empêcher les racines d'obstruer le passage – et interdire aux monstres de chasser les passants !

Alors que la balustrade prenait de la hauteur et formait comme une arche – par endroits, on aurait cru marcher sous une tonnelle –, les bougies en rang serré donnèrent à Henrik l'impression d'avancer entre deux murs de flammes.

Henrik se demanda pourquoi le pont ne s'embrasait pas. Sans doute parce que le bois était gorgé d'eau, se dit-il alors qu'il glissait pour la centième fois sur un entrelacs de racines recouvertes de mousse. C'était la seule explication…

Alors qu'il avançait, la «tonnelle» devint une véritable voûte qui enferma le pont dans une espèce de cocon de branches et de lianes. Excepté à travers des trouées occasionnelles, impossible de voir à l'extérieur ! De toute façon, avec la nuit, il n'y avait plus grand-chose à distinguer. À l'intérieur du cocon, en revanche, les bougies éclairaient très agréablement le chemin.

S'avisant qu'il n'entendait plus les chiens, Henrik s'arrêta et tendit l'oreille. Ses poursuivants avaient-ils fini par renoncer à la chasse ?

S'ils avaient rebroussé chemin, découragés par le terrain hostile, était-il obligé de continuer ? En attendant un peu ici, il pourrait peut-être lui aussi revenir sur ses pas sans danger ?

Alors même qu'il songeait à tourner les talons, une force mystérieuse poussa Henrik à continuer son chemin jusqu'au fief de la Pythie-Silence. Ses jambes avancèrent, indépendamment de sa volonté, comme si elles entendaient désormais ne plus lui obéir.

Mobilisant sa volonté, Henrik parvint à les forcer à s'arrêter. S'il devait fuir son destin, c'était le moment ou jamais. Quand il se retourna pour sonder le chemin d'où il venait, il n'entendit aucun aboiement.

Presque timidement, il fit un premier pas vers la liberté.

Avant qu'il ait pu en faire un autre, une familière à la silhouette éthérée traversa un des murs végétaux et lui barra le chemin.

Henrik se pétrifia, terrifié jusqu'à la moelle des os.

— Jit t'attend, siffla la familière en flottant vers le gamin. Avance, et plus vite que ça !

Chapitre 51

Alors qu'Henrik continuait de gré ou de force son chemin, il devint de plus en plus évident que la passerelle végétale n'était pas le fruit du hasard. Par endroits, des amas de mousse ou des lianes renforçaient la structure, dont la stabilité s'améliorait régulièrement. Il y avait à présent le passage pour au moins trois personnes, et les parois, comme la voûte, composaient une muraille impénétrable.

Ce qui était au début une piste, puis une sorte de passage surélevé, puis une passerelle évoluant vers un pont était à présent un authentique tunnel dans lequel la lumière du jour ne pénétrait sûrement jamais. Très vite, ce tunnel se divisa en plusieurs couloirs, chacun donnant apparemment sur une infinité de salles au sol, au plafond et aux murs végétaux. Dans cette cathédrale entièrement dédiée à la nature, des lianes et des branches vivantes dessinaient des tapisseries de verdure qui contrastaient agréablement avec la teinte brunâtre des racines et des plantes mortes.

Lorsqu'on évoluait dans ce temple étrange, le monde extérieur perdait toute substance, comme s'il n'avait jamais existé. Cet univers se suffisait à lui-même, ses lois s'imposant à toutes les autres et sa géométrie invariablement irrégulière – un tribut à payer quand on travaillait avec des matières premières vivantes – devenant en quelque sorte la règle universelle.

Ici, les courbes organiques remplaçaient les coins et on ne trouvait aucun matériau fabriqué par l'homme. Pourtant, tout cela était l'œuvre de l'humanité, ça ne faisait aucun doute. Et l'entière structure semblait d'une grande solidité.

Henrik se demanda pourtant s'il pourrait écarter les branches et les lianes, se créant une brèche, au cas où il devrait s'enfuir en catastrophe. L'impression de solidité était bien réelle, certes, mais ce n'était tout de même qu'un assemblage de végétaux.

Alors qu'il traversait une pièce ronde comme toutes les autres, la familière le suivant toujours, le gamin approcha d'une paroi pour mieux se rendre compte. Ce faisant, il vit que les branches entrelacées étaient hérissées d'épines acérées. De près, on avait le sentiment d'être devant une haie d'épineux qui n'augurait rien de bon. Même si sa vie devait en dépendre, comprit Henrik, tenter de fuir par là aurait tout bonnement été un suicide. Car il ne s'agissait pas d'épines de rosier, susceptibles de causer des blessures douloureuses mais non mortelles, mais de véritables épieux végétaux capables d'éventrer un être humain ou de le clouer à la paroi jusqu'à ce qu'il se vide de son sang.

Conscient que la familière le surveillait, s'assurant qu'il n'essaierait pas d'échapper à son destin, Henrik traversa une multitude de pièces circulaires. Des bougies éclairant toujours son chemin, il traversa parfois des tunnels de connexion à la voûte si basse qu'il dut se baisser. Comme dans un bâtiment en pierre, il y avait des couloirs de toutes sortes, leur largeur et leur hauteur variant à l'infini.

Dans une des salles, relativement grande, des milliers de lambeaux de tissu, de morceaux de ficelle et de fragments de liane pendaient du plafond. À chacun était accroché un petit objet ou un animal mort. Henrik identifia des pièces de monnaie, des coquillages et des lézards à moitié décomposés. Pour ne pas heurter cette morbide collection, il baissa de nouveau la tête – et bloqua sa respiration, parce que la puanteur était insoutenable.

Même si elle était plus stable et plus solide, la structure continuait à craquer et à grincer sous les pas du petit garçon, comme si c'était une façon de l'accueillir. On eût dit qu'il avançait à l'intérieur d'une toile d'araignée dont la propriétaire était pour l'instant absente.

Mais en réalité, c'était bien pire que ça. Il s'était aventuré dans le repaire de la Pythie-Silence, et elle était bel et bien là !

Malgré les milliers de bougies, l'obscurité semblait tapie un peu à l'écart, sans cesse menaçante et prête à reprendre ses droits sur les lieux. Sans doute à cause de l'épaisseur et de la densité des parois, les sons du marécage parvenaient à peine aux oreilles d'Henrik. La puanteur, en revanche, s'infiltrait partout et la fumée odorante des bougies ne parvenait pas à la masquer.

Tandis qu'il s'enfonçait dans le sanctuaire de la Pythie-Silence, d'autres familières vinrent se joindre à la première, escortant Henrik afin qu'il arrive sain et sauf à destination. Ou, plus probablement, pour le dissuader de ficher le camp à toutes jambes. Dès qu'il croisait leur regard jaune malveillant, le gamin détournait vivement le regard. Et lorsque les créatures furent au complet, soit au nombre de sept, il constata qu'elles étaient plus laides les unes que les autres.

Quand il s'engagea dans un corridor plus large, Henrik s'aperçut du premier coup d'œil qu'il y avait bien plus de bougies disposées sur le sol et les parois que partout ailleurs dans la structure. Mais cette allée de lumière déboucha abruptement dans une salle obscure où brûlaient seulement une poignée de bougies.

Une question de place, sans doute, car presque tout l'espace était occupé par des cornues, des éprouvettes et de gros bocaux. Il y avait aussi des jarres en argile de toutes les couleurs et, en plusieurs endroits, on avait écarté les branches et les lianes pour leur ménager une sorte de niche dans la paroi.

Henrik préféra ne pas imaginer ce que contenaient tous ces récipients. D'après ce qu'il distinguait par transparence, dans le cas des cornues, par exemple, le contenu était pour l'essentiel un liquide trouble et sombre qui pouvait tout simplement être de l'eau boueuse. Des formes indéfinissables flottaient dans ce répugnant bouillon. Pour éviter de vomir, Henrik s'efforça de ne pas identifier non plus ces objets-là. Mais dans une jarre, il crut pourtant reconnaître des dents humaines.

Bizarrement, la collection d'immondices n'était pas le spectacle le plus terrifiant, et de loin! Partout dans la paroi végétale, des hommes et des femmes étaient prisonniers des épines.

Une galerie de cadavres sur fond de lianes!

Des larmes de terreur lui montant aux yeux, Henrik vit qu'il y avait des suppliciés dans tous les couloirs qui partaient en étoile de la pièce. Des dizaines et des dizaines de dépouilles desséchées aux jambes et aux bras couverts d'une peau parcheminée sous laquelle pointaient des os.

D'autres morts semblaient beaucoup plus récents… et…

… Et des malheureux vivaient encore!

Plongés dans une profonde stupeur, ils respiraient à peine et paraissaient ne plus avoir conscience de ce qui se passait autour d'eux. Ils étaient nus, mais dans leur cocon végétal, on n'apercevait pas grand-chose de leur corps.

Leurs yeux bougeaient parfois, comme s'ils tentaient encore de savoir où ils étaient et de comprendre ce qui leur arrivait. De temps en temps, un gémissement s'échappait d'une bouche aux lèvres déjà bleues.

Quand il cessa enfin de regarder fixement l'atroce collection de morts et de morts-vivants, Henrik s'avisa que la Pythie-Silence se tenait devant lui.

Chapitre 52

Au fond de la salle, Jit était assise en tailleur sur un tapis de branches et de feuilles. Si sombres qu'ils en paraissaient plus noirs que la nuit, ses grands yeux ronds étaient rivés sur son visiteur.

Ses cheveux très fins tombant un peu au-dessous du niveau de ses épaules, Jit n'était pas d'une stature impressionnante. En fait, elle était juste un peu plus grande qu'Henrik. Vêtue d'une sorte de sac qui ne méritait pas le nom de robe, elle n'arborait aucune des courbes qui faisaient d'habitude le charme d'un corps féminin – comme celui de la mère d'Henrik, par exemple. La peau de ses bras nus, d'un blanc maladif, ne devait pas avoir vu souvent le soleil, mais elle n'était pas plus ridée que celle de son visage. Un élément qui n'aidait pas à lui donner un âge, même s'il semblait évident qu'elle n'était plus de la première jeunesse… ni de la deuxième.

Ses mains et ses ongles paraissaient… teints, peut-être parce qu'elle les plongeait trop souvent dans les ignobles jarres qui l'entouraient.

À moins qu'ils soient souillés par les fluides corporels qui suintaient des cadavres et des agonisants…

Mais le plus terrifiant, ce qui coupait le souffle à Henrik, faisant trembler ses genoux, c'était la bouche de la Pythie-Silence.

Car ses lèvres étaient cousues par de fines lanières de cuir.

On avait travaillé grossièrement, laissant dans la chair de la Pythie-Silence des trous qui semblaient n'avoir jamais vraiment cicatrisé. La couture dessinait un «X» sur la bouche de Jit, et il y avait juste assez de mou pour qu'elle puisse entrouvrir légèrement les lèvres. À travers ces brèches, elle parvenait à émettre des sons – des couinements, plutôt – qui n'avaient rien d'humain.

À l'entendre, Henrik eut aussitôt la chair de poule.

De sa précédente visite, il se souvenait que c'était la façon de s'exprimer de la Pythie-Silence. Et là, c'était à lui qu'elle s'adressait, même s'il ne comprenait rien à son «discours».

Une des familières – Henrik remarqua qu'il lui manquait une main – vint jouer les intermédiaires :

— Jit dit qu'elle est contente de te revoir, mon garçon.

Henrik ne put pas se résigner à répondre qu'il était ravi aussi, même si ça semblait poli.

Jit couina frénétiquement, ponctuant sa tirade de claquements de langue.

— Elle veut savoir si tu as ce qu'elle t'a demandé.

Henrik ne put pas desserrer les lèvres. Craignant la réaction de Jit s'il ne répondait pas, il lui montra ses poings serrés. Il les aurait bien ouverts, mais il était trop tendu pour ça.

La Pythie-Silence émit un grognement grinçant.

— Approche-toi d'elle, dit la familière, pour qu'elle puisse voir de ses yeux.

Dans le dos d'Henrik retentit un bruit qui fit sursauter toutes les familières, avant qu'elles se retournent dans un même mouvement. Les yeux noirs de Jit se rivèrent sur quelque chose, au-delà du gamin, et s'écarquillèrent.

Henrik jeta un coup d'œil derrière lui. Dans le couloir, une silhouette avançait lentement vers la salle, son passage faisant vaciller la flamme des bougies.

Et les ténèbres marchaient dans son sillage.

Quand elle arrivait à leur hauteur, les bougies s'éteignaient, puis elles revenaient à la vie quelques instants plus tard, comme si elles avaient attendu que sa traîne d'obscurité les ait dépassées.

Alors qu'elle approchait, les familières allèrent se réfugier derrière Jit. Intrigué, Henrik vit que la manchote tremblait de peur.

La Pythie-Silence émit une série de couinements et quelques claquements de langue. Deux familières se penchèrent pour lui parler à l'oreille, puis écoutèrent une nouvelle série de sons stridents.

Quand l'inconnu entra enfin dans la salle, Henrik vit qu'il ne s'agissait pas d'un spectre mais d'un homme.

Il s'arrêta devant Jit, très près du gamin. Dans le couloir et à l'entrée de la salle, des bougies se rallumèrent, l'éclairant vivement.

Henrik se pétrifia, le souffle coupé par ce qu'il découvrit.

Chapitre 53

Avec un sourire mauvais, l'homme regarda la tache humide qui s'élargissait sur le devant du pantalon d'Henrik.

—C'est notre garçon ? demanda-t-il d'un ton dur et glacial qui fit sursauter le gamin malgré sa stupeur.

Les sept familières reculèrent d'instinct, comme si elles n'avaient même pas conscience que cette voix suffisait à les terroriser.

La Pythie-Silence couina brièvement.

—Oui, c'est lui, évêque Arc, traduisit la familière manchote.

L'évêque foudroya Jit du regard, ses yeux se rivant en particulier sur sa bouche cousue. Puis il braqua de nouveau son regard de cauchemar sur Henrik.

Les yeux de cet homme n'avaient pas de blanc. Parce qu'ils étaient tatoués de symboles rouge sang !

L'iris et la pupille, tous les deux noirs, ressortaient tant sur ce fond écarlate qu'on eût dit qu'ils vous regardaient depuis un autre monde où régnaient les flammes et la terreur. Le royaume des morts, peut-être…

Pourtant, ce n'était pas la caractéristique la plus terrifiante de l'évêque Arc. Pour comprendre vraiment ce que voulait dire l'expression « être paralysé de peur », il fallait regarder sa peau.

Tout ce qu'on en voyait était recouvert de tatouages. Des symboles… Des couches et des couches de symboles, si épaisses que sa chair ne semblait tout simplement plus humaine. Partout, des symboles circulaires superposés les uns aux autres dissimulaient la peau qui devait pourtant bien se cacher quelque part dessous. Mais on n'en distinguait pas le moindre petit bout.

Les tatouages du haut étaient plus sombres que ceux du bas – ce jeu de couleurs se répétant jusqu'à ce qui devait être l'ultime couche – une configuration donnant l'impression que la peau de l'évêque absorbait les tatouages à mesure qu'on en ajoutait de nouveau. Curieusement, cette profondeur, nécessairement une illusion d'optique, paraissait infinie, à croire qu'il n'y avait aucun support tout au fond, mais un puits de ténèbres d'où jaillissaient des figures géométriques torturées.

En d'autres termes, la peau de l'évêque paraissait être tridimensionnelle, et la multiplicité des couches interdisait de seulement estimer ses véritables limites. À cause de cela, l'évêque Arc ne paraissait pas complètement réel, comme s'il avait été une sorte de demi-fantôme, le genre de créature, Henrik en aurait mis sa tête à couper, qui devait être capable de se fondre à volonté dans son manteau – ou son linceul – de tatouages.

Grâce à l'habile jeu de couleurs, tous les symboles étaient parfaitement distincts. Très différents les uns des autres, en taille et en forme, ils semblaient pourtant avoir un point commun. Plissant les yeux, Henrik vit que la plupart étaient en fait des assemblages de plus petites figures qui composaient des sortes d'emblèmes circulaires.

Les mains de l'évêque et ce qu'on apercevait de ses poignets, sous les manches de sa redingote noire, étaient totalement recouverts de symboles. Même ses ongles en portaient – ou, plus exactement, la peau qui se trouvait dessous.

Son cou ne faisait pas exception à la règle, et son visage non plus. Le voyant cligner des yeux, Henrik constata que ses paupières aussi étaient tatouées, comme d'ailleurs le lobe de ses oreilles. C'était en quelque sorte un homme illustré…

Entièrement illustré, même.

Sur son crâne chauve, un emblème de grande taille dominait tous les autres. Englobant en fait la moitié supérieure de son nez et ses yeux, cette figure géométrique circulaire couvrait tout le haut de sa tête. Un deuxième cercle était enchâssé dans le premier et des frises de runes marquaient la frontière entre les deux.

Placé dans le cercle intérieur, un triangle s'étendait horizontalement juste au-dessus des sourcils de l'évêque. Des symboles plus petits, également sphériques, semblaient graviter autour des pointes de ce triangle, sur les tempes de l'homme et à l'arrière de sa tête. Conséquence de cette disposition, on avait l'impression que les yeux rouges brillaient exactement au centre du vaste symbole circulaire, comme s'ils regardaient les vivants depuis les profondeurs du royaume des morts.

Au centre du triangle, sur le front de l'évêque, Henrik crut reconnaître le chiffre neuf, mais inversé.

Les tatouages crâniens étaient plus sombres que les autres, sans doute parce qu'ils avaient été ajoutés le plus récemment, mais surtout parce que le « trait » était plus gras. Malgré tout, ce détail de la « fresque » semblait prendre place dans un projet global ambitieux et toujours en cours d'élaboration. En d'autres termes, rien n'était encore figé dans le processus d'illustration auquel se soumettait l'évêque Arc.

Même s'ils n'étaient pas semblables, les centaines de tatouages paraissaient être une variation sur un thème. Le cercle restait la figure dominante – le fil rouge, aurait-on pu dire –, et le sens profond de tout cela aurait bien pu être la notion d'intrication, considérée comme un des fondements de l'existence et de la pensée. Lorsqu'on n'y était pas préparé, voir un homme se dévouer à ce point à une « mission occulte » (ou un sacerdoce magique) était profondément perturbant.

Disparaissant sous ses illustrations, l'évêque Arc évoluait sans cesse sous un voile d'illusion, comme s'il avait refusé de montrer aux autres sa véritable apparence – désormais perdue, y compris peut-être à ses propres yeux, ces puits de flammes et de sang.

Voyant que plusieurs familières regardaient nerveusement derrière lui, l'évêque eut un sourire hautain.

—Je ne l'ai pas amenée avec moi, dit-il, répondant à la question muette qu'il lisait dans le regard des créatures. Au contraire, je l'ai envoyée en mission.

Les familières inclinèrent humblement la tête, comme si elles voulaient se faire pardonner leur indiscrétion.

Les yeux écarquillés d'un des prisonniers de la muraille végétale, derrière Jit, ne parvenaient pas à se détourner de l'évêque. Terrorisé, l'agonisant déglutissait péniblement, comme s'il tentait de ravaler un cri qu'il n'était de toute façon plus en état de pousser. Tous ces malheureux paraissaient incapables d'émettre un son, même s'ils semblaient assez effrayés pour hurler à s'en casser les cordes vocales.

L'évêque Arc tendit un bras vers le prisonnier qui le dévisageait. Un geste nonchalant, presque distrait, mais de toute évidence adressé à l'agonisant qui ne parvenait pas à détourner les yeux de lui.

—Du calme…, souffla l'évêque.

Un simple murmure, mais aussi froid et autoritaire que tous les cris jamais entendus par Henrik.

Le prisonnier haleta comme s'il s'étouffait. Prenant une profonde inspiration, il inclina très légèrement la tête en arrière et ses yeux se révulsèrent. Secoué de spasmes, il s'affaissa soudain – autant que le lui permettait sa prison végétale, bien entendu. Puis il devint tout à fait inerte et exhala ce qui devait sans doute être son dernier soupir.

L'évêque jeta un regard circulaire aux prisonniers.

—Quelqu'un d'autre veut me défier?

Dans un silence de mort, des dizaines de paires d'yeux se baissèrent.

L'évêque sourit à la Pythie-Silence.

—Voilà donc où tu étais… Venue te réapprovisionner en fluides corporels de cadavres, histoire que tes assistantes les aspirent puis te nourrissent.

Les yeux noirs de Jit ne cillèrent pas. En revanche, elle émit un son grinçant ponctué de plusieurs claquements de langue.

Une des familières se chargea de la traduction :

—Jit veut savoir pourquoi vous êtes ici.

—Ce n'est pas évident ? (L'évêque désigna Henrik.) Je suis venu m'assurer que tu as accompli la mission dont je t'avais chargée, Pythie-Silence.

Après une longue hésitation, Jit acquiesça.

L'évêque plissa le front, déformant les symboles qui s'y affichaient.

—Tu m'as fait perdre assez de temps, et j'ai bien l'intention que ça cesse. Le gamin est enfin là. Alors, terminons-en !

Jit fit signe à Henrik d'approcher.

Chapitre 54

Henrik ne bougea pas, incapable de forcer ses jambes à avancer. Alors que Jit lui faisait de nouveau signe d'approcher, il ne parvenait pas à détourner le regard de sa bouche cousue. Un fluide rosâtre sourdait des cicatrices, comme si l'effort de « parler » les avait rouvertes.

Mais pourquoi avait-on ainsi scellé la bouche de la Pythie-Silence ?

Terrorisé, Henrik s'aperçut soudain que ses jambes avançaient bel et bien, échappant à sa volonté. Qu'il le veuille ou non, il allait se retrouver tout près de Jit.

Ses bras se levèrent d'eux-mêmes – et s'il avait voulu les en empêcher, rien n'y aurait fait, il le sentait.

Ses poings se tendirent vers Jit, qui lui saisit les poignets avec ses mains maculées d'indicibles immondices. De si près, il remarqua qu'une odeur étrange émanait de la Pythie-Silence. Pas une puanteur identifiable, mais des relents qui lui donnaient quand même envie de vomir.

Si frêle qu'elle fut, Jit avait une force incroyable dans les mains. Tentant en vain de se dégager, Henrik comprit qu'il était désormais une victime impuissante, comme les prisonniers de la muraille végétale.

Jit lâcha un nouveau couinement inhumain. Muet de terreur, le regard rivé dans les yeux noirs de la femme, Henrik tenta en vain de comprendre ce qu'elle attendait de lui.

Jit se pencha et émit de nouveau le même son. Mais que disait-elle ? Elle voulait quelque chose de lui, certes, mais quoi ?

Une des familières se pencha vers le petit garçon :

— Ouvre les poings, imbécile !

Affolé, Henrik mobilisa toute sa volonté pour obéir. Hélas, ses poings refusèrent de s'ouvrir. À force de les serrer, il les avait comme tétanisés, et plus aucun muscle ne répondait. Les yeux baissés sur ses mains, il les implora de s'ouvrir pour lui épargner les inévitables représailles de Jit.

Imperturbable, la Pythie-Silence entreprit de forcer les uns après les autres les doigts de l'enfant. Après être restés si longtemps pliés, ils lui firent un mal de chien, mais Jit ne se laissa pas perturber par ses cris de douleur et continua son œuvre. Quand elle en eut terminé — assez vite, en fait —, elle obligea Henrik à mettre les mains à plat puis les prit l'une après l'autre entre les siennes. Les caressant comme si elle voulait s'assurer qu'elles ne se crisperaient plus, elle finit par les retourner, paume orientée vers le ciel.

Tendant une main derrière elle, Jit arracha à la muraille végétale une petite branche terminée par une longue épine recourbée.

Inquiet, Henrik tenta de reculer. Mais la Pythie-Silence lui tenait toujours un poignet de sa main gauche, et elle le ramena sans difficulté vers elle.

Le gamin eut le sentiment d'être un animal qu'on allait écorcher vif.

Lui tenant fermement la main, Jit passa la pointe de l'épine sous l'ongle de l'index du gamin. Puis elle leva la petite branche à hauteur de ses yeux et l'examina attentivement. Que faisait-elle et que cherchait-elle ? Sous la torture, Henrik aurait été incapable de le dire.

Dans un coin, une des familières était en train de sortir du cocon végétal une des jarres pleines d'ignobles sécrétions. Elle vint la poser près de sa maîtresse et attendit.

Jit répéta l'opération avec le majeur d'Henrik. Cette fois, quand elle étudia l'épine, il y avait piqué au bout un fragment d'une matière indéfinissable.

Poussant un grognement satisfait, Jit montra fièrement sa trouvaille aux familières, qui en gloussèrent de joie. L'évêque Arc, lui, soupira d'agacement.

La familière qui avait apporté la jarre en retira le couvercle, puis tendit le récipient à sa maîtresse. Des cafards sortirent de la jarre, rampèrent sur les mains de la créature vaporeuse puis tombèrent sur le sol et s'éparpillèrent dans toute la salle, finissant par chercher refuge dans les parois végétales.

Très calme, Jit plongea l'épine dans l'eau turbide. Très vite, elle l'en retira, apparemment ravie que le fragment indéfinissable ait disparu.

Très méticuleusement, elle répéta l'opération sur le pouce, l'annulaire et l'auriculaire d'Henrik. Sous l'ongle de ces deux derniers, elle trouva d'autres fragments de ce qui semblait être un trésor inestimable.

Du coin de l'œil, Henrik vit l'évêque Arc sourire chaque fois que la Pythie-Silence plongeait l'épine dans la jarre, y déposant son improbable récolte.

Elle passa ensuite à l'autre main. Sous l'ongle de l'index, elle ne trouva rien. *Idem* pour les autres doigts, et même le pouce. Avec un regard en biais pour l'évêque, elle réitéra ses recherches, ses lèvres cousues frémissant de ce qui aurait bien pu être de l'angoisse.

Quand il parut acquis qu'elle ne trouverait rien, elle laissa ses mains retomber sur ses genoux.

— Qu'est-ce qui cloche ? demanda l'évêque.

Quand il se pencha en avant, tous les symboles visibles semblèrent se plisser en même temps.

Jit émit quelques couinements.

— Nous avons la peau de la femme, traduisit une familière, mais… Eh bien, celle de l'homme manque.

L'évêque se redressa tel un serpent qui s'apprête à frapper. Les sept familières reculèrent, mais l'une d'entre elles ne fut pas assez rapide.

La prenant à la gorge, l'évêque l'attira vers lui. Il avait agi d'instinct, guidé par sa colère. La créature cria et se débattit comme un serpent pris au piège, mais elle ne parvint pas à lui échapper. Aveuglé par la rage, l'évêque lui serrait le cou, et rien n'aurait pu lui faire relâcher son étreinte.

— Dites à votre maîtresse que je suis très mécontent !

Plusieurs familières couinèrent en même temps dans l'étrange langage de la Pythie-Silence.

L'évêque attira encore plus près de lui la familière dont il s'était emparé.

— Il est temps de retourner au tombeau…, souffla-t-il d'un ton glacial.

Sous le regard terrifié d'Henrik, la familière cessa d'émettre la lueur bleuâtre qui les caractérisait, ses compagnes et elle. Des volutes de fumée montèrent de la capuche qui dissimulait ses traits, et elle se ratatina comme si on la vidait de toute sa substance. Sur ses bras et ses jambes, la peau noircit et les muscles fondirent de l'intérieur. Sur son visage, visible parce que l'évêque venait d'abaisser la capuche, la peau et la chair fondirent également jusqu'à devenir un masque de cuir noirâtre tout craquelé. Les yeux exorbités, la créature retroussa les lèvres, dévoilant ses crocs de vipère.

L'évêque jeta la dépouille au loin comme s'il avait déjà oublié jusqu'à son existence.

Toujours furieux, il se détourna et se dirigea vers le tunnel par lequel il était arrivé. Comme un peu plus tôt, les bougies s'éteignirent après son passage, soufflées par sa traîne d'obscurité.

Alors qu'elles se rallumaient, il se retourna, regarda un moment la Pythie-Silence puis se dirigea vers elle.

— Donc, tu as la peau de la femme, si j'ai bien compris ?

Soutenant le regard de l'évêque, Jit acquiesça puis s'empara de la jarre qu'une familière tenait entre ses mains tremblantes.

Elle l'inclina, comme pour exposer son contenu.

— Nous allons modifier nos plans, souffla l'évêque Arc en passant l'arête de son index plié le long de sa joue décharnée.

Chapitre 55

La Pythie-Silence se leva et se dirigea vers une ouverture obscure, au fond de la salle.

Après son départ, ses six familières s'affairèrent frénétiquement. Retirant des bocaux, des cornues et des jarres de la paroi, elles les remplacèrent par d'autres récipients, le plus souvent plus grands et à première vue vides. Les prisonniers de la muraille végétale qui vivaient encore suivirent ce spectacle d'un regard affligé.

Henrik aurait aimé pouvoir les aider, mais c'était hors de sa portée. En fait, il ne pouvait même pas s'aider lui-même...

Jit était partie avec la jarre qui contenait le « trésor » récupéré sous les ongles d'Henrik. Le couvercle n'étant pas étanche, un peu d'eau turbide s'était renversée sur le chemin de la Pythie-Silence. Émergeant des parois végétales, de gros insectes brunâtres vinrent se repaître de cette manne.

Sous le regard courroucé de l'évêque Arc, les familières continuèrent à sélectionner les bons récipients parmi les centaines que contenait la salle. Sur un homme entièrement tatoué, la fureur était encore plus impressionnante que sur un individu normal. Évitant de le regarder, les six créatures survivantes continuèrent à trier les récipients.

Chacune en eut bientôt collecté une bonne demi-douzaine, à part la manchote, qui faisait pourtant de son mieux pour ne pas se laisser dépasser par ses sœurs.

Dès qu'elles eurent ce qu'elles voulaient, les familières se ruèrent sur les talons de leur maîtresse.

Les attendant dans le couloir obscur, sa jarre au creux d'un bras, Jit s'empara d'un bâton de marche appuyé contre une paroi. Puis elle regarda Henrik par-dessus son épaule et lâcha une série de couinements qui devaient être des ordres.

La familière manchote vint se placer derrière le gamin et le poussa vers la Pythie-Silence.

—Jit veut que tu te dépêches de nous suivre, dit-elle avec un regard en coin pour l'évêque. Quand nous en aurons terminé, je te viderai de ton fluide vital et j'offrirai ta pathétique dépouille aux cafards.

Henrik se pétrifia de terreur. D'un geste agacé, la familière le poussa de nouveau vers le tunnel.

Alors qu'il avançait sur des jambes tremblantes, le gamin songea qu'il aurait tout donné pour être avec sa mère, sous leur tente, en train de fabriquer des colliers de perles. S'il n'était jamais venu voir la Pythie-Silence – une idée de sa mère, il devait l'admettre –, sa vie aurait pu être si différente…

Depuis qu'il avait compris que ses poursuivants le poussaient vers la trace de Kharga, où la Pythie-Silence l'aurait de nouveau en son pouvoir, il craignait d'être dans l'impossibilité d'en repartir. Pour lui, le chemin allait s'arrêter là…

L'évêque se plaça en queue de la petite colonne qui suivit Jit dans un corridor où des objets pendaient du plafond au bout de lanières de cuir. Henrik vit qu'il s'agissait de crânes de petits animaux, de carapaces vides de tortues et même de cadavres de rongeurs ou de reptiles. Les prisonniers des deux parois végétales ouvrirent les yeux sur le passage de la courte procession, mais ils les détournaient dès que l'évêque Arc soutenait leur regard.

Ces suppliciés n'émettaient pas un son. Pourtant, à leur place, Henrik aurait appelé à l'aide à s'en briser les cordes vocales.

Hélas, personne ne pouvait rien pour ces malheureux. Ni pour le gamin, d'ailleurs…

Alors qu'il s'enfonçait dans la tanière de la Pythie-Silence, Henrik commença à entendre des bourdonnements d'insectes, des trilles d'oiseaux et des sifflements ou des cris d'autres animaux.

Quand Jit et son escorte émergèrent soudain à l'air libre, sous un ciel d'encre, un silence de mort tomba sur le marécage.

Ici, le sol était assez au-dessus du niveau de l'eau pour être parfaitement sec. Semblables à des spectres encore enveloppés dans leur linceul, les grands arbres aux branches lestées de lourds rideaux de mousse paraissaient vouloir fondre sur les intrus comme une meute de loups sur ses proies.

En traversant l'étrange clairière, Henrik s'aperçut que les pierres plates qui jonchaient le sol n'étaient pas disposées au hasard. Placées chacune sur un petit monticule de terre, elles dessinaient une sorte de figure circulaire qui conduisait très exactement au centre de la zone.

Dès qu'elle l'eut atteint, la Pythie-Silence commença à tracer des lignes dans la terre avec le bout de son bâton sculpté. Très observateur, Henrik remarqua très vite que ses dessins ressemblaient beaucoup aux tatouages de l'évêque Arc.

Au milieu du bâton de Jit, accrochées à des lanières de cuir, le gamin distingua une série de plumes bleues, de perles orange et jaunes et de pièces de monnaie trouées au milieu. Intrigué, il se demanda pourquoi la Pythie-Silence accordait tant d'importance à l'argent – car, à l'évidence, le bâton comptait énormément à ses yeux. Dans la solitude de la trace de Kharga, à quoi pouvaient bien lui servir ces pièces ?

La réponse apparut brusquement à Henrik. Jit n'était pas attachée à son trésor à cause de sa valeur d'échange, comme la majorité des gens, mais parce qu'elle avait pris cet argent aux prisonniers de la muraille végétale. Pour elle, il s'agissait de trophées. Comme les plumes qu'elle avait volées sur des cadavres d'oiseaux…

Alors que les familières disposaient les jarres autour de leur maîtresse, l'évêque Arc resta un peu à l'écart et suivit les préparatifs d'un regard rouge toujours brillant de rage.

De temps en temps, une des six créatures lui jetait un coup d'œil furtif. Concentrée sur sa tâche, Jit ne daignait même pas tourner brièvement la tête vers lui.

Continuant à dessiner en psalmodiant entre ses lèvres cousues, elle ouvrait régulièrement une jarre, plongeait les mains dans le liquide noir et déposait au centre de son « œuvre » les immondices qu'elle venait de pêcher.

Soudain, elle brandit son bâton en direction du ciel où dérivaient des nuages bas aux entrailles rougeoyantes. Après avoir lâché une série de sons étranglés, elle se pencha et posa le bâton au centre de la figure géométrique tracée sur le sol.

Aussitôt, le dessin brilla vivement.

À la stupéfaction d'Henrik, au moment où la Pythie-Silence leva les bras, les nuages menaçants s'immobilisèrent.

Chapitre 56

Henrik crut que le vent était tombé, cessant de pousser les nuages. Mais ceux-ci se remirent en mouvement, à un détail près : au lieu de dériver dans le ciel, ils se mirent à décrire un grand cercle au-dessus de la clairière. S'effilochant, ils devinrent le reflet exact – oui, comme l'image dans un miroir – de la figure dessinée sur le sol par Jit.

Une lueur rouge continua à briller dans leurs profondeurs.

Comme si les incantations de la Pythie-Silence les avaient plongées dans une transe hystérique, les six familières se mirent à tourner autour de leur maîtresse au même rythme que les nuages. Cette ronde prit régulièrement de la vitesse, la lueur des nuages et celle du dessin pulsant désormais de conserve.

La psalmodie de Jit devint plus aiguë.

Tandis que les familières et les nuages tournaient de plus en plus vite, un son strident d'une incroyable puissance jaillit des lèvres cousues de la Pythie-Silence. Craignant que cette agression sonore lui perce les tympans, Henrik se plaqua les mains sur les oreilles.

Puis les six familières parurent exploser, et d'ignobles créatures aux longs membres squelettiques apparurent au milieu de ce qui subsistait de leur silhouette éthérée. Bossus, la chair flétrie et le crâne chauve, ces monstres aux yeux globuleux affichaient un rictus dévoilant leurs crocs jaunâtres tachés de sang.

Contrairement aux familières dont elles étaient en quelque sorte nées, ces créatures n'avaient pas d'aura. À la lueur des nuages et du dessin, leur chair à moitié décomposée prenait une teinte brunâtre maladive.

Henrik vit des monstres similaires s'extraire des monticules de terre surmontés d'une pierre plate. S'exhumer ainsi paraissait un rude combat. Toutes les créatures y parvinrent cependant, et elles vinrent rejoindre celles qui tournaient autour de la Pythie-Silence comme des bêtes sauvages frappées de folie.

Mais il ne s'agissait pas d'animaux. Même si elles imitaient la vie, ces horreurs n'appartenaient pas au monde des vivants.

En fait, on eût dit qu'une armée de morts-vivants venait de s'arracher à la terre pour danser au son des cris de Jit.

Repensant aux prisonniers des murailles végétales, Henrik comprit que les monticules devaient être leurs tombes. Après leur mort, lorsqu'elle n'avait plus besoin d'eux, Jit les enfouissait dans la terre, où ils attendaient qu'elle les rappelle, afin de les exploiter encore.

La Pythie-Silence, songea le gamin, était sûrement une des abominations du royaume des morts – une servante du Gardien en personne.

Venus des ombres environnantes, de plus en plus de spectres se joignaient à la ronde des monstres qui évoluaient autour de Jit.

Le cri de la Pythie-Silence lui vrillant le cerveau, Henrik appuya plus fort sur ses oreilles.

Les nuages tournaient toujours et la lumière, dans leurs entrailles, clignotait aussi vite que l'aura du dessin – mais c'était la voix de Jit qui donnait le rythme, et rien d'autre.

Devant ce spectacle de cauchemar, Henrik sentit sa tête tourner et l'élancer comme si elle risquait d'éclater. Il plissa les yeux, mais n'osa pas les fermer, de peur d'être à jamais incapable de les rouvrir.

Insensible à ce qui se passait autour d'elle, Jit continuait à plonger les mains dans les jarres, en sortant des poignées de dents, d'osselets ou de vertèbres – des ossements humains, à l'évidence – afin de les ajouter au dessin.

La lueur qui montait du sol devint éblouissante. Devant ses yeux, Henrik vit danser des éclairs rouges, jaunes et orange.

Quand Jit saisit la jarre contenant la peau récupérée sous les ongles du gamin, la ronde devint si rapide qu'il fut très vite impossible de distinguer individuellement ses participants.

Jit lança la jatte dans les airs, au-dessus du dessin et des monstres frénétiques. Lorsque le récipient explosa, le liquide qu'il contenait s'embrasa comme de l'huile.

Une incroyable lumière jaillit, si vite qu'Henrik crut voir les os de Jit à travers sa chair.

Tout s'illumina et prit feu. Les arbres s'embrasèrent et des tisons ardents, comme attirés par magie, s'en arrachèrent pour venir s'unir à l'incendie qui faisait rage au-dessus du centre de la figure géométrique.

Levant les mains, la Pythie-Silence invoqua des forces dont Henrik n'aurait même pas imaginé l'existence. Nimbée de lumière, se fondant au feu, elle devint la maîtresse absolue d'un monde qui n'était plus qu'un enfer brûlant.

Au cœur de la fournaise et de l'impossible lumière, telle une étoile, quelque chose brillait encore plus intensément que le reste.

Henrik reconnut les morceaux de peau que Jit avait récupérés sous ses ongles.

Les bras levés, la Pythie-Silence fit léviter ces fragments incandescents, les envoyant très haut dans le ciel avec tous les autres composants de ce vortex terrifiant.

Seule au centre d'un noyau d'énergie en fusion, Jit leva les bras plus haut.

La farandole de monstres devint une couronne de feu d'où montaient des hurlements de douleur. Déchiquetés, les spectres se fondirent à leur tour dans le vortex dévastateur.

Autour d'Henrik, les arbres, les lianes, la mousse et les broussailles rougeoyèrent puis se désintégrèrent en une infinité de tourbillons ignés qui s'élevèrent vers les minuscules fragments de peau désormais plus iridescents que de la lave en fusion.

Assourdi par les rugissements du feu et du vent, Henrik dut se résoudre à fermer les yeux pour les protéger de tant de fureur. Il aurait pu les couvrir de ses mains, mais dans ce cas, ses tympans trop exposés au vacarme auraient sûrement explosé.

À travers ses paupières, le gamin continua à voir le spectacle, comme si aucun voile n'aurait pu être assez épais pour le dissimuler.

En cette nuit de couleurs enflammées et d'aveuglante lumière, au cœur de ce vacarme de fin du monde, il n'existait pas de refuge.

Et tout continuait à être aspiré par le tourbillon, au centre de la clairière. Des branches étaient à présent arrachées aux arbres, et toute la forêt prenait feu. Les uns après les autres, les troncs explosaient, leurs éclats venant se mêler à la colonne de feu et de lumière dotée d'un inépuisable appétit. Orbitant autour des fragments de peau, dans le ciel, les restes épars des spectres se consumaient eux aussi.

Des cris de terreur et de douleur continuaient à retentir, arrachant des larmes à Henrik.

Soudain, la Pythie-Silence leva de nouveau les bras. Au centre de la clairière, l'air lui-même devint un incendie dévorant.

À l'instant où Henrik pensa qu'il allait lui aussi être aspiré par le vortex pour s'y consumer, tout s'arrêta d'un coup.

Le silence revint. Comme si la disparition du bruit le privait d'une mystérieuse énergie, Henrik tituba.

Ses genoux se dérobèrent, mais il ne tomba pas. Tremblant, la tête et tout le corps douloureux – à croire qu'il avait refusé de plier, pareil à un chêne au cœur d'une tempête –, Henrik regarda autour de lui.

Le silence n'était pas la seule nouveauté.

Henrik n'en crut pas ses yeux. En une fraction de seconde, la colonne de flammes avait disparu.

Les arbres étaient de nouveau là, avec leurs étranges tentures de mousse. Un vent léger charriait l'odeur de moisissure habituelle, et le sol d'où étaient sortis les morts-vivants avait repris son aspect du début.

À croire que rien n'était arrivé.

Sauf que… La jarre de la Pythie-Silence avait disparu, et des milliers d'éclats de verre, évoquant une légion d'étoiles filantes, jonchaient la terre légèrement humide.

Que s'était-il passé? Incapable de répondre à cette question, Henrik n'aurait même pas su dire si les créatures de cauchemar, le terrible son et le feu n'avaient pas été le produit de son imagination.

Toujours campé au même endroit, l'évêque Arc semblait indemne… et aussi sûr de lui qu'à l'accoutumée. Encore furieux, il ne semblait pas avoir été perturbé par le déchaînement de lumière et de feu.

Au centre de la clairière, les six familières tournaient lentement autour de Jit. La touchant timidement, elles paraissaient vouloir s'assurer qu'elle survivrait à l'épreuve.

Inaccessible aux sentiments, la Pythie-Silence entreprit d'effacer sous ses semelles les lignes qu'elle avait tracées sur le sol avec son bâton.

Se tournant vers l'évêque, elle émit une série de couinements et de claquements de langue. Henrik crut voir qu'elle luttait pour ouvrir davantage la bouche, mais les coutures de cuir ne le lui permirent pas.

— Jit dit que c'est terminé, annonça une familière en approchant un peu de l'évêque.

— Eh bien, qu'elle s'acquitte donc des autres tâches que je lui ai confiées, si elle ne veut pas me voir revenir.

Sur ces mots, l'évêque Arc se détourna et s'éloigna, sa traîne d'obscurité ondulant derrière lui comme une cape.

Henrik sursauta quand une familière dont il n'avait pas remarqué la présence dans son dos lui souffla à l'oreille:

— Et maintenant, à ton tour!

Chapitre 57

K ahlan se réveilla en sursaut, le souffle court et le cœur dans un étau. Des images défilèrent dans son esprit : des griffes tendues vers elle, des crocs visant sa gorge, de sombres créatures prêtes à la déchiqueter...

Ignorant où elle était, incapable d'imaginer ce qui lui arrivait, elle se débattit pour échapper à ses agresseurs – en même temps, elle tenta de desserrer l'étreinte de la douleur qui menaçait de la détruire de l'intérieur.

Soudain, elle reprit conscience de son environnement. Elle était dans le Jardin de la Vie, en pleine nuit, et aucun monstre ne la traquait. Dans le silence paisible du palais endormi, elle comprit qu'elle venait d'avoir un cauchemar.

Dans ce songe délétère, une créature sombre la pistait inlassablement. Pour lui échapper, elle aurait dû courir, mais ses jambes refusaient de la porter.

Un rêve frappant de réalisme.

S'étant arrachée au sommeil, elle ne risquait plus rien. Puisqu'il s'agissait d'un cauchemar, n'était-elle pas en sécurité ?

Les choses se révélèrent bien moins simples que ça. Si elle avait échappé aux griffes et aux crocs, la douleur demeurait. À son pic, elle était si forte que l'Inquisitrice s'était crue en train de mourir. Désireuse de se masser le front, elle dut y renoncer pour enrouler ses bras autour de son torse atrocement douloureux.

Alors que cette torture gagnait son crâne, la nausée lui retourna l'estomac et elle dut mobiliser ses forces pour ne pas vomir. En passant de sa poitrine à sa tête, la souffrance avait encore gagné en puissance.

Sentant qu'elle perdait la bataille contre la nausée, Kahlan sortit de son sac de couchage et rampa le plus loin possible de l'endroit où elle avait dormi. S'abandonnant à l'envie de vomir, elle vida son estomac – enfin, elle le crut, car une nouvelle vague de douleur la força à recommencer.

Dans sa détresse, elle s'aperçut qu'une main lui soutenait le dos tandis qu'une autre tenait ses cheveux à l'écart.

Haletant de plus en plus, elle eut la certitude, en vomissant pour la troisième fois, d'avoir craché du sang. À chaque spasme, elle aurait juré que ses entrailles se déchiraient.

Puis la tempête se calma un peu. Alors qu'elle vomissait de la bile, Kahlan fut soulagée de voir que le fluide n'était pas teinté de rouge.

—Mère Inquisitrice, ça va ?

C'était Cara… Une amie dont la présence réconfortante était un don du ciel.

—Je ne sais pas trop…

—Que se passe-t-il ? demanda Richard en approchant.

—Malade…, murmura Kahlan, incapable de se montrer plus précise. Malade…

—Je t'ai entendue crier alors que j'étais dans la salle secrète, dit le Sourcier.

Tandis que son mari lui tapotait tendrement le dos, la jeune femme arracha une poignée d'herbe, se nettoya la bouche, puis recommença avec une autre poignée. Elle n'avait pas conscience d'avoir crié dans son sommeil. La nausée se calmant, elle put prendre deux ou trois inspirations profondes. Sa tête, cependant, continuait à la torturer.

—C'était un cauchemar… J'ai dû me réveiller après avoir crié.

Richard posa une main sur le front de sa femme.

—Ta peau est glacée et tu ruisselles de sueur.

— Je meurs de froid et je ne peux pas m'arrêter de trembler.

Richard enlaça sa femme, l'attirant dans sa chaleur et sa tendresse. Puis il lui prit le poignet, et la força à lever la main.

— Par les esprits du bien! s'exclama-t-il.

— Qu'est-ce qui ne va pas? demanda Cara.

— Regarde sa main! Tu as vu? Maintenant, file chercher Zedd!

Kahlan regarda la Mord-Sith partir au pas de course. Être dans les bras de Richard lui faisait beaucoup de bien. S'il n'avait tenu qu'à elle, elle y serait restée jusqu'à la fin des temps.

Mais sa main et son bras lui faisaient un mal de chien. Baissant les yeux, elle vit que les égratignures étaient revenues. Zedd les avait éliminées, mais ça n'avait pas suffi, et elles semblaient plus inquiétantes que jamais.

— On dirait que Zedd a raté son coup, cette fois, fit Richard. Dès qu'il sera arrivé, il nous dira ce qu'il en pense. C'est un puits de science en thérapie, mais à mon humble avis, l'infection est la cause de la rechute. Et probablement de ton malaise. Quand il t'a soignée, Zedd n'a pas dû contenir entièrement le mal…

Kahlan doutait que ça suffise à expliquer son état. Par le passé, elle avait déjà eu des blessures infectées, et ça ne l'avait jamais dévastée ainsi. De plus, les maux de tête pouvaient difficilement venir de là, et ils étaient la cause principale de ses frissons et de sa nausée. Les égratignures n'avaient sûrement aucun rapport avec ça.

En revanche, certaines migraines provoquaient des symptômes de ce genre. Richard souffrait parfois de ce fléau, qu'il pensait avoir hérité de sa mère.

Kahlan devait avoir eu la même chose. Une crise de migraine…

Cela dit, non contentes d'être revenues, les égratignures semblaient bien plus graves qu'au début. À présent, elle avait la main et le bras enflés…

Une nouvelle explosion de douleur, dans sa tête, força la jeune femme à se plier en deux. Alors que Richard la serrait contre lui, elle sentit son don l'envelopper tendrement puis s'introduire

351

en elle, lui apportant un soulagement instantané. Son mari l'ayant soignée par le passé, elle aurait reconnu sa magie entre mille…

Le don du Sourcier obéissait à des lois très particulières. Pour qu'il s'éveille, il fallait qu'une tempête émotionnelle fasse rage sous le crâne de son détenteur. Pour l'heure, c'était l'angoisse de perdre la femme aimée qui l'avait stimulé.

Kahlan s'immergea dans ce flot de tendresse qui lui fit perdre toute notion du temps. Sentant la présence de Richard dans toutes les fibres de son corps, elle faillit s'abandonner… mais se ressaisit à temps. Si elle le laissait faire, Richard devrait prendre en lui sa douleur. C'était inévitable, et elle refusait qu'il souffre ainsi. Même à l'agonie, elle n'aurait pas voulu qu'il se sacrifie pour elle.

Elle lutta… mais n'obtint aucun résultat. Le don du Sourcier se révélant trop fort, elle dut cesser toute résistance. Avec le sentiment de sombrer dans un abîme inconnu – sans que cette chute soit dangereuse –, l'Inquisitrice laissa Richard lutter à sa place et souffrir pour elle.

Combien de temps resta-t-elle ainsi, comme à l'extérieur de son corps, tandis que son bien-aimé combattait pour la sauver ? Elle n'aurait su le dire. Mais quand elle reprit conscience, elle était toujours entre les bras de Richard.

Hélas, la douleur revint en même temps, aussi forte et aussi oppressante.

Dans les yeux de Richard, elle vit qu'il souffrait aussi. Très bizarrement, il avait hérité sa souffrance sans pour autant l'en délivrer.

La guérison était un échec.

Kahlan avait-elle commis une erreur ? S'était-elle tenue trop à l'écart du combat ? Ou plutôt, pour préserver Richard, avait-elle trop résisté à son intervention ?

— Seigneur Rahl, dit Cara, se penchant sur le Sourcier, désolée d'avoir mis si longtemps à trouver Zedd. Mais il me suit, et Nicci est avec lui.

Les yeux dans le vague, Richard ne répondit pas.

Chapitre 58

Pas totalement revenue du lointain refuge où rien ne pouvait l'atteindre, mais déjà consciente du monde réel, Kahlan comprit que quelque chose n'allait pas du tout. Pour elle, bien sûr, mais aussi pour Richard.

Nicci était agenouillée près du Sourcier. À la façon dont elle sondait son regard vide, l'Inquisitrice comprit que la guérison ne s'était pas déroulée normalement.

Même si la souffrance était en lui, Richard ne bronchait pas. Le secouant par l'épaule, la magicienne tentait de le ramener à la réalité.

Se penchant un peu plus, Nicci posa sa main libre sur le front de Kahlan, qui sentit aussitôt le picotement familier de la Magie Additive se diffuser le long de son cou puis dans son épaule et son bras.

Nicci retira sa main et la posa sur le front de Richard. Puis elle s'écarta et, de sa main libre, tenta de séparer les deux époux.

— Lâche-la, Richard, lâche-la !

N'obtenant aucune réaction, la magicienne blonde tira Kahlan par l'épaule.

L'Inquisitrice ne résista pas. Même si elle ne comprenait pas pourquoi Nicci agissait ainsi, ça ne pouvait être que pour le bien de Richard et le sien, ça ne faisait aucun doute.

Dès qu'elle eut allongé Kahlan sur le sol, Nicci s'occupa de nouveau du Sourcier, lui posant les deux mains sur les tempes.

— Expulse la douleur, Richard !

La vie revint soudain dans les yeux du Sourcier. Soulagée, Kahlan remercia mentalement Nicci d'avoir su le ramener des lointains rivages où il dérivait.

Quand la magicienne retira ses mains, Richard sursauta.

— Qu'as-tu fait? demanda-t-il. Nicci, pourquoi m'as-tu interrompu?

— Une question dont la réponse m'intéresse au plus haut point, fit Zedd en déboulant au pas de course.

Nicci se posa deux doigts sur le front, puis lui fit signe de constater par lui-même. Relevant sa longue tunique, le vieux sorcier s'agenouilla et tâta le front de Kahlan. Puis il répéta l'opération sur son petit-fils.

— Et alors? Que suis-je censé sentir?

— Vous ne captez rien?

— Non… Je devrais?

Nicci remit ses doigts sur le front de Kahlan, puis sur celui de Richard.

— Il n'y a plus rien… Maintenant que le lien entre eux est rompu, c'est fini…

— Qu'est-ce qui est fini?

La magicienne eut un regard suspicieux pour Kahlan.

— Je n'en sais trop rien… De toute façon, ce n'est pas important, et nous pourrons en reparler plus tard…

Se remettant peu à peu de l'usage du pouvoir thérapeutique, Richard se passa une main sur le visage.

Kahlan ne se sentait pas mieux. Pourtant, il l'avait déjà débarrassée de maux bien pires. Pourquoi cet échec? Et plus grave encore, qu'est-ce qui perturbait Nicci à ce point?

— Pourquoi m'as-tu interrompu? demanda de nouveau Richard. J'étais en train de la guérir, et tu ne m'as pas laissé finir.

Kahlan fut d'abord rassurée par cette explication. Si son mari ne l'avait pas guérie, c'était à cause de Nicci, qui l'avait interrompu. Tout s'éclairait.

Non, ça ne collait pas! Kahlan avait repris conscience avant l'arrivée de la magicienne. L'échec était antérieur à son intervention.

Quelque chose d'autre avait mal tourné.

—Richard, ça ne fonctionnait pas… Tu n'étais pas en train de soigner Kahlan, mais de t'exposer à la contagion du mal qui la ronge.

Zedd parut plus largué que jamais.

—De quoi parles-tu? demanda-t-il à Nicci.

Baissant les yeux sur le bras de Kahlan, le vieil homme ne put dissimuler sa surprise.

—J'ai senti que quelque chose clochait… Le don de Richard ne se déversait plus en Kahlan. En revanche, un flux hostile s'insinuait dans son corps à lui, menaçant son essence vitale.

Zedd blêmit d'inquiétude.

—Richard, demanda Nicci, tu vois ce que je veux dire?

—Pas vraiment… Je ne sais pas ce qui est arrivé. Alors que je tentais de soulager Kahlan de sa douleur, j'ai perdu le contrôle du processus…

—Ce garçon guérit les autres d'instinct, dit Zedd à Nicci, un pur exercice d'empathie. Il a grandi sans savoir qu'il avait le don, et il n'a jamais vraiment appris à s'en servir. Pourtant, il a guéri des affections contre lesquelles j'étais impuissant.

—Je sais, souffla Nicci. Il a une manière unique de recourir à son don. Mais dans ce cas précis, il ne guérissait pas Kahlan.

—Tu en es sûre?

—Absolument certaine! J'ai senti les flux d'énergie, en elle et en lui. Le déséquilibre était affolant. La douleur se déversait à flots et elle aurait submergé Richard. Ç'aurait dû être le contraire. Tandis qu'il soulageait sa femme, il aurait dû dominer et réduire peu à peu à néant la souffrance. Il s'est sans doute fié à son instinct, répétant ce qu'il a fait par le passé, mais il affrontait un mal différent et très dangereux qui s'est révélé trop fort pour lui. (Nicci regarda Kahlan.) Je me trompe?

—Non, c'est ça, en gros… Mais pourquoi ce fiasco? Il m'a déjà soignée.

—C'est exact, confirma Richard. Pourquoi ça n'a pas fonctionné?

355

—Je n'en sais rien, avoua Nicci, mais pour une raison qui me dépasse, tu étais exposé à une terrible contagion. Un peu comme un guérisseur qui finit par attraper la maladie de son patient, sans le guérir pour autant.

—Mais le don est censé empêcher ce phénomène!

—Le garçon a raison, marmonna Zedd.

Nicci hésita avant de répondre.

—Si tu étais un peu plus formé – en ce qui concerne ton don, je veux dire – tu n'aurais peut-être pas eu ce problème. L'inexpérience est une explication, même si je ne suis sûre de rien.

Zedd jugea visiblement que l'heure n'était pas aux spéculations.

—Bon, une chose est sûre: les griffures que j'avais éliminées sont revenues, plus infectées que jamais. Avant toute chose, il faut que je les traite de nouveau.

—Je suis d'accord, fit Richard en s'écartant pour laisser passer son grand-père.

—Je ne suis pas sûre que ce soit une bonne idée, pour le moment, souffla Nicci à Zedd.

Le vieux sorcier ne cacha pas sa surprise.

—Ce qui me semble une mauvaise idée, c'est de laisser l'infection galoper. Kahlan pourrait perdre son bras. Et dans le pire des cas, une atteinte généralisée risquerait de la tuer.

Voyant l'air inquiet de Kahlan, Nicci n'insista pas.

—Vous avez raison, Zedd… Mais permettez-moi de vous aider.

—Avec grand plaisir, très chère! s'écria le vieil homme.

Il se pencha vers Kahlan et lui posa une main sur le front. Nicci fit de même.

L'Inquisitrice sentit aussitôt le flot du pouvoir de Zedd déferler en elle. Elle capta aussi la magie de Nicci. Même s'ils se ressemblaient beaucoup, le don de Zedd et celui de la magicienne avaient une identité parfaitement reconnaissable. Et ils se distinguaient très bien de celui de Richard. Quoi qu'il en soit, Kahlan eut le sentiment enivrant que quelque chose luttait pour la débarrasser du mal qui la rongeait.

Mais au plus profond d'elle-même, elle devina la présence d'une force obscure et hostile qui ne se laisserait pas aisément vaincre.

Cette entité fut très vite submergée par le pouvoir des deux amis de l'Inquisitrice. Perdant de nouveau toute notion du temps, la jeune femme se laissa emporter par le flot de la magie. Plus expérimenté que Richard, et donc plus rapide et précis, Zedd entreprit d'aspirer en lui la douleur de sa patiente.

Mais tout cessa soudain. En une fraction de seconde, la magie combinée de Zedd et de Nicci se volatilisa.

Kahlan ouvrit les yeux et poussa un petit cri. Elle aurait juré que tout cela avait duré très peu de temps, mais une heure ou deux avaient pu s'écouler.

Zedd se redressa à demi et regarda sombrement Nicci.

—Richard n'y est pour rien… Quelque chose ne va pas. Mon expérience m'a permis de rompre le contact à temps, alors que Richard s'est fait piéger. À part ça, je ne suis pas plus capable que lui de guérir Kahlan.

—Avez-vous au moins senti quelque chose? demanda Nicci.

Kahlan se demanda de quoi elle parlait si allusivement.

—Je crois, oui… Mais c'est la première fois que… Je n'ai pas pu passer à travers un obstacle… indéfinissable.

—Zedd, à quoi cet obstacle vous a-t-il fait penser?

—Une entité obscure… Une masse noire…

Nicci sembla comprendre ce que voulait dire le vieux sorcier, mais elle ne fit aucun commentaire.

Kahlan ignorait de quoi parlaient exactement ses deux amis. Mais elle avait elle aussi senti la présence entre leur pouvoir et son mal d'une… entité sombre.

Et toute cette affaire l'inquiétait de plus en plus.

—Nathan pourra peut-être nous aider, avança Richard. (Apparemment, il n'avait pas remarqué que Zedd et Nicci étaient troublés par ce qu'ils venaient de vivre.) C'est un Rahl, donc sa magie n'est pas affaiblie par le palais. C'est peut-être la clé du problème. Le don de Nathan…

Chapitre 59

— **Q**ue veux-tu donc à mon don, mon garçon ? demanda Nathan qui venait juste d'arriver.

Kahlan vit qu'il serrait dans sa main une feuille de parchemin.

— Les griffures de Kahlan se sont infectées alors que Zedd les avait soignées, expliqua Richard. Et il ne parvient plus à s'en occuper. Votre pouvoir n'étant pas affaibli par le palais, vous n'aurez peut-être pas les mêmes difficultés.

Nathan baissa les yeux sur Kahlan, qui lui montra sa main et son bras enflés.

Sa tête la mettant à la torture, l'Inquisitrice n'avait plus qu'une envie : se coucher et dormir.

— Je veux bien essayer, évidemment, dit Nathan.

— C'est inutile, affirma Nicci. Zedd avait guéri Kahlan, et le mal n'aurait pas dû recommencer. Quelque chose nous échappe, je le crains. Si le Premier Sorcier ne peut pas réitérer son intervention, personne d'autre n'en sera capable.

Les sangs glacés, Kahlan se demanda tout ce que Nicci savait… en plus de ce qu'elle voulait bien dire.

— J'ai peur qu'elle ait raison, soupira Zedd.

— Mais si vous ne pouvez rien faire…, commença Kahlan.

Zedd lui tapota gentiment l'épaule et eut un sourire rassurant.

— Ne t'en fais pas, mon enfant… Nous avons d'autres cordes à notre arc. Au palais, on trouve des herboristes très doués.

Ce n'est qu'une petite infection due à des égratignures. Toute ma vie, j'ai soigné ces choses-là avec des cataplasmes et des infusions. Je vais prendre les choses en main, et tu seras rétablie en un clin d'œil.

— C'est vrai, confirma Richard, Zedd a toujours soigné mes bobos sans recourir à la magie. Et j'ai même de l'onguent à base d'aum dans mes affaires…

Le vieux sorcier fronça les sourcils.

— Une bonne nouvelle, mon garçon ! Voilà qui apaisera la douleur pendant que mon cataplasme réduira l'infection. Nous allons nous mettre à l'ouvrage, chère enfant, et tout ça ne sera plus qu'un mauvais souvenir.

— Merci, Zedd, souffla Kahlan.

Le vieil homme la regarda s'allonger plus confortablement, puis il se tourna vers Richard :

— Il faudrait la transporter dans un endroit un peu moins… rustique.

— Je suis très bien ici, assura Kahlan, refusant d'être de nouveau espionnée dans une chambre.

— Tu en es sûre ? Cette fichue machine peut instiller des prophéties dans l'esprit de gens qui n'ont pas une once de pouvoir. Tu imagines la puissance dont elle dispose, alors qu'elle est entourée d'un champ de protection ? Je parierais que c'est ça qui t'a flanqué la migraine…

— J'ai également dormi ici, dit Richard, et sans avoir mal à la tête.

— Certes, mais tu as le don, mon garçon, et tu maîtrises plus ou moins les deux facettes de la magie. De plus, tu as selon moi un lien très spécial avec cette machine. Du coup, elle ne t'affecte pas autant qu'une personne moins privilégiée – comme Kahlan, par exemple.

L'air troublé, Richard posa une main consolante sur l'épaule de sa femme.

— Zedd, demanda celle-ci, vous croyez que la machine pourrait être responsable de mon état ?

— Que savons-nous de cet… appareil ? lança le vieil homme. Rien du tout, et c'est bien ce qui m'inquiète. Les ondes peuvent être la cause de ta migraine et de ta nausée. Mais de toute façon, en tentant de te soigner, j'ai senti que tu manques terriblement de sommeil. C'est un adjuvant de la guérison, tu le sais bien. Si tu ne te reposes pas, l'infection risque de s'étendre. Voilà pourquoi j'aimerais te savoir dans un lit confortable… et très loin de cette machine.

Kahlan dut reconnaître que ça se tenait, mais il y avait comme un hic.

— Nous ne manquons pas de chambres confortables et tranquilles, dit Richard. Tu pourras t'y reposer et Zedd s'occupera de ton bras.

Kahlan se redressa sur un coude.

— Et les ennuis que nous avons eus dans notre dernière chambre ?

Richard eut un sourire espiègle.

— Sur ce sujet, j'ai eu une idée… Ne t'en fais surtout pas !

Plus facile à dire qu'à faire. S'efforçant d'ignorer son bras douloureux et sa tête dévastée par la migraine, l'Inquisitrice décida de mentir :

— Je vais très bien, dit-elle d'une voix tremblante qui n'aurait pas trompé un enfant.

— On ne dirait pas, à t'entendre, fit Nathan.

— Nous avons des soucis bien plus graves que ma petite santé… Un cauchemar m'a fichu mal à la tête, voilà tout. Quant aux griffures, les plaies de ce genre s'aggravent souvent avant de guérir. Il n'y a pas de quoi en faire tout un plat.

Personne ne parut convaincu, peut-être parce que l'Inquisitrice ne l'était pas non plus. De plus, elle avait de la fièvre, et sa voix enrouée et faible la trahissait dès qu'elle ouvrait la bouche.

— Je devrais quand même essayer…, marmonna Nathan.

— Si ça vous tente, je serai ravie de compter parmi vos patientes, tenta de plaisanter Kahlan.

Alors que le prophète approchait de l'Inquisitrice, Richard l'interpella :

— C'est quoi, cette feuille de parchemin ?

Nathan baissa les yeux sur sa main.

—Bon sang! j'ai failli oublier. C'est pour toi, de la part de ta prophétesse personnelle.

—Lauretta? Elle a encore accouché d'une prédiction farfelue?

—Non, c'est sérieux, cette fois… C'est pour ça que je te cherchais. C'est une prédiction énigmatique, mais qui pourrait bien concerner Kahlan. (Nathan lut à voix haute la prophétie de Lauretta.) «Le choix d'une fierge lui coûtera la vie.»

—Nathan, intervint Zedd, tu crois que ça vise Kahlan parce que ça ressemble à l'autre présage: «La fierge prend le paon.»

—Zedd, je ne suis sûr de rien. Je n'ai eu aucune vision liée à ces textes. Mais cette «fierge», ou «reine», pourrait bien être Kahlan.

Le teint cendreux, Richard prit la feuille à Nathan et lut le message, comme s'il ne parvenait pas à y croire.

—Un problème, mon garçon? demanda Zedd.

Richard leva très lentement les yeux vers son grand-père.

—Cette nuit, dit-il, la machine m'a parlé.

—Plaît-il, mon garçon?

—Eh bien, c'est difficile à expliquer…

—Peut-être, mais tu as intérêt à réussir…

Le Sourcier prit le temps de peser ses mots.

—La machine m'a dit qu'elle avait fait des rêves. Puis elle a voulu savoir pourquoi ça lui arrivait.

—Elle t'a interrogé? souffla Nicci.

Richard acquiesça.

Malgré sa migraine, Kahlan lutta pour se rappeler où elle avait entendu des propos très semblables à ceux de la machine.

—Richard, le gamin, sur le marché… Il ne nous a pas dit la même chose?

—Henrik? Oui, mot pour mot… Exactement la même chose.

Un lourd silence suivit cette «révélation». En réalité, ils savaient déjà tous que les présages de la machine se retrouvaient dans la bouche de personnes vivantes. Mais là, c'était différent…

— Le plus troublant, reprit Richard, ce n'est pas ce qu'a dit la machine, mais la façon dont elle s'est exprimée.

— Comment ça ? s'étonna Nicci. Elle grave des symboles sur des bandes métalliques. S'y est-elle prise autrement ?

— Non, elle a produit des bandes, comme d'habitude…

— Alors, où est le problème ?

— Vous savez tous que la machine fait un vacarme de fin du monde quand elle fonctionne. Pour commencer, elle démarre d'un coup, sans crier gare… Eh bien, dans ce cas précis, elle s'est mise lentement en action, comme si elle se réveillait.

Zedd leva les bras au ciel.

— Ben voyons ! Elle se réveille et t'annonce qu'elle a rêvé. Par les esprits du bien ! Richard, c'est une fichue machine !

— Je sais, je sais… (Le Sourcier fit signe au vieil homme de se calmer et d'écouter.) Mais elle s'est mise en marche très lentement, puis elle a gravé deux bandes qui disaient : « J'ai fait des rêves », et : « Pourquoi ai-je fait ces rêves ? »

» Très bizarrement, les deux bandes n'étaient pas chaudes quand je les ai retirées de la fente.

— Elles sont toujours brûlantes ! s'écria Zedd.

— Eh bien, pas cette fois. J'ai pu les toucher sans me brûler les doigts.

— Voilà qui n'est pas banal, concéda le vieux sorcier.

— Je suis resté dans la salle secrète, pour savoir si la machine avait autre chose à me dire. Alors que je m'étais assoupi, elle s'est remise en marche. Mais de la façon habituelle, brutalement et avec le bruit classique. Bien entendu, ça m'a réveillé.

Richard sortit de sa poche une bande de métal.

— Après m'avoir réveillé, juste avant que j'entende crier Kahlan, la machine a produit la même prédiction. Et cette bande-là était chaude.

— La même prédiction que quoi ?

Richard brandit la feuille de parchemin.

— Le même présage que celui de Lauretta : « Le choix d'une fierge lui coûtera la vie. »

Chapitre 60

De la pointe du pied, Richard souleva le chemin de couloir. Il ne découvrit pas le symbole gravé dans le sol devant les chambres où Kahlan et lui s'étaient sentis épiés, et celle où Catherine avait trouvé la mort. Cette constatation lui remonta le moral. Le signe voulait dire « surveillez-les », et il n'avait aucune envie qu'on recommence à l'espionner dans son sommeil.

Le dernier présage de la machine, identique à celui de Lauretta, l'inquiétait beaucoup, mais pour l'instant Kahlan était sa priorité. « Le choix d'une fierge lui coûtera la vie » la concernait-il ou non ? Il n'aurait su le dire, puisque son épouse n'était pas la seule reine présente au palais. En revanche, l'infection était grave, et là il n'y avait pas de temps à perdre…

Tenter de comprendre les prophéties était en règle générale une perte de temps. Isoler Kahlan de la machine et la confier aux bons soins de Zedd semblait par contre une très bonne idée.

Richard avait parié que la chambre serait sûre, parce qu'il ne s'agissait pas d'un des « pied-à-terre » du seigneur Rahl. Ces chambres-là faisaient une cible trop évidente, même en l'absence du fameux symbole. Tant qu'il n'aurait pas été établi comment et par qui ces signes étaient gravés au cœur même du palais, le Sourcier n'avait aucune intention de prendre des risques.

Le refuge qu'il avait choisi était une chambre d'invité située dans une aile pour l'instant déserte du palais. En l'absence d'occupants, personne ne pourrait s'apercevoir que le seigneur Rahl et sa femme y avaient élu domicile. Ce secteur du palais étant très élevé, il n'y aurait aucun risque d'intrusion à partir de l'extérieur.

Bien entendu, la pièce n'était ni grande ni très luxueuse, mais Richard s'en fichait, car seule la sécurité l'intéressait.

Comme de juste, Cara ne le laissa pas entrer le premier. Pourtant, Benjamin avait déjà affecté un détachement de la Première Phalange dans le couloir – gardé aux deux extrémités par Rikka et Berdine, toutes les deux en uniforme rouge.

Alors qu'il saluait les gardes, Richard songea qu'ils ne pourraient pas grand-chose contre la menace qu'il redoutait le plus. La créature noire, à l'évidence, se moquait comme d'une guigne des sentinelles…

Mais le Sourcier avait une petite surprise pour les mystérieux espions, s'ils s'avisaient de revenir.

Un bras autour de la taille de Kahlan, il la guida à l'intérieur. Alors qu'il posait leurs affaires dans un coin, Cara acheva de faire le tour des lieux et, d'un signe de tête, indiqua que tout semblait normal.

— Qu'en penses-tu ? demanda Richard à Kahlan.

— On dirait que c'est parfait, surtout le lit…

Cette remarque rassura le Sourcier. Si sa femme avait envie de dormir, et si elle y parvenait, ce serait déjà un très bon point. L'air inquiète, Cara semblait partager cet avis.

Zedd entra et tapota gentiment le dos de l'Inquisitrice.

— Installe-toi, chère enfant. Je vais demander qu'on prépare un cataplasme, et je le poserai sur ton bras dès qu'on nous l'apportera. Mais le plus important, c'est que tu te reposes.

Kahlan acquiesça. À son teint cendreux, sans parler de son regard voilé, Richard devina qu'elle souffrait atrocement. Ne voulant pas l'inquiéter, elle faisait de son mieux pour cacher sa détresse, mais elle ne pouvait pas le tromper…

Le couple ayant dormi à la belle étoile dans le Jardin de la Vie, la jeune femme portait toujours sa tenue de voyage.

— Si nous nous mettions en tenue de nuit, histoire de nous glisser entre ces draps ?

Kahlan tituba vers le lit.

Dans le jardin, Nathan avait tenté de soulager l'Inquisitrice. Sans plus de succès que Zedd, Nicci et Richard. Il ne restait plus qu'à compter sur le cataplasme du vieux sorcier et sur le caractère réparateur d'une bonne nuit de sommeil.

— Richard, dit Zedd, je file m'occuper du cataplasme. En attendant, fais en sorte qu'on vous débarrasse de ces miroirs.

Deux glaces jumelles ovales trônaient au-dessus d'une grande coiffeuse.

— Ne t'inquiète pas, fit Richard, j'ai ma petite idée à ce sujet…

Dès que son grand-père fut parti, le Sourcier inspecta à son tour la chambre. Non qu'il doutât de Cara, mais deux précautions valaient toujours mieux qu'une. Dans une pièce si petite, l'opération se révéla très courte.

Les armoires vides sentaient bon le cèdre aromatique. Au fond de la chambre, une porte-fenêtre vitrée donnait accès à un balcon. Jetant un coup d'œil dehors, Richard vit qu'on avait agrémenté le petit espace d'une plante en pot. Des étages plus bas, dans une cour, des soldats patrouillaient…

Quand Cara s'en fut allée, Richard tenta de convaincre Kahlan de retirer au moins ses bottes. Arguant qu'elle avait froid, la jeune femme insista pour se glisser sans plus attendre dans le lit. Pour avoir souffert de terribles migraines, Richard savait combien on avait besoin de tranquillité, à ces moments-là. N'insistant pas, il se contenta de tirer la couverture jusque sous le menton de sa bien-aimée.

Lorsqu'elle eut fermé les yeux, il approcha de la porte-fenêtre et détacha la bande de tissu qui servait à tenir le rideau écarté. Puis il gagna la coiffeuse, s'empara d'un miroir et le posa sur le sol. Après avoir placé son jumeau en face, il utilisa le cordon pour attacher ensemble les deux glaces. Finalisant son œuvre, il inclina le montage, le faisant reposer contre le flanc d'un fauteuil.

Il alla ensuite s'allonger, enlaçant Kahlan pour lui faire sentir qu'elle n'était pas seule. Les yeux clos, elle ne dit rien mais se serra contre lui, montrant ainsi qu'elle appréciait l'attention.

Richard s'assoupit… et se réveilla quand on frappa à la porte. C'était Zedd avec son cataplasme.

Le Sourcier alla fouiller dans son sac à dos, en sortit son pot d'onguent aux feuilles d'aum et le tendit au vieil homme.

Puis il tira la couverture pour dévoiler la main et le bras de Kahlan. Pendant ce temps, Zedd ajouta de l'onguent au cataplasme.

L'Inquisitrice dérangée dans son sommeil ouvrit à demi les yeux. Quand Zedd lui appliqua sa préparation sur la peau, elle ne put s'empêcher de gémir.

— Ça ira mieux bientôt, chère enfant…

Kahlan hocha la tête et referma les yeux.

Zedd entreprit d'enrouler une bande de gaze autour du cataplasme.

— L'infection va reculer, et la douleur disparaîtra très vite. J'ai aussi ajouté une plante qui l'aidera à dormir.

— Merci, Zedd… Mais je m'inquiète de la voir si abattue.

— Elle a besoin de repos, c'est tout. Et un peu de sommeil ne te ferait pas de mal non plus, fiston !

Richard doutait d'être capable de dormir. Il prévoyait plutôt de veiller sur le repos de sa femme.

Les deux hommes sursautèrent quand ils entendirent un lointain cri d'angoisse.

— Par les esprits du bien ! qu'est-ce que c'était ? s'exclama Zedd.

Richard eut l'ombre d'un sourire.

— J'ai placé les deux miroirs face à face. Notre espion vient sans doute de voir quelque chose qu'il n'a pas aimé du tout : son propre reflet !

Pour ne pas réveiller Kahlan, Zedd gloussa plus qu'il ne rit.

— Mon garçon, voilà un sacré bon tour de magie !

Chapitre 61

— La situation m'imposait de faire un choix, et je ne m'y suis pas dérobée, annonça la reine Orneta. Bien entendu, ma décision est irrévocable.

Les quelques invités de marque présents se regardèrent, impressionnés. Puis la duchesse Marple posa sa tasse et se pencha vers la souveraine :

— Donc, vous soutenez que le seigneur Rahl et la Mère Inquisitrice sont des agents du Gardien ? Sérieusement ?

Orneta nota que la duchesse semblait plus scandalisée qu'incrédule. Comme de juste, de si horribles affirmations l'excitaient au plus haut point. Face aux puissants, la plupart des gens courbaient l'échine. Mais quand une occasion de les traîner dans la boue se présentait, ils ne la rataient jamais.

Orneta détestait les ragots et elle n'aimait pas davantage lapider les hommes et les femmes de pouvoir. Idéaliste par nature, elle s'inquiétait des forfaitures de Richard et Kahlan parce qu'elle tenait à protéger son peuple.

Dans la petite assemblée, elle n'était pas la seule à s'inquiéter. Ces derniers jours, elle avait beaucoup conversé avec les dirigeants et les émissaires qui ne cachaient pas leur intérêt pour les prophéties et leur désir de les voir régir le monde. Détestant que le seigneur Rahl et la Mère Inquisitrice leur cachent des prédictions, ils se sentaient ignorés et méprisés.

La soudaine passion de ces gens pour les prophéties avait quelque chose de surprenant, Orneta le concédait, mais n'avait-elle pas connu la même évolution ? Une fois l'hypothèque de la guerre levée, il semblait normal de s'intéresser davantage à l'avenir.

En dialoguant avec Orneta et Ludwig, les invités avaient découvert qu'une seule explication éclairait le comportement du seigneur Rahl et de sa femme…

Orneta désigna Ludwig.

—Comme l'abbé Dreier nous l'a révélé, le seigneur Rahl, dans nombre de prophéties, est appelé le « messager de la mort ». Vous apprendre cela ne me fait pas jubiler, veuillez le croire, et vous n'êtes pas obligés de prendre ma parole pour argent comptant. Les textes existent, et on peut les consulter. Le seigneur Rahl ne consentirait pas à vous les montrer, bien sûr, mais l'évêque Arc, lui, ne vous refuserait pas l'accès à sa bibliothèque.

Imaginer que le Gardien manipulait les chefs de l'empire était une idée affolante. S'ils refusaient d'abord d'y croire, les interlocuteurs d'Orneta finissaient tôt ou tard par se rendre à l'évidence.

—Qui mieux que le Créateur pourrait connaître l'avenir ? demanda soudain Ludwig. Et comment choisirait-Il de nous avertir des dangers qui nous menacent ?

Tous les regards se rivèrent sur l'abbé.

—En passant par les prophéties ! Les présages du Créateur sont notre seule voie de salut, mes amis. Bien entendu, le Gardien tente de nous en priver, afin de mieux nous torturer. Pour cela, il s'est emparé de l'âme des chefs que nous vénérions plus que tout. Ainsi, ils deviendront l'instrument de notre perte et de notre damnation.

La démonstration était limpide. Si le seigneur Rahl et la Mère Inquisitrice gardaient les prophéties par-devers eux, c'était pour accomplir les sombres desseins du Gardien.

La thèse, si convaincante fût-elle, n'était pas facile à accepter, même pour une fanatique des ragots comme la duchesse. Pour les faire basculer dans son camp, et militer pour sa cause, Orneta allait devoir montrer sa détermination et son engagement.

Posant une main sur le bras de Ludwig, elle passa à la phase suivante de son plan :

— Cher abbé, pourriez-vous faire savoir à l'évêque Arc que nous aurions grand besoin de ses lumières en matière de prophéties ? Précisez-lui que nous sommes convaincus, comme lui, que les présages détiennent la clé de l'avenir. S'il nous permet d'accéder à ce trésor de connaissances, assurez-lui qu'il aura à jamais acquis la loyauté de mon peuple et la mienne.

Cette déclaration suscita quelques murmures indignés… et une majorité de hochements de tête approbateurs.

— Votre message arrivera aux oreilles de l'évêque Arc, Majesté. À coup sûr, il sera honoré par votre confiance. En son nom, je puis vous assurer que nous continuerons, lui et moi, à nous fier scrupuleusement aux présages pour guider l'empire sur la voie de l'avenir.

— J'espère que le seigneur Rahl se rendra à la raison, dit un ambassadeur nommé Grandon. (Sincèrement affligé, il tira sur la pointe de sa longue barbe.) Après tout, nous ne sommes pas en train de choisir un camp, puisque nous avons tous combattu dans le même. Sincèrement, je prie pour que le seigneur Rahl ne tienne pas pour une trahison notre ralliement à l'évêque Arc.

Cette déclaration obtint l'assentiment de tous les invités. S'ils se rangeaient du côté des prophéties, la trahison ne les séduisait pas, très loin de là. Loyaux à l'empire d'haran, ils désiraient que les prédictions y prévalent, mais sans souhaiter pour autant la destitution du seigneur Rahl.

S'appuyant des deux mains à la balustrade, Orneta se pencha pour mieux voir les grands couloirs du palais, en contre-bas. De ce charmant petit salon extérieur – une sorte de niche aménagée sur la grande promenade surélevée –, on voyait aller et venir des centaines de gens dont l'avenir, à leur insu, dépendait entièrement du drame feutré qui se jouait parmi un petit groupe de dirigeants.

— La trahison… C'est comme ça que vous voyez les choses ? Et vous ne voudriez pas que le seigneur Rahl les ressente ainsi ?

— Exactement, Majesté… En ce qui me concerne, il n'est pas question de retirer ma confiance au seigneur Rahl, le vainqueur d'une guerre terrible. Mais j'ai le sentiment que…

Grandon se tut, hésitant, et Ludwig saisit au vol l'occasion.

— Vous pensez que l'évêque, s'il devenait le seigneur Arc, serait un meilleur chef en temps de paix que Richard Rahl le guerrier.

— Eh bien, c'est une excellente façon de présenter les choses… Nous restons loyaux à l'empire d'haran, et nous continuons à estimer le seigneur Rahl et sa femme, mais il nous semble que l'évêque Arc – ou, plutôt, le seigneur Arc – est plus adapté au rôle de chef parce qu'il accorde aux prophéties l'importance qu'elles méritent. Respectant les présages, il sera un meilleur défenseur de la paix et nous guidera vers un avenir serein.

Cette fois, tout le monde reconnut la sagesse des propos de l'ambassadeur.

— J'aimerais beaucoup que les choses se déroulent ainsi, intervint Orneta. Le seigneur Rahl et sa femme se sont battus pour nous comme des lions, et nous leur devons une reconnaissance éternelle. Mais sur le long et périlleux chemin qui fut le leur, ils ont succombé à de sombres tentations, et il est de notre devoir, aujourd'hui, de soustraire nos peuples à leur influence. Le seigneur Arc est notre nouveau guide, il serait criminel de nous voiler la face. J'ai choisi de lui être loyale, et je ne changerai plus d'avis.

L'ambassadeur Grandon hocha simplement la tête.

— Qu'il en soit ainsi, dans ce cas.

Réticente à s'engager, la duchesse remplit sa tasse et but une gorgée d'infusion. Mais d'autres dirigeants acquiescèrent ou prêtèrent serment à voix haute.

Orneta se réjouit que Ludwig soit en quelque sorte la clé de voûte de l'ordre nouveau qui s'annonçait. Chargé de collecter des prophéties, il avait pendant longtemps aidé Hannis Arc à gouverner la province de Fajin. Désormais, il serait le plus proche conseiller du *seigneur* Arc, le futur maître et bienveillant berger de l'empire d'haran.

Prenant son verre pour boire une gorgée de vin — les infusions, très peu pour elle —, la reine vit qu'une Mord-Sith approchait du petit salon extérieur. Entièrement vêtue de rouge, la femme ne quittait pas Orneta du regard.

Chapitre 62

La reine Orneta et ses interlocuteurs se turent tandis que la Mord-Sith approchait. Suivant du regard la grande femme en cuir rouge, tous les « conjurés » semblaient avoir soudain pris conscience de la gravité de leurs propos. Et ils ne se sentaient pas vraiment à l'aise...

Après tout, n'étaient-ils pas en train de comploter au cœur même du fief ancestral des seigneurs Rahl – la lignée qui régnait sur D'Hara depuis des millénaires ? Envisager de renverser le pouvoir alors qu'on en était l'hôte aggravait encore la forfaiture...

Certes, mais ce palais était aussi celui du peuple, ainsi que son nom l'indiquait. Si on voyait les choses de ce point de vue-là, c'était l'endroit idéal pour songer à l'avenir de l'empire et de ses membres.

L'irruption de la Mord-Sith sembla pourtant semer le doute chez les partisans d'Hannis Arc. Le seigneur Rahl était le maître incontesté de D'Hara, et la récente guerre, conclue par un triomphe, avait renforcé sa position.

Sauf si Orneta, avec l'aide de l'abbé Dreier et de l'évêque Arc, parvenait à inverser le cours des choses.

Comme beaucoup d'autres dirigeants, la reine croyait dur comme fer que les prophéties, un cadeau du Créateur, devaient être obéies à la lettre. Mais pour s'y conformer, il convenait d'abord de les connaître. Les conserver secrètes revenait à servir le Gardien, ça ne faisait pas de doute. Le seigneur Arc, quand il exercerait le pouvoir, romprait avec cette conspiration du silence et du mensonge.

Approchant de la balustrade, la Mord-Sith se pencha pour suivre les allées et venues des gens, en contrebas. Des soldats levèrent les yeux, la virent et continuèrent imperturbablement leur patrouille. Des passants la remarquèrent aussi, mais ils s'empressèrent de détourner le regard.

Même au Palais du Peuple – surtout au palais, à certaines époques –, les individus sensés préféraient ne pas regarder en face les femmes en rouge. Depuis le mariage de Cara, l'ange gardien de Richard Rahl, cette méfiance était un peu moins forte. Mais la tendance ne s'était pas inversée.

Et l'attitude de la grande Mord-Sith ne faisait rien pour détendre l'atmosphère.

Sa longue natte traditionnelle impeccable à la mèche de cheveux près, cette fort jolie femme évoluait avec une grâce féline qui mettait en valeur les courbes parfaites de son corps. Un Agiel pendait à son poignet au bout d'une chaînette en or, prêt à voler dans sa paume à la moindre alerte.

Se détournant de la balustrade, elle chercha le regard d'Orneta, le trouva et le soutint froidement.

— Reine Orneta, je suis venue pour vous parler. En privé.

— De quel sujet ?

— Vous le saurez quand nous serons seules.

Orneta n'avait aucune envie de converser avec une des Mord-Sith du seigneur Rahl dont elle préparait la destitution.

— Eh bien, j'ai peur de ne…

— Pardon ? Ai-je donné l'impression que je vous laissais le choix ?

Orneta sentit se hérisser tous les poils de sa nuque. De sa vie, elle n'avait jamais entendu une voix si mélodieuse… et si menaçante à la fois.

Vaincue, elle se leva.

— Mes appartements ne sont pas loin d'ici. Si vous consentez à…

— Ce sera parfait. En route !

Orneta regarda Ludwig, implorant son secours… et elle l'obtint.

—De quoi voulez-vous parler à la reine? demanda-t-il, furieux.

D'un coup de poignet, la Mord-Sith fit voler l'Agiel dans sa main.

—De la plus récente prophétie…

Tout le monde parut surpris.

—Quelle prophétie?

—Plusieurs personnes, dont la devineresse aveugle, ont été visitées par ce présage.

—Et que dit-il, ce présage?

La Mord-Sith fronça pensivement le front.

—Je n'en ai pas la première idée, bien entendu! Les prédictions ne sont pas pour les profanes – les gens comme vous compris.

Cette fois, Ludwig parut sur le point d'exploser. Depuis leur premier soir, l'abbé et la souveraine étaient devenus très proches, et ils ne se quittaient pour ainsi dire plus. Orneta rayonnait de bonheur d'avoir enfin trouvé un homme qui ne pouvait pas se passer d'elle.

—Si vous ignorez ce que dit ce présage, demanda Ludwig, comment pouvez-vous en parler avec la reine?

—On m'a donné des ordres en mentionnant au passage qu'ils avaient un lien avec la dernière prophétie. (Agiel pointé vers lui, la Mord-Sith se pencha vers l'abbé.) Bon, j'ai perdu assez de temps! Nous allons devoir y aller.

Se levant, l'abbé tenta de s'interposer entre la dame de son cœur et la femme en rouge.

—Je crois que nous devrions d'abord…

Ludwig ne termina jamais sa phrase. Quand l'Agiel s'abattit sur son épaule, il tituba, recula puis tomba à genoux en gémissant de douleur.

Se ressaisissant, il leva les yeux et cria:

—Comment as-tu osé, misérable?

La Mord-Sith pointa de nouveau son Agiel sur l'abbé.

— Si j'étais vous, je resterais à genoux et je me tiendrais tranquille. Sinon, je risque de vous calmer définitivement. Vous voyez ce que je veux dire?

Ludwig foudroya la Mord-Sith du regard, mais il ne dit plus rien. Bouleversée de le voir ainsi, Orneta fit mine de le rejoindre afin de le réconforter.

La femme en rouge lui barra le chemin.

— Maintenant, c'en est trop! En route!

Chapitre 63

Soucieuse d'empêcher la Mord-Sith de lui faire goûter de son arme, Orneta jeta un dernier coup d'œil à Ludwig, puis elle se détourna et prit la direction de sa suite. Folle de rage que cette tortionnaire ait osé maltraiter son bien-aimé, elle jugea plus stratégique de n'en rien montrer pour l'instant. Très bientôt, elle irait se plaindre à qui de droit, et la femme en rouge paierait pour son insolence – sans même parler de sa cruauté gratuite.

En gardant son calme, Orneta allait éloigner la Mord-Sith de Ludwig – un chevalier servant empressé qui risquait de s'attirer de gros ennuis s'il intervenait trop pour le salut de sa dame.

Dans le couloir aux murs lambrissés, Orneta s'efforça de ne pas presser le pas. En avançant dignement, elle entendait rappeler à la Mord-Sith qui elle était, et pourquoi on lui devait le respect. Accessoirement, c'était un moyen de retarder le moment où elle serait seule avec cette femme dans ses appartements.

Une servante aux bras lestés de draps fraîchement sortis de la blanchisserie s'écarta sur le passage de la Mord-Sith, baissa les yeux et attendit de longues secondes avant de reprendre son chemin.

Orneta eut le sentiment d'être un condamné qu'on conduit à la potence. Comment pouvait-on l'humilier ainsi? Avait-elle mérité un tel déshonneur? Son récent changement d'allégeance justifiait-il une disgrâce? En aucune façon! Depuis toujours, elle s'était montrée loyale à D'Hara puis à l'empire. Et sa nouvelle prise de position allait dans le même sens. En se détournant d'un chef corrompu, elle était restée fidèle au peuple, tout simplement.

Que lui voulait donc cette Mord-Sith ? Même si elle l'ignorait, il semblait probable que c'était lié au serment d'allégeance qu'elle avait prêté au seigneur Arc.

Allons, c'était impossible ! Personne n'était au courant, à part elle-même et Ludwig. Plus les membres du petit groupe, mais elle venait juste de le leur révéler…

Certes, certes… Mais une prophétie pouvait très bien annoncer son rejet de Richard Rahl. S'il tenait secrètes les prédictions, le sinistre sbire du Gardien n'hésitait sûrement pas à s'en servir quand ça l'arrangeait. Et nul ne pouvait dire ce qu'un tel agent du mal était prêt à faire lorsqu'il se sentait menacé.

À l'origine, Richard Rahl était un homme de bien, ça n'était pas douteux, mais le héros le plus pur, une fois possédé par le Gardien, devenait susceptible de commettre toutes les infamies. Comme Ludwig l'avait si judicieusement souligné, un ancien défenseur du bien était la meilleure recrue possible pour le maître du royaume des morts.

Jetant un coup d'œil par-dessus son épaule, Orneta vit que la Mord-Sith la talonnait, l'air sinistre. Mais plus loin, à bonne distance, les nouveaux amis de la reine suivaient eux aussi le mouvement. Une main sur son épaule douloureuse, Ludwig ouvrait la marche, talonné de près par l'ambassadeur Grandon, la duchesse Marple et les autres dirigeants.

Ces braves gens ne voulaient pas abandonner une alliée, et Orneta leur en était mille fois reconnaissante. Devant des témoins, la Mord-Sith serait bien obligée de se retenir un peu. Et la loyauté de Ludwig mettait du baume au cœur à la souveraine.

S'arrêtant devant une porte ouvragée, Orneta attendit quelques secondes, histoire que ses compagnons puissent approcher, puis elle annonça :

— Nous y sommes…

Le regard furieux de la Mord-Sith glaça les sangs de la reine. Comme un automate, elle ouvrit la porte et entra.

Quand la femme en rouge lui eut emboîté le pas, elle repoussa le battant, mais pas entièrement, afin que ses amis puissent entendre la conversation et même jeter un coup d'œil dans la chambre.

Hélas, la Mord-Sith s'en aperçut et claqua la porte derrière elle.

Sans trahir son trouble, Orneta approcha d'un joli cabinet à liqueurs.

— Puis-je vous offrir à boire ?

— Je ne suis pas ici pour ça.

— Navrée, mais il ne me semble pas avoir entendu votre nom…

— Je m'appelle Vika.

Le regard de la Mord-Sith glaça de nouveau les sangs d'Orneta, qui fit de son mieux pour ne pas montrer son trouble.

— Vika, donc… Eh bien, Vika, que puis-je pour vous ?

— Crier très fort !

— Je vous demande pardon ?

Avançant vers la reine, Vika la saisit par le devant de sa robe.

— Crier très fort, c'est pourtant clair, non ?

Vika tira Orneta vers elle et lui plaqua son Agiel sur la poitrine.

Tous les nerfs vrillés par une souffrance qu'elle n'aurait pas crue possible, Orneta hurla à s'en briser les cordes vocales.

Quand elle put enfin se taire, elle se laissa glisser sur le sol, le souffle court, et ne tenta même pas d'essuyer les larmes qui ruisselaient sur ses joues.

— Pourquoi avez-vous fait ça ? gémit-elle.

— Pour vous aider à crier, bien sûr…

Quelle folie était-ce donc ? Toute cette histoire n'avait aucun sens.

— Mais pourquoi ?

— Pour vous récompenser, Majesté… Puisque vous vous êtes engagée en faveur des prophéties, vous aurez l'honneur d'être l'outil de leur accomplissement. Et maintenant, j'aimerais entendre un cri digne de ce nom.

Sous le regard terrifié de sa proie, Vika lui plaqua la pointe de son Agiel sur la gorge.

Orneta crut pour de bon qu'elle allait se briser les cordes vocales. Une douleur pareille ne vous faisait pas seulement implorer la mort : on regrettait d'être né un jour, tout simplement.

Du sang jaillit de la bouche d'Orneta, étouffant un peu son cri. Elle sentit le fluide vital couler sur son menton puis empoisser le devant de sa robe.

Sa vision se brouilla avant de s'éclaircir de nouveau. Où était donc passée la Mord-Sith ?

Soudain, elle la sentit derrière elle.

Très calme, Vika abattit son Agiel sur la nuque de la reine.

Comme si son crâne venait d'exploser, Orneta hurla de nouveau et faillit s'étouffer avec son propre sang. Cette fois, la souffrance était pire que la mort – ou du moins que l'idée qu'elle s'en faisait.

Recroquevillée sur le sol, Orneta se demanda ce qu'on éprouvait quand on sentait son cerveau fondre de l'intérieur.

Dans un brouillard, elle vit la Mord-Sith venir se camper devant elle, la regardant sans une once de compassion ni de remords.

Tant d'indifférence chez un être humain ? Cela paraissait impossible, et pourtant…

— C'était très bien, Majesté… Je suis sûre que tout le monde a entendu.

Incapable de lever la tête, Orneta supposa que les muscles de son cou avaient cédé sous la tension. La tête appuyée sur la poitrine, elle vit qu'une mare de sang s'étendait paresseusement sur le sol de marbre blanc.

Les bottes de la Mord-Sith étaient exactement de la même couleur que le sang de sa victime.

Mobilisant tout ce qui lui restait de force, Orneta parvint à articuler quelques mots :

— Qu'attendez-vous de moi ?

— Après ces cris si réussis ? Eh bien, Majesté, vous me combleriez d'aise en mourant.

Orneta connaissait la réponse avant même d'avoir posé la question. Incapable de lutter contre tant de sauvagerie, elle sut que sa dernière heure avait sonné.

L'Agiel s'abattit, visant son cœur.

Quand il explosa dans sa poitrine, Orneta sentit une douleur mêlée d'une étrange extase.

Une fraction de seconde, seulement.

Parce que, ensuite, il n'y eut plus rien.

Pour l'éternité.

Chapitre 64

Ludwig était en train de se servir un dernier verre de vin quand il entendit la porte s'ouvrir puis se refermer dans son dos.

Quelqu'un venait d'entrer sans frapper.

Du coin de l'œil, l'abbé capta une silhouette en cuir rouge, puis une odeur de sang familière monta à ses narines. Un instant, il eut l'impression d'être dans son abbaye, occupé à « collecter » des prophéties – parfois par des moyens plus radicaux que d'autres.

Après avoir bu une gorgée de vin, Ludwig se retourna et cala une hanche contre le rebord de la table. L'heure avançait, et il mourait de fatigue.

Se redressant de toute sa hauteur, Vika redressa fièrement le menton. Les mains croisées dans le dos, bien campée sur ses jambes, elle évita cependant de soutenir le regard de l'abbé.

— Vous êtes satisfait, abbé Dreier ?

Ludwig avança de quelques pas vers la Mord-Sith.

— Ils étaient tous terrifiés… Nous avons entendu les cris, et quand tu es sortie nos amis ont pu jeter un coup d'œil sur le cadavre. J'ai adoré ta façon de les foudroyer du regard pendant que tu essuyais sur le chemin de couloir la semelle ensanglantée de tes bottes. Du grand art !

— Merci beaucoup, abbé Dreier.

— Orneta a-t-elle atrocement souffert ?

—Ce fut un calvaire, selon vos ordres. Comme vous y teniez, j'ai particulièrement soigné cet aspect-là de sa fin.

—Excellent… Après qu'une Mord-Sith a commis quasiment devant leurs yeux un crime ignoble, la plupart des dirigeants penseront sûrement que le seigneur Rahl est un monstre indigne de confiance.

—Du coup, ils se jetteront dans les bras du seigneur Arc !

—Oui, c'est une certitude.

Vika hésita un peu, puis elle posa la question qui lui brûlait les lèvres :

—Votre épaule va bien, abbé Dreier ? J'ai craint d'en avoir un peu trop fait.

Ludwig posa une main sur l'articulation effectivement douloureuse, puis il fit tourner son bras.

—Tu as été parfaite… La démonstration a convaincu tout le monde. Personne n'ira seulement imaginer que tu es avec moi.

Le regard soudain glacial, Vika se rembrunit.

—Je suis la Mord-Sith du seigneur Arc, pas la vôtre.

—Un détail que je trouve sans importance, permets-moi de le dire.

—Je doute que le seigneur Arc partagerait votre point de vue.

Ludwig tendit une main et libéra un flot de pouvoir qui vint percuter la Mord-Sith au ventre.

Des larmes lui montant aux yeux, Vika dut mettre un genou en terre. Le visage presque aussi rouge que son uniforme, elle croisa les bras sur son abdomen, gémit de douleur et tomba sur un côté.

Les Mord-Sith étaient entraînées pour supporter la souffrance, mais pas le type de torture que Ludwig pouvait infliger à une proie.

Quand le regard de Vika se voila, l'abbé sut qu'elle apercevait les contours du royaume des morts. À coup sûr, elle devait croire que sa dernière heure avait sonné. Après tout, on s'aventurait rarement entre les griffes de la mort avec une chance d'en revenir indemne.

Ludwig décida de maintenir Vika un long moment sur cette invisible frontière séparant la vie de la mort. Voilà qui lui apprendrait le respect ! Et si elle finissait par basculer du mauvais côté, tant pis pour elle. Même si elle était fort jolie, d'autres attendaient de la remplacer.

Mais Hannis Arc, lui, ne verrait peut-être pas les choses ainsi.

Ludwig relâcha sa victime.

Roulant sur le dos, Vika écarta les bras et respira à fond plusieurs fois. Comme la naissance, un retour dans le monde des vivants n'était pas une partie de plaisir. Totalement désorientée, la Mord-Sith eut besoin d'un moment pour reprendre contact avec la réalité.

— Ne sois plus jamais impertinente avec moi ! C'est compris ?

— Oui, abbé Dreier.

— Je déteste l'insolence.

— Veuillez me pardonner, abbé Dreier, souffla Vika en se relevant péniblement.

Ludwig attendit qu'elle soit bien stable sur ses jambes.

— Et tes autres missions ?

Au prix d'un effort inhumain, Vika parvint à afficher son imperturbabilité coutumière. Courageusement, elle croisa de nouveau les mains dans le dos, même si elle avait ainsi plus de mal à ne pas vaciller.

— J'ai tout fait, abbé Dreier… Grâce à mon uniforme, j'ai pu passer inaperçue et graver le symbole devant toutes les chambres du seigneur Rahl. Voyant le roi Philippe sortir de ses appartements et laisser sa femme seule, j'ai fait de même devant sa porte.

Ludwig but une autre gorgée de vin.

— Des gens t'ont-ils vue ?

— Oui, abbé, mais personne ne m'a vraiment regardée, vous savez ce que c'est avec les Mord-Sith… Selon vos ordres, j'ai pris garde à ne me laisser voir par aucune de mes « collègues ». Ainsi, on pensera que je suis une des gardes du corps du seigneur

Rahl. Ces derniers temps, elles sont toutes en rouge, une chance de plus pour moi. J'ai vraiment été invisible.

Ludwig sourit d'aise. Il avait assuré à Hannis Arc qu'il en serait ainsi, lorsqu'il lui avait exposé son idée d'utiliser Vika. Si puissant qu'il fût, l'évêque était trop consumé par ses obsessions – et trop isolé – pour savoir comment les choses se passaient dans le grand monde. Sans l'aide de Ludwig, il n'avait aucune chance de réaliser ses plans.

— Bien, bien… (L'abbé posa son verre.) Puisque tu as tout fait, il va te falloir partir. Je ne voudrais surtout pas qu'une des Mord-Sith du seigneur Rahl te voie. Plus tu t'attardes, et plus ça risquera d'arriver.

— Je suis prête à m'en aller, abbé Dreier.

— Mon carrosse est attelé et il m'attend. Je ne vais plus rester très longtemps ici… Lorsque je serai loin du palais, une fois les plaines d'Azrith traversées, tu pourras profiter du voyage. Je suis sûr qu'Hannis Arc a hâte de te revoir.

— J'en suis sûre aussi, abbé Dreier.

Ludwig dévisagea la Mord-Sith, en quête du moindre indice d'insolence. Il n'en trouva aucun.

— Abbé Dreier, ce que j'ai entendu est vrai?

— De quoi parles-tu?

Vika hésita un instant.

— On dit qu'une Mord-Sith s'est mariée… La cérémonie, les invités… Tout ça serait en son honneur. Concentrée sur mes missions, je n'ai pas pu vérifier par moi-même.

— De toute façon, ça ne te regardait pas! Mais oui, c'est pour ça que les dirigeants sont là. On nous a invités au mariage de Cara.

— Je ne comprends pas qu'une Mord-Sith s'abaisse à ces niaiseries.

— Sous le règne de Richard Rahl, les femmes en rouge se sont ramollies…

— C'est sûrement ça…

Ludwig approcha de Vika, l'étudiant de pied en cap. Quand il se campa devant elle, cherchant son regard, elle détourna légèrement la tête.

—Tu n'as plus rien à faire ici… File avant que la mauvaise personne croise ton chemin !

La Mord-Sith inclina humblement la tête.

—Je pars sur-le-champ et je vous attendrai à la lisière des plaines d'Azrith.

Ludwig regarda la Mord-Sith s'éloigner de sa démarche féline et gracieuse à la fois. Après Orneta, elle aurait fait une délicieuse compagne de lit. Non que la reine eût été décevante, mais ce n'était pas Vika.

Peu de femmes avaient tant de chien.

Pour l'instant, comme les autres Mord-Sith, elle appartenait à Hannis Arc, mais un jour ou l'autre, si tout se passait bien, l'évêque n'aurait plus de pouvoir sur rien ni sur personne. Devenu le seigneur Dreier, Ludwig pourrait choisir librement dans *son* cheptel.

L'affaire serait délicate, cependant. Très dangereux, Hannis Arc n'était pas un adversaire – ni un sorcier – à prendre à la légère. Mais ses obsessions finiraient par le perdre.

Ludwig s'arracha à de plaisantes perspectives d'avenir. Il devait lever le camp. Tous les dirigeants qui ne se fiaient plus au seigneur Rahl, les nouveaux fidèles du seigneur Arc, étaient sur le départ, et il tenait à quitter le palais avec eux.

Chapitre 65

Richard était fou de rage et d'indignation.

Devant le cadavre d'Orneta, il ne parvenait pas à en croire ses yeux. Encore un massacre! Et c'était la deuxième reine sauvagement assassinée au palais.

Par une Mord-Sith, pour ne rien arranger!

Quelle Mord-Sith? Il n'aurait su le dire. Et pour quelle raison? Pareillement, il n'en savait rien.

— Seigneur Rahl, dit Cara, j'avoue que je me méfiais de cette femme. Pour être franche, je ne la portais pas dans mon cœur, mais pas au point de faire ça.

— Ai-je dit que c'était toi?

— Non, mais vous n'avez pas dit le contraire non plus.

— Cara, je veux savoir qui a tué cette femme.

Cara acquiesça, les lèvres pincées. Depuis l'accession au pouvoir de Richard, aucune Mord-Sith n'aurait commis un acte pareil de son propre chef. Mais il y avait toute une série de preuves et de témoignages…

La mort avait été donnée par un Agiel. Richard s'en était douté, et Cara le lui avait confirmé.

La meurtrière était une Mord-Sith, ce n'était pas contestable. Mais laquelle? Toute la question était là.

Richard ne pouvait avancer aucun nom. Quand il s'agissait de le protéger ou de défendre Kahlan, toutes ces femmes étaient impitoyables. Au combat, elles ne faisaient pas dans la dentelle non plus. Mais elles lui étaient loyales au point de vouloir mourir pour lui.

Bon sang, ça n'avait aucun sens!

Richard fit signe à l'ambassadeur Grandon d'entrer. Debout dans le couloir, l'homme inclina très légèrement la tête et avança, jouant avec un bouton de sa veste pour se donner une contenance.

—Oui, seigneur Rahl? dit-il en s'immobilisant devant Richard.

—Selon vous, une Mord-Sith est coupable et vous affirmez l'avoir vue?

—C'est exact, seigneur Rahl.

—Décrivez-la!

—Eh bien… Elle était grande, blonde, les yeux bleus…

Se maîtrisant à grand-peine, Richard désigna Cara :

—Mon amie correspond en tout point à votre portrait. C'était elle?

Grandon regarda brièvement Cara.

—Bien sûr que non, seigneur Rahl.

—Beaucoup de Mord-Sith sont des blondes aux yeux bleus. Comme presque tous les D'Harans.

Grandon baissa les yeux sur le bouton qui semblait le fasciner.

—C'est vrai, seigneur Rahl…

—Alors, comment pouvons-nous distinguer cette femme des autres Mord-Sith blondes aux yeux bleus? Comment démasquer la meurtrière?

Abandonnant le bouton, Grandon entreprit de tirer sur sa barbe pointue.

—Je n'en sais rien, seigneur Rahl… Pour dire la vérité, je ne l'ai pas dévisagée… J'ai vu le cuir rouge, la natte blonde, l'Agiel au bout d'une chaîne… Cette femme avait l'attitude d'une Mord-Sith, si vous voyez ce que je veux dire. Elle en imposait. Si je la revoyais, je ne serais pas sûr de l'identifier.

Richard en soupira de frustration. Grandon disait vrai. En présence d'une Mord-Sith, on essayait autant que possible de regarder ailleurs. En son temps, il avait connu l'angoisse qu'éveillaient ces femmes chez un être humain normal.

—Que faisiez-vous avec la reine Orneta? Si j'ai bien compris, vous étiez plusieurs dans ce salon extérieur. Et vous y étiez depuis un bon moment, à voir les verres et les tasses, sur les tables. Pourquoi ce rassemblement?

Voyant Grandon pâlir, Richard sut qu'il avait mis dans le mille.

—Seigneur Rahl, nous parlions, voilà tout…

—De quoi, exactement?

—Des prophéties.

—Vraiment? Et qu'en disiez-vous? Ce devait être frappant, puisque tous les participants à cette réunion ont quitté le palais ou sont sur le départ.

L'ambassadeur prit le temps de peser ses mots.

—Seigneur Rahl, je suis resté un moment de plus qu'eux parce que j'ai le sentiment de vous devoir une explication.

—Sans blague?

—Eh bien, vous devez savoir pourquoi vos invités s'en vont, et ce qu'ils ont décidé. Seigneur, nous avons entendu ce que la Mère Inquisitrice et vous aviez à dire sur les prophéties. Nous avons aussi écouté le prophète Nathan. Hélas, malgré tout le respect que nous vous devons, nous ne sommes pas d'accord.

Richard ravala une repartie cinglante. Pour se calmer, il prit une profonde inspiration. Après tout, c'était lui qui avait dit à ces gens – jusque-là habitués à s'agenouiller pour déclamer les dévotions au seigneur Rahl – que leur vie leur appartenait et qu'ils devaient en profiter sans se prosterner devant quiconque. S'il attendait d'eux qu'ils pensent de manière indépendante et prennent librement des décisions, il ne pouvait pas le leur reprocher quand ça arrivait.

—Ambassadeur Grandon, dit-il en posant une main sur l'épaule de l'homme, nous sommes tous libres. Le bon sens nous dicte de coopérer, afin d'assurer notre prospérité à tous, mais je ne vais sûrement pas commencer à torturer et à exécuter les gens qui ne pensent pas comme moi. Nous nous sommes battus pour la liberté, il ne faut pas l'oublier. Et sur ce sujet, j'ai toujours tenu des propos sans ambiguïté. Aujourd'hui, j'espère que les gens adhéreront au discours que nous tenons, ma femme et moi. Si ce n'est pas le cas, je n'ai pas l'intention de leur forcer la main.

L'ambassadeur parut soudain très mélancolique.

— Seigneur Rahl, ces propos sont une très douce musique à mes oreilles. Mais ce que j'ai à vous dire n'en devient que plus difficile, je dois l'avouer…

— Soyez sincère, ambassadeur. Je ne vous en voudrai en aucun cas d'avoir dit la vérité.

— Seigneur Rahl, vous avez une position très arrêtée au sujet des prophéties, et nous ne doutons pas qu'elle soit justifiée à vos yeux. Mais nous considérons les choses différemment. Pour nous, les prédictions doivent servir à guider les peuples. Donc, il est vital que nous les connaissions.

» La reine Orneta avait choisi de transférer sa loyauté à Hannis Arc, et d'être guidée par sa profonde connaissance des présages. Nous ignorons si l'évêque acceptera de partager son savoir, mais nous avons de bonnes raisons d'espérer qu'il en ira ainsi. Encouragés par la prise de position d'Orneta, nous nous sommes tous prononcés pour le choix d'un chef qui ne garde pas les prophéties pour lui et qui les utilise. Un chef très différent de vous…

Richard passa un pouce dans son ceinturon d'armes et prit une autre inspiration.

— Je vois…

— Alors que nous étions réunis dans le salon extérieur, une Mord-Sith est venue chercher Orneta. L'abbé Dreier a demandé pourquoi, et la femme en rouge a répondu que c'était lié au plus récent présage. Elle a précisé qu'elle ignorait ce qu'il disait, mais que beaucoup de gens l'avaient énoncé. Ensuite, quand Dreier a tenté de s'interposer, cette Mord-Sith l'a rudoyé avec son Agiel.

Grandon désigna le cadavre de la reine gisant dans une mare de sang.

— La Mord-Sith a emmené Orneta. Nous avons suivi les deux femmes et entendu les cris, derrière la porte. Après le meurtre, quand la Mord-Sith est sortie, nous avons cru que notre dernière heure avait sonné. Dans notre terreur, nous n'avons pas songé à la regarder en détail. Une fois qu'elle est partie, nous épargnant, nous nous sommes mis à la recherche de la devineresse aveugle.

— Sabella… Oui, je la connais.

— Elle est célèbre, je crois…

— Et que vous a-t-elle dit ?

— Hier, elle a eu un présage… « Le choix d'une fierge lui coûtera la vie. » Une fierge, vous le savez sans doute, peut désigner une reine… Et Orneta, juste avant de mourir, nous avait annoncé qu'elle choisissait Hannis Arc…

» Le présage s'est réalisé. Une preuve de plus, à nos yeux, qu'on ne peut rester à l'écart des prophéties, et qu'il nous faut un chef résolu à ne pas les garder par-devers lui.

— Je vois, je vois…

Grandon baissa les yeux.

— Je suis navré, seigneur Rahl, mais ce sont nos vies, et nous tenons à les préserver. Suite à cette décision, presque tous les invités de marque ont décidé de partir. Certains sont déjà en route et d'autres quittent le palais en ce moment même. Enfin, quelques-uns partiront au plus tard ce soir.

— Et vous serez du nombre, ambassadeur ?

Grandon hocha la tête tout en tirant sur sa barbe.

— Oui, seigneur Rahl. Surtout, n'y voyez aucune animosité contre vous, mais seulement le désir d'avoir pour chef un homme prêt à nous révéler les sombres secrets des prophéties.

Les sombres secrets… En matière d'obscurité, Richard avait eu plus que son content depuis la découverte de la sinistre machine à présages.

Et voilà qu'il se tenait près du corps d'une reine dont la fin était écrite sur une bande de métal. Des émotions tourbillonnaient en lui, mais il jugea plus judicieux de les garder secrètes. En particulier cette envie folle de laisser tout tomber pour redevenir un simple guide forestier dans sa forêt natale…

— Je comprends, ambassadeur… Un jour, je l'espère, vous vous apercevrez que la Mère Inquisitrice et moi avons toujours parlé pour le bien commun. Si vous changez d'avis, vos amis et vous serez de nouveau les bienvenus au palais, cela va sans dire.

Grandon hocha la tête, jeta un dernier regard au cadavre d'Orneta, puis il se détourna et sortit.

Sur le seuil, il croisa Nicci, qui arborait son air des très mauvais jours. Pendant que des serviteurs l'enveloppaient dans un linceul, elle regarda brièvement la dépouille d'Orneta. Bientôt, on l'emporterait sur une civière. Dans le hall, des serviteurs attendaient de pouvoir nettoyer la suite du sol au plafond.

— On dit qu'elle a été tuée par une Mord-Sith, fit Nicci.

— Je veux bien qu'on nous accuse, marmonna Cara, mais c'est quand même plus supportable quand nous sommes coupables…

La Mord-Sith était elle aussi d'une humeur épouvantable, et Richard aurait été bien malvenu de lui jeter la pierre, car il n'était guère plus guilleret.

Nicci ne releva pas la remarque de Cara. À l'évidence, elle avait une idée derrière la tête.

— Je t'écoute, dit simplement Richard.

— Pour commencer, sache que je suis passée par votre nouvelle chambre. Kahlan dort paisiblement. Elle ne s'est pas réveillée pendant que je procédais à une inspection minutieuse. Il n'y a rien à signaler. Les hommes postés dans le couloir comptent parmi les meilleurs, et Rikka et Berdine veillent au grain. Je leur ai conseillé de ne rien laisser passer d'inhabituel, si insignifiant que ça puisse paraître.

— Nicci, qu'est-ce qui t'amène ?

— J'étais dans la salle secrète, avec Zedd, quand la machine s'est mise en marche lentement, comme tu nous l'as décrit. Une bande a été gravée, et quand nous l'avons prise, elle n'était pas chaude. Ensuite, la machine s'est « rendormie ». Zedd est resté en bas, au cas où elle produirait d'autres présages. Il m'a chargée de t'apporter la bande. Avant d'inspecter la chambre de Kahlan, j'ai demandé à Berdine de traduire l'inscription.

— Le résultat ? demanda Richard, de plus en plus inquiet.

Nicci inspira à fond et tendit la bande au Sourcier.

— Il vaut mieux que tu traduises toi-même… Je n'ai aucune envie d'être celle qui apporte les mauvaises nouvelles.

Richard saisit la bande où figurait un emblème assez simple accompagné d'un élément plus complexe.

Quand il eut traduit, il s'empourpra de colère.

« Les molosses te la prendront. »

— Maintenant, ça suffit ! J'en ai assez de cette machine, et je veux qu'on la détruise !

Le Sourcier sortit en trombe, Nicci et Cara sur les talons.

Cette fois, la guerre était bel et bien déclarée.

Chapitre 66

Kahlan se réveilla parce qu'elle sentait la caresse d'un souffle chaud sur son visage.

C'était absurde, puisque Richard n'était pas là.

Une petite voix, dans sa tête lui murmura de garder les yeux fermés et de ne pas bouger.

Que se passait-il ? Malgré tous ses efforts, elle n'y comprenait rien. Même si Richard était revenu, il n'aurait pas fait quelque chose qui pouvait la terrifier, surtout en sachant qu'elle n'allait pas bien.

Son bras gauche lui faisait un mal de chien. Avant qu'elle s'endorme, Zedd l'avait pourtant enveloppé d'un cataplasme et bandé. Mais elle verrait ça plus tard.

L'expérience et la discipline acquises durant la guerre – combinées à sa stricte formation d'Inquisitrice – prirent le dessus chez Kahlan. Oubliant la migraine, la nausée et la douleur, elle se concentra sur son problème le plus immédiat. Sans ouvrir les yeux, ni bouger ni respirer plus vite, elle entreprit d'évaluer la situation.

Quelque chose la coinçait sous sa couverture. De quoi ou de qui pouvait-il s'agir ? Très probablement d'une personne – ou d'une créature – qui se tenait au-dessus d'elle, les mains et les genoux bloquant la couverture de chaque côté.

La chambre étant gardée par une petite armée, comment quelqu'un avait-il pu s'y introduire ? Dans son entourage, Kahlan ne voyait personne qui aurait trouvé amusant de lui faire ce genre de « blague ». De plus, l'odeur de l'intrus était franchement désagréable… et pas humaine du tout.

Et la respiration de cette créature tenait un peu du grognement étouffé.

Très lentement, Kahlan entrouvrit les yeux.

Sur sa droite et sa gauche, elle aperçut une forme assez mince couverte de poils. La patte d'un chien, d'un loup ou d'un coyote, comprit-elle. Dans la pénombre, il était impossible de distinguer la couleur de la fourrure.

La situation commença à s'éclaircir dans la tête de Kahlan. Ce n'était pas une personne qui la piégeait sous la couverture, mais un animal. Assez lourd et puissant pour ne pas être un coyote, semblait-il.

Un grognement suivi d'une nouvelle onde de chaleur fournit à l'Inquisitrice des informations supplémentaires. C'était l'haleine d'un chien, presque à coup sûr. Ou d'un loup, peut-être…

Mais que fichait un animal pareil dans sa chambre ?

Un souvenir revint à Kahlan : le molosse que les soldats avaient dû tuer et qui s'était écrasé contre la porte d'une autre chambre…

Eh bien, un autre molosse avait réussi à entrer, cette fois. Savoir comment n'avait pour l'instant aucune importance. Le mal était fait, et la bête n'avait sûrement pas de bonnes intentions. Un animal dangereux, sans nul doute…

Coincée comme elle l'était, Kahlan ne pouvait espérer bondir hors du lit et courir vers la porte. Son agresseur était bien trop près, et il ne la laisserait pas faire.

Ouvrant un peu plus les yeux, l'Inquisitrice vit le museau aux babines retroussées et aux longs crocs brillants. Si elle tentait de fuir, le molosse lui aurait déchiqueté le visage avant même qu'elle ait pu lever les bras pour se protéger.

Mais la patte du chien reposait entre son flanc droit et son bras. En d'autres termes, si son bras gauche était plaqué contre son torse, le droit ne l'était pas.

Elle n'aurait qu'une chance, et elle ne devait plus trop tarder. Prédateurs par nature, les chiens et les loups étaient excités par les tentatives de fuite de leurs proies. En restant parfaitement immobile, elle évitait l'attaque.

Mais ça ne durerait pas, et de toute façon, le moindre geste donnerait le signal de la curée.

Le chien perdait patience. Son grognement se faisait plus fort, et elle sentait trembler ses pattes.

L'attaque était pour bientôt.

Si le chien la mordait, Kahlan était perdue, elle en avait conscience.

Donc, elle devait prendre l'initiative.

Chapitre 67

Kahlan prit une profonde inspiration, se préparant à passer à l'action.

Le chien sentit quelque chose et ses muscles se tendirent.

De toute sa force, la jeune femme tira sur la couverture avec son bras droit. Rapide comme l'éclair, le molosse voulut la mordre à la gorge, mais il en fut incapable, car l'Inquisitrice l'enroula dans la couverture, le privant provisoirement de toute possibilité d'attaque.

Entraînée par son brusque mouvement, Kahlan roula sur elle-même, le chien toujours collé à elle. Ensemble, ils tombèrent du lit et s'écrasèrent sur le sol.

Mais cette fois, l'humaine avait la position dominante. Ses pattes s'agitant frénétiquement, le molosse tentait de se dégager.

Kahlan voulut crier pour alerter les gardes, dans le couloir, mais aucun son ne consentit à sortir de sa gorge. La terreur, sans doute, ajoutée à l'épuisement…

Par bonheur, la lampe posée sur la table de chevet n'avait pas été renversée dans l'aventure. Grâce à ce petit miracle, Kahlan pourrait au moins voir ce qu'elle faisait.

Habituée au combat, elle chercha le manche du couteau qu'elle portait à la ceinture.

Hélas, elle ne le trouva pas.

D'abord désorientée, elle se demanda si elle avait perdu l'arme dans sa chute. Puis elle se souvint qu'elle ne la portait pas en permanence, au palais. Le couteau devait être dans son sac à dos, quelque part dans la pièce.

Tout en luttant contre le chien, l'Inquisitrice tenta de repérer la porte. Si son seul salut était la fuite, elle ne devrait pas hésiter un instant.

Soudain, près de la porte, elle distingua les yeux brillants de trois autres chiens. À l'affût, les oreilles aplaties, ils bavaient déjà à l'idée du festin qui les attendait.

Des chiens énormes à poil court, l'encolure puissante et les pattes musclées…

Comment étaient-ils entrés, par les esprits du bien ?

Du coin de l'œil, Kahlan vit que la porte-fenêtre donnant sur le balcon était entrebâillée.

Le chien enveloppé dans la couverture se débattait toujours, et les forces de la jeune femme déclinaient. Par bonheur, elle avait réussi à enfoncer un morceau de tissu dans la gueule du monstre. Décontenancés, les autres n'osaient pas attaquer pour le moment. Mais ils ne tarderaient pas à venir se joindre à la mêlée.

Toujours du coin de l'œil, l'Inquisitrice vit que l'un d'eux avançait déjà.

En même temps, elle repéra son sac à dos, posé au pied du lit. Son couteau était dedans.

Atteindre puis franchir une porte gardée par trois molosses était impossible. Si elle récupérait son arme, l'Inquisitrice aurait au moins une chance de se défendre jusqu'à son dernier souffle.

Sans perdre son temps à se demander quelle différence ça ferait, au bout du compte, elle passa une jambe au-dessus du chien piégé dans la couverture et roula sur le côté pour s'emparer du sac.

Du bout des doigts, elle parvint à saisir la bandoulière.

Alors que le chien le plus hardi bondissait sur elle, Kahlan se servit du sac à dos comme d'un fléau d'armes. Fauché en plein vol, le molosse s'écroula.

Sans perdre une seconde, la jeune femme se redressa, flanqua un coup de pied dans les côtes du chien piégé dans la couverture, puis fonça vers la porte-fenêtre, au fond de la chambre.

Jaillissant de nulle part, deux autres chiens sautèrent sur Kahlan, la manquant de peu.

Tremblant de peur, elle se glissa par l'ouverture et se retrouva sur le petit balcon. Entraînée par son élan, elle percuta la balustrade et en eut le souffle coupé. Cela dit, ç'aurait pu être pire. Si elle avait basculé dans le vide, la chute n'aurait pas pardonné.

Se retournant pour fermer la porte-fenêtre, l'Inquisitrice vit que plusieurs molosses étaient déjà sur le balcon. À la recherche d'une solution, Kahlan remarqua qu'il y avait un autre balcon, à quelques pas du sien, et très exactement au même niveau. Si elle ratait son coup, ce serait la fin de l'histoire, mais elle n'avait pas vraiment le choix.

Montant sur la balustrade, la jeune femme se ramassa sur elle-même, puis elle sauta. Des mâchoires claquèrent derrière elle, manquant de très peu sa cheville.

Kahlan se reçut sur l'autre balustrade, mais elle ne put maintenir son équilibre et bascula en avant. À plat ventre sur le sol, elle vit qu'un escalier, au bout du couloir, descendait le long de la façade. Jetant un coup d'œil dans son dos, elle constata que les chiens, sur le balcon d'origine, semblaient se demander où elle était passée.

L'escalier de service expliquait sans doute leur présence dans la chambre. Ils l'avaient gravi, puis ils étaient passés d'un balcon à l'autre.

À présent, ils s'apprêtaient à sauter dans l'autre sens. Trop angoissée pour prendre le temps de réfléchir, Kahlan se leva d'un bond, courut vers les marches et s'y engagea.

Elle les dévala trois par trois. Derrière elle, le premier molosse devait avoir réussi son bond. Se tenant à la rampe, la fugitive accéléra encore le rythme de sa descente.

Elle n'avait plus qu'une idée en tête : échapper à ses poursuivants. S'ils parvenaient à la talonner, elle pourrait toujours les tenir à distance en utilisant son sac à dos comme un fléau d'armes.

Cette opération lui paraissant pour le moins aléatoire, elle se lança dans la descente de l'escalier à une vitesse folle, négociant sans même les distinguer les paliers qu'elle rencontrait régulièrement.

Moins habitués aux marches, les chiens perdirent inexorablement du terrain. Consciente qu'ils glissaient sur la pierre et se gênaient les uns les autres, Kahlan mobilisa toute son énergie afin de préserver sa minuscule mais ô combien précieuse avance.

Sa tête lui faisait si mal qu'elle redouta de s'évanouir, devenant ainsi une proie facile pour les chiens.

Le souvenir de la tueuse, cette infanticide qui avait prédit qu'elle mourrait déchiquetée par des crocs, lui redonna du cœur au ventre.

Les jambes en feu, elle continua à dévaler les marches.

Mais son endurance ne serait pas éternelle, elle le savait. Lorsqu'elle atteignit enfin le sol, et commença à courir sur un terrain plat, elle manqua une ou deux inspirations et faillit trébucher. Mais les chiens lui collaient aux basques, et la peur lui redonna des ailes.

Elle se souvint de la pauvre Catherine, déchiquetée par des animaux inconnus – à ce moment-là, parce que, désormais, leur identité ne faisait plus de doute. Et voilà que ces monstres la poursuivaient. S'ils la rattrapaient, elle finirait comme la femme de Philippe, c'était évident. Cette idée atroce lui redonna un peu d'énergie.

Fuir était l'unique solution. Mais même si Kahlan n'avait pas été épuisée, les chiens se seraient révélés plus endurants qu'elle. L'avance qu'elle avait gagnée dans l'escalier fondait peu à peu. Et la fatigue, malgré la peur, reprenait le dessus.

La jeune femme devait agir, et vite !

Dans la pénombre, Kahlan vit un chariot qui s'éloignait sur un chemin. Modifiant sa trajectoire, elle courut vers ce qui était peut-être sa planche de salut.

Elle voulut crier de joie quand elle rattrapa le véhicule, mais là non plus, pas un son ne sortit de sa gorge. S'accrochant au hayon, elle se hissa à la force des poignets et bascula à l'intérieur du chariot au moment où un des chiens, plus rapide que les autres, menaçait de refermer les crocs sur son mollet.

L'atterrissage en catastrophe se termina mal. Quand sa tête heurta un objet indéfinissable, l'Inquisitrice crut que la douleur allait la tuer.

Puis elle sombra dans une miséricordieuse inconscience.

Chapitre 68

La nuit était déjà très avancée quand Richard entra dans la salle où se tapissait Regula. Les quartiers des invités se trouvant à l'opposé du Jardin de la Vie, il lui avait fallu du temps pour en venir. À dire vrai, le palais était si grand qu'il avait l'impression de passer la moitié de sa vie dans les couloirs.

Le Sourcier serra les dents de colère dès qu'il vit la machine dont les présages, ces derniers jours, avaient été liés à une série de morts tragiques. Et voilà que ce monstre mécanique annonçait qu'il allait perdre Kahlan !

L'image du cadavre de Catherine le hantait. Pas question que sa propre femme subisse le même sort !

En chemin, et malgré le rassurant rapport de Nicci, Richard était allé voir Kahlan. À la lumière d'une unique lampe, réglée sur veilleuse, il l'avait regardée dormir un moment, blottie sous la couverture qu'il avait lui-même tirée jusqu'à son menton. Constatant que son sommeil n'était pas agité, il lui avait posé un baiser sur le front avant de sortir en silence.

Dans le couloir, il s'était assuré que les soldats et les deux Mord-Sith avaient bien compris leurs ordres. De ce côté-là, tout allait bien aussi.

Mais une phrase tournait en rond dans la tête de Richard.

« Les molosses te la prendront ».

— Quel bon vent t'amène, mon garçon ? demanda Zedd dès qu'il aperçut son petit-fils.

—Tu te souviens de l'avant-dernier présage? «Le choix d'une fierge lui coûtera la vie»?

—Bien sûr. Tu sais ce qu'il veut dire?

—Il concernait la reine Orneta… Elle avait décidé de se rallier à Hannis Arc, le gouverneur de la province de Fajin, parce qu'il croit aux prophéties et serait ravi, paraît-il, de les partager avec n'importe qui. Peu après cette trahison, Orneta a été tuée.

—Comment?

—Par une Mord-Sith! C'est absurde, Zedd! Je refuse de croire qu'une de mes gardes du corps soit coupable, mais les preuves sont accablantes.

—Je vois, marmonna Zedd.

Fidèle à ses habitudes, il fit un moment les cent pas en réfléchissant.

Richard sortit une bande de métal de sa poche.

—C'est le présage que Nicci m'a apporté de ta part.

—Tu l'as déchiffré?

—Oui. Il dit: «Les molosses te la prendront.»

—Par les esprits du bien…, soupira Zedd, ses yeux noisette trahissant son angoisse et son infinie lassitude.

Richard désigna la machine.

—Zedd, je veux qu'on détruise cette abomination!

—Tu es sûr, mon garçon? Je te comprends, mais tu crois que c'est bien prudent?

—Connais-tu une prophétie qui ne soit pas sinistre? Un présage qui annonce autre chose qu'une catastrophe?

Surpris par la question, Zedd fronça les sourcils.

—Oui, bien entendu! À froid, comme ça, je ne m'en souviens plus exactement, mais j'en ai lu, tu peux me croire. Bien que les prédictions heureuses soient moins nombreuses que les autres, on en trouve dans tous les recueils. Nathan pourrait te le confirmer.

—Peut-être… Mais cette machine a-t-elle jamais prédit autre chose que des horreurs?

Zedd regarda Regula, l'air troublé.

—Eh bien, pas à ma connaissance.

— Et tu ne trouves pas ça bizarre?

— Que veux-tu dire?

— L'absence d'équilibre! Les prophéties sont une forme de magie, et celle-ci repose sur la notion d'équilibre. Comme tu me l'as appris, le libre arbitre est l'élément qui compense en quelque sorte les prédictions. Avec cette machine, adieu l'équilibre! La mort et la souffrance, sans arrêt…

— Tu oublies le texte où elle dit avoir fait des rêves, intervint Nicci.

— Précise-t-elle qu'ils étaient joyeux? De toute façon, ce n'était pas à proprement parler un présage.

— Vraiment?

— C'est ce que je crois… Pour moi, elle s'interrogeait sur elle-même. C'était une sorte de discours intime… En revanche, les mauvais augures n'ont jamais eu de «compensations». De l'horreur encore et toujours.

— Où veux-tu en venir, mon garçon? demanda Zedd.

— Eh bien, je doute qu'il s'agisse de prophéties légitimes…

— Et ce serait quoi, selon toi? lança Nicci.

— Je pense que quelqu'un a implanté ces présages dans la machine, afin qu'ils passent pour de véritables prédictions. On nous manipule, voilà mon idée! Comme si je disais avoir eu la nuit dernière une prémonition où je me voyais t'adouber avec mon épée. Puis que je le fasse ensuite, histoire de prouver qu'il s'agissait bien d'un présage. Ça pourrait te convaincre, mais ce ne serait pourtant qu'un abus de confiance.

— Tu veux dire que quelqu'un nous envoie des présages par l'intermédiaire de cette machine? (Zedd enfonça un doigt dans sa chevelure blanche en bataille et se gratta le crâne.) De faux présages, en fait? Richard, je ne vois pas comment une telle chose serait possible.

— Et après? Quand on ne comprend pas la tactique d'un adversaire, ce n'est pas une raison pour la subir.

— D'accord, mais détruire un tel artefact à l'aveuglette semble…

—Nous en savons assez pour prononcer une sentence! explosa Richard. Regula a prédit des horreurs qui se sont toutes réalisées. Je veux que les meurtres cessent et que Kahlan soit en sécurité. Pour ça, il faut réduire cette machine au silence.

Agacé, Zedd chercha le soutien de Nicci.

—Zedd, je crains de ne rien avoir à dire contre ces arguments... Depuis le début, cette machine m'inquiète. Si on l'a enterrée, c'est bien pour une raison. Richard dit vrai : depuis que nous l'avons découverte, tout va de travers.

Le vieux sorcier regarda alternativement les deux jeunes gens.

—Et la partie du livre cachée dans le Temple des Vents, vous en faites quoi?

—Comme tu dis, elle est dans le Temple des Vents... Même si nous y allons, entrer ne sera pas un jeu d'enfant, et c'est un endroit immense. Qui sait combien de temps il nous faudra pour trouver les pages manquantes, si elles sont toujours là-bas? Et comment être sûrs que ça nous aiderait? Nous avons un problème, il se tient devant nous, et la solution s'impose.

Zedd eut un soupir résigné.

—Au fond, tu as peut-être raison... J'avoue avoir détesté cette machine dès que je l'ai vue. Et de fait, on n'a pas dû l'enfouir sous terre par hasard. Personne ne se donne tant de mal pour dissimuler un artefact inoffensif.

—Zedd, si tu es d'accord, ne perdons plus de temps!

Le vieil homme fit signe à Richard et à Nicci d'aller rejoindre Cara au pied de l'escalier, où elle montait la garde.

Puis il se tourna vers la machine, tendit les mains et invoqua son feu de sorcier.

Des rayons de lumière orange et jaune dansèrent dans la pièce, colorant étrangement les cheveux de Zedd tandis qu'il concentrait entre ses mains la force la plus destructrice dont il disposait.

Quand il fut satisfait de sa boule de feu, il l'envoya percuter la sinistre machine à présages. Avec un sifflement aigu, le chaos se déchaîna dans la pièce.

Lorsque la boule de feu percuta sa cible, Richard sentit l'onde de choc au creux de sa poitrine. Le feu de sorcier, qui brûlait tout et que rien n'arrêtait, enveloppa Regula, l'immolant comme si elle avait été un vulgaire tas de feuilles mortes.

Dans un espace clos, le feu de sorcier avait un effet à la fois spectaculaire et terriblement dangereux. Même si Richard, Cara et Nicci détournèrent la tête pour ne pas être aveuglés, ils eurent le réflexe de se protéger le visage avec les mains, tant la chaleur était intense.

Le sifflement se transforma en un rugissement de fin du monde.

On eût dit que l'univers entier s'embrasait.

Regula ne serait bientôt plus qu'un mauvais souvenir.

Chapitre 69

Lorsque le calme fut revenu, après la furie du feu de sorcier, Richard écarta les mains de son visage et rouvrit les yeux. Au milieu des dernières étincelles, qui retombaient lentement sur le sol, dans un halo de fumée, il s'attendit à voir Regula sous la forme d'un amas de métal fondu.

Une grossière erreur.

En tout point semblable à elle-même, la machine à présages trônait toujours au centre de la salle. On eût juré que rien n'était arrivé.

Convaincu que les côtés de la machine devaient au moins être brûlants, le Sourcier avança prudemment, mais il ne sentit aucune chaleur émaner du métal. Le touchant du bout d'un index, il le trouva aussi frais que d'habitude.

Le feu de sorcier était l'arme la plus dévastatrice de Zedd. Et là, il n'avait même pas attaqué la surface de la machine – ni même altéré les symboles gravés sur ses côtés.

S'il n'avait pas été témoin de l'assaut magique, Richard n'aurait pas pu croire que quelque chose s'était produit.

Nicci approcha et toucha à son tour le métal.

— Eh bien, on dirait que la Magie Additive ne fonctionne pas. Nous allons passer aux choses sérieuses…

La magicienne fit signe aux autres de reculer.

Richard conduisit Zedd et Cara au pied de l'escalier. Voyant une aura de pouvoir crépiter autour de la silhouette de Nicci, il devina que la suite allait être très violente.

Ainsi nimbée, Nicci ressemblait à un esprit.

Quand elle tendit les mains vers Regula, son aura devint aveuglante. Zedd et Cara ne la voyaient pas, Richard le savait, mais lui, il avait toujours eu le don déconcertant de distinguer l'énergie magique qui enveloppait les gens.

Nicci avait l'aura la plus puissante qu'il lui avait été donné de contempler.

Des éclairs noirs – la signature de la Magie Soustractive – se déchaînèrent dans la salle. Des colonnes de poussière montèrent du sol et tous les globes lumineux s'éteignirent.

Les lances de lumière noire furent soudain renforcées par une décharge de Magie Additive.

Les éclairs sombres, par contraste, semblèrent être des craquelures offrant un aperçu sur le royaume des morts lui-même.

Et en un sens, c'était bien de ça qu'il s'agissait.

Les lances de Magie Soustractive, comme propulsées par l'énergie générée à l'endroit où des éclairs blancs venaient soutenir la « source » noire, fondirent sur la machine à présages. Des lances blanches les suivirent, et Regula devint le point focal d'un incroyable conflit entre les deux formes de pouvoir les plus destructrices du monde.

Un conflit territorial, désormais, car les deux forces tentaient d'occuper le même espace – très précisément, l'endroit où se dressait Regula.

Deux magies incompatibles à l'œuvre en même temps. Une équation dont la solution ne pouvait être que l'anéantissement de l'objet du conflit.

Mais tout disparut en un clin d'œil.

Surpris par ce calme soudain, Richard sursauta tandis que les globes lumineux se rallumaient les uns après les autres.

— C'est inutile, soupira Nicci en laissant retomber les bras le long de ses flancs.

Son aura disparut elle aussi.

— Comment est-ce possible ? demanda Richard en avançant vers son amie. Où est le problème ?

— Je n'ai jamais été confrontée à ça… (Nicci passa une main sur le sommet de la machine.) La connexion ne s'est pas établie.

— Que veux-tu dire ?

— J'ai invoqué une focale de pouvoir, à l'emplacement de la machine. En un sens, on peut parler d'une cible – un repère pour les deux flux de magie. C'est ainsi qu'on les guide vers l'objet à détruire. Lorsque la connexion a lieu, la réaction est si violente que rien, en principe, ne peut résister plus d'une fraction de seconde.

» Mais là, impossible de localiser puis d'atteindre la cible. Les flux ont réagi comme si Regula n'avait pas été là. Richard, j'ai fait ce que j'ai pu, mais là je suis dépassée. Regarde, le métal n'est même pas rayé.

— Je ne te blâme pas, mais il doit y avoir un moyen.

— Peut-être… Hélas, nous ignorons à quoi nous avons affaire… Maintenant, je comprends pourquoi des gens ont jadis enterré cette machine.

Richard songea soudain à une arme qui ne redoutait aucun métal.

Quand il dégaina l'Épée de Vérité, une note métallique à nulle autre pareille retentit dans la salle.

La magie de l'arme déferla en lui. S'abandonnant à ce raz-de-marée de pouvoir, il se laissa envahir et dominer par une colère assez puissante pour renverser une montagne.

Comprenant ce qu'il allait faire, ses compagnons s'écartèrent.

Tremblant d'une fureur qui n'était pas que la sienne, le Sourcier leva lentement son épée. Afin de ne pas faillir, il songea aux menaces qui planaient sur Kahlan, et sa propre fureur vint se mêler à celle de l'arme.

— Ma lame, souffla-t-il, ne me trahis pas aujourd'hui.

Vibrant de colère, Richard abattit l'épée sur la machine.

La lame siffla dans l'air tandis que le Sourcier, ivre de rage, hurlait à pleins poumons.

À un pouce du métal, l'Épée de Vérité s'immobilisa net.

Surpris, Richard sentit une étrange secousse dans ses bras, comme s'il venait de frapper un mur.

La magie de l'épée paraissait sélectionner ses cibles. En réalité, tout dépendait de la conviction du Sourcier. S'il pensait pourfendre un ennemi, rien ne pouvait sauver sa cible, pas même une muraille d'acier. Mais s'il avait un doute, même inconscient, sur la culpabilité de sa proie – ou simplement sur les mauvaises intentions qu'elle pouvait nourrir à son endroit –, la lame devenait incapable de trancher une feuille de parchemin.

L'épée tenue à deux mains, les muscles tétanisés, Richard resta un long moment immobile.

Jusqu'à ce que la machine s'éveille.

Très lentement, presque avec douceur – comme si elle entendait lui murmurer à l'oreille.

Chapitre 70

— **F**ichtre et foutre! lança Zedd en s'écartant de l'escalier. On dirait bien que nous avons tous fait chou blanc.

Richard aurait donné cher pour savoir pourquoi.

Il recula de quelques pas tandis que les rouages de Regula se mettaient en mouvement.

Par le passé, le Sourcier avait déjà connu des expériences similaires avec son épée. En analysant le phénomène, il avait compris que son esprit en était la cause. En d'autres termes, quelque part dans un coin de sa tête, il jugeait injuste d'accuser Regula des catastrophes qui se succédaient depuis sa découverte.

S'il n'avait eu aucun doute, sa lame ne se serait pas dérobée, réduisant en miettes la machine.

Doute ou pas, le Sourcier s'était totalement abandonné à la magie, et il en restait profondément désorienté.

De plus, l'inquiétude le gagnait. Les doutes existaient, c'était acquis, mais ça n'impliquait en aucun cas qu'ils étaient justifiés. Bref, la machine était peut-être bien «coupable», sa destruction continuant à s'imposer.

Sans avoir besoin de regarder par le hublot, Richard comprit qu'une nouvelle bande allait bientôt finir sa course dans la fente de sortie.

Quand ce fut fait, il rengaina sa lame, saisit la bande prudemment entre le pouce et l'index, constata qu'elle n'était pas chaude et la sortit de son logement.

Zedd lui laissa à peine le temps de traduire.

—Alors, qu'est-ce que ça dit, mon garçon ?

—« On peut toujours détruire celui qui dit la vérité, mais pas la vérité elle-même. »

Le vieil homme eut un regard méfiant pour la machine.

—Regula produit des Leçons du Sorcier, maintenant ?

—On dirait bien…, souffla Richard.

Posant les mains à plat sur la machine, il prit le temps de récupérer un peu ses esprits et de songer à la suite des événements.

—Je voudrais quand même savoir comment détruire cette machine, au cas où ça s'imposerait un jour ou l'autre.

—Regula est protégée par un sortilège, dit Nicci, mais ce bouclier est indétectable et son fonctionnement me dépasse. Nous sommes face à des forces que nous ne comprenons pas.

Zedd approuva du chef la tirade de la magicienne.

—Selon moi, quelqu'un a déjà tenté de détruire cette machine. N'y parvenant pas, nos prédécesseurs ont opté pour l'enfouissement.

—Je donnerais cher pour savoir ce qui s'est passé…, souffla Nicci.

—Un de ces jours, dit Richard, nous devrons peut-être aussi enterrer Regula.

Depuis qu'elle avait gravé sur une bande une sorte de Leçon du Sorcier, Regula ne s'était pas vraiment rendormie. Se remettant en marche, elle produisit en quelques secondes une nouvelle bande – pas chaude du tout, comme la précédente.

Richard s'en empara et traduisit à haute voix :

—« Peut-on m'en vouloir parce que je dis la vérité ? »

Le Sourcier reconnut la phrase qu'il avait dite à l'ambassadeur Grandon, devant la dépouille d'Orneta. Cette « facétie » de la machine l'énerva un peu, mais en même temps, il comprit pourquoi son épée n'avait pas détruit Regula. Au fond de son esprit, il ne croyait pas que l'étrange artefact était la cause des problèmes en cours.

—Non, on ne peut pas…, souffla Richard, se penchant sur la machine. Tu n'es pas vraiment responsable, n'est-ce pas ? Ton rôle, c'est d'être le messager…

Regula grava une autre bande que Richard récupéra aussitôt.

—«Et quand le messager devient l'ennemi, on l'enterre !»

Venant se camper près de Richard, Zedd posa lui aussi une main sur la machine.

—Voilà qui est intéressant…

Alors que Richard se demandait comment Regula avait réussi à se faire exhumer – et pourquoi –, une autre bande s'engagea dans le circuit et acheva sa trajectoire dans la fente.

Bizarrement, Richard ne l'en sortit pas tout de suite.

—Allons, mon garçon, s'impatienta Zedd, tu attends le dégel ?

Le Sourcier prit la bande et s'attela à la traduction d'un texte plus complexe que les précédents.

—«Les ténèbres m'ont trouvée, dit-il enfin, et elles te trouveront aussi.»

Chapitre 71

Nicci vint se placer à côté de Richard.

— Les ténèbres l'ont trouvée?

— C'est ce que je soupçonnais, dit le Sourcier. Elle nous fait comprendre que quelqu'un l'utilise et s'exprime par son intermédiaire. C'est pour ça que mon épée ne l'a pas détruite.

» Sur le marché, le gamin, Henrik, a dit que les ténèbres cherchaient les ténèbres. Il a aussi demandé pourquoi il faisait des rêves. À ce moment-là, tout ça n'avait aucun sens. Nous avons pensé que le petit délirait, mais en réalité, la machine tentait de nous avertir par sa bouche que quelqu'un essayait de la manipuler. La métaphore des ténèbres est peut-être tout ce qu'elle a trouvé pour se faire comprendre. Elle peut avoir eu l'impression que quelqu'un parlait à sa place dans ses rêves…

— Tu veux dire que le gamin était son porte-parole? demanda Nicci. Et qu'elle appelait au secours?

— C'est possible, non?

— Richard, intervint Zedd, attention aux dérives… Il est dangereux de réfléchir et d'agir comme si cet ensemble de rouages et d'axes pouvait s'exprimer comme une personne. Une machine ne pense pas par elle-même. Elle n'est pas vivante, mon garçon. Et encore moins dotée d'une conscience!

— Dans ce cas, marmonna Cara, comment peut-elle répondre aux questions du seigneur Rahl?

Tous les regards se rivant sur elle, la Mord-Sith haussa les épaules.

—Oui, comment peut-elle nous dire ce que nous voulons savoir ? Pour ça, il faut réfléchir, non ?

—Sauf si nous nous illusionnons nous-mêmes, avança Zedd.

Cara ne parut pas ébranlée.

—Nous n'imaginons rien. Les textes sont gravés sur les bandes.

Zedd passa une main dans sa crinière blanche en bataille.

—Il existe pour les enfants un jeu appelé : « Demande à la Voyante. » C'est une petite boîte avec un trou rond sur le couvercle. Sur les côtés, des scénettes montrent la voyante en train de communiquer avec les esprits au milieu d'une brume magique. À l'intérieur, il y a une série de réponses écrites sur de petits disques. Quand un enfant pose une question – par exemple sur le mariage qu'il fera plus tard, ou sur l'affection que lui porte une personne –, on lui dit de prendre un disque dans la boîte. Lorsqu'il a lu la réponse, on remet ce disque avec les autres, on secoue la boîte et c'est au tour du joueur suivant.

—Passionnant…, grogna Cara. Et ça fonctionne ?

—Parfaitement bien, le plus souvent… Les réponses sont conçues pour s'adapter à presque toutes les situations. « Très certainement », « Non, sauf si quelque chose change », ou encore : « Les esprits disent que oui », « Un doute reste permis » et : « Cela paraît vraisemblable. » Celle que je préfère, c'est : « Pose ta question plus tard, quand les esprits seront décidés à répondre… » L'astuce, c'est que tous les disques peuvent sembler correspondre à n'importe quelle question.

» Parce qu'il est naturellement crédule, l'esprit humain croit très aisément que la voyante répond pour de bon aux enfants. Nous sommes des rêveurs, au fond… Parce que les textes sont ingénieusement conçus, certains adultes pensent que la boîte a un authentique pouvoir de divination.

» J'ai connu des gens qui croyaient avoir un don – ou un lien particulier avec le monde des esprits – qui leur permettait de choisir chaque fois le bon disque. Bien entendu, la magie n'a rien à voir là-dedans. C'est une habile manipulation, rien de plus.

424

Cara croisa les bras.

— Selon vous, cette machine est un attrape-nigaud géant ?

— Je n'en suis pas sûr, mais j'insiste : il ne faut pas nous emballer. Il est très facile de céder aux mirages d'un miroir aux alouettes.

Richard ne parut pas convaincu non plus.

— Zedd, ton explication est trop simple...

— Pourquoi ça, mon garçon ?

— Entre autres raisons, parce qu'il y a des... nuances. Quand la machine délivre une prophétie catastrophique, elle se met en marche d'un coup et la bande en sort trop chaude pour qu'on puisse la tenir. En revanche, quand Regula... dialogue..., elle démarre lentement et la bande n'est même pas tiède à la fin du processus.

» Jusque-là, nous avons supposé que la machine, dans tous les cas, gravait les bandes de son propre chef. Or, il s'agit peut-être de deux processus bien distincts.

— Je suis d'accord, annonça Nicci. Dans un cas, une force contraint la machine à produire une bande. Le bruit, la chaleur, tout cela milite en ce sens. En revanche, quand Regula parle de son propre gré, il n'y a rien de tout ça.

— Tu penses que quelqu'un exploite cette machine ? Bref, la réduit en esclavage ? Supposons que ce soit vrai. Qui ferait une chose pareille, et pourquoi ?

— Si on se demandait d'abord quel est notre problème ? lança Richard.

— Notre problème ?

— Autrement dit, notre raison d'être dans cette salle secrète, à nous occuper d'une machine depuis longtemps enfouie. Que fait Regula ? Elle produit des prophéties. Et qu'est-ce qui est lié aux récents assassinats ? Les prophéties ! Que revendiquent les dirigeants et leurs représentants ? Un droit d'accès aux prophéties ! Enfin, qu'est-ce qui tire sur nos ficelles comme si nous étions des marionnettes ? Les prophéties émises par cette machine !

— Tout le monde sait ça, lâcha Zedd. Où veux-tu en venir ?

— Pense à la manière dont l'intérêt des gens pour les prédictions a augmenté. Les prophéties de Regula ont été rendues publiques par de nombreux intermédiaires. Ainsi, tout le monde au palais a « pris conscience » de l'importance des prédictions. Les rumeurs au sujet d'une machine à présages ont couru dans tous les couloirs. Du coup, les gens pensent que nous leur cachons les oracles parce que nous leur voulons du mal.

— Développe ta théorie, mon garçon…

— Quelqu'un a planté ces graines dans les esprits… Zedd, qu'est-ce qui a incité nos invités à croire soudain dur comme fer aux prédictions ? Les prophéties de Regula, parce qu'elles se sont chaque fois réalisées très vite et très précisément ! Tout a commencé ainsi. Au fond, c'est proche du jeu que tu as décrit, sauf que c'est un jeu de massacre !

» Comme les prophéties se réalisent, on leur accorde de plus en plus de crédit, et on veut en connaître de plus en plus. C'est une réaction humaine. Persuadés par Regula que les prophéties détiennent vraiment la clé de l'avenir, des têtes couronnées et des ambassadeurs ont exigé de savoir ce que contiennent les recueils. Selon tes propres dires, la même chose se passe en Aydindril. Je parie qu'il en va de même partout ailleurs. Le marché des prédictions est de plus en plus florissant, voilà la vérité. Ça ne te paraît pas bizarre ?

— Pour être franc, ça m'a interloqué dès le début.

— Ici, les prédictions de Regula ont convaincu tous nos alliés que notre vision des prophéties était fausse. Persuadés qu'elles sont très faciles à interpréter, ils ne comprennent pas pourquoi nous les gardons par-devers nous. Regula a été l'agent propagateur d'une véritable épidémie de crédulité.

— En un sens, c'est logique, puisque ses prédictions se sont réalisées.

— Tu crois que c'est le cas, Zedd ? As-tu déjà eu accès à des prédictions si limpides ? Des présages tellement faciles à déchiffrer ? Et qui en outre se réalisent pratiquement à la minute ?

Zedd prit le temps de la réflexion.

—C'est « non » à toutes tes questions, mon garçon. Selon mon expérience, les prophéties sont ambiguës et il faut des siècles, au minimum, pour qu'elles se réalisent – si ça arrive jamais. Là, c'est du jour au lendemain.

—C'est pour ça que la prophétie au sujet des chiens qui me prendront Kahlan m'inquiète à ce point. Une chose m'étonne, cependant : la bande où elle est gravée est sortie froide de la machine…

—C'est peut-être une façon d'indiquer qu'elle est différente des autres. Plus sérieuse, ou je ne sais quoi…

—Ou il s'agit d'un avertissement, pas d'une prédiction ! Comme quand Regula dit que les ténèbres l'ont trouvée et qu'elles me trouveront aussi. Cette machine semble avoir un lien très particulier avec moi.

—Voilà qui semble évident, oui…, fit Zedd.

—Pour les prophéties gravées sur des bandes chaudes, nous savons que la notion d'équilibre n'existe pas. Toutes sont sinistres.

Zedd fronça les sourcils.

—D'après toi, ça prouve que ce ne sont pas de vrais présages ?

—Tu m'enlèves les mots de la bouche ! Et maintenant que les gens ont été gagnés par cette folie des prédictions, vers qui se tournent-ils ? À qui sont-ils prêts à jurer allégeance ?

—Hannis Arc…, souffla Cara.

—Et qui s'est chargé de clamer partout qu'Hannis Arc faisait des prophéties le centre de sa vie et de sa pensée ? L'abbé Ludwig Dreier, représentant de la province de Fajin gouvernée par un certain… Hannis Arc. Je pense que cet homme est la clé de tout. Lui, et pas les présages…

—Certes, dit Cara, mais il n'a pas bougé de sa province. Comment aurait-il pu faire tout ça ?

—Je l'ignore, avoua Richard. Mais l'abbé est venu ici, et il est peut-être impliqué…

—Seigneur Rahl, dit Cara, le Jardin de la Vie est un champ de protection destiné à enfermer dans ses limites toute magie dangereuse. En plus de cela, le palais lui-même est en fait un sortilège géant qui affaiblit le pouvoir de tout détenteur du don étranger à la lignée Rahl…

Les poings plaqués sur les hanches, Zedd se tourna vers Cara.

— Et maintenant, les Mord-Sith sont des expertes en magie ! Qu'est-ce qui m'attend encore ?

— Une machine dotée de la parole, dit Nicci.

Richard préleva une brassée de bandes de métal dans une des piles alignées contre les murs.

— Eh bien, nous allons la laisser parler !

Chapitre 72

Quand Richard eut fini d'introduire des bandes dans la machine, il vint se camper devant la fente de sortie. À toutes fins utiles, il posa les mains sur le métal, comme pour l'encourager.

Mais Regula s'était déjà remise en marche lentement.

— Sais-tu qui est le maître des ténèbres qui t'ont trouvée? demanda Richard. Peux-tu mieux définir ces ténèbres?

Une bande suivit le circuit habituel. Quand Richard l'eut récupérée, il traduisit aisément le message :

— « Ce sont des ténèbres… »

— Voilà qui nous aidera beaucoup, maugréa Zedd.

Richard ignora la remarque.

— Les ténèbres sont-elles en toi en ce moment?

Regula produisit une nouvelle bande.

— « Les ténèbres ne sont pas ma préoccupation principale », traduisit Richard.

— On dirait les disques dont parlait Zedd, dans la fameuse boîte à gogos, marmonna Cara.

Richard fit comme s'il n'avait pas entendu.

— Pourquoi agis-tu ainsi? Pourquoi me parles-tu par l'intermédiaire de ces bandes?

La bande qui sortit de la machine était froide, constata Richard, comme les précédentes.

—« Je fais ce que je dois faire, parce que c'est mon but. »

—Et quel est ce but ?

Une nouvelle bande, toujours froide.

—« Atteindre mon objectif. »

—Là, c'est sûr, on se moque de nous, dit Cara. Demandez-lui si Benjamin m'aime vraiment. J'aimerais savoir ce qu'en pensent les esprits du bien.

Richard ignora le sarcasme et tenta une autre approche :

—Qui t'a créée ?

La bande suivante resta plus longtemps dans le circuit, sans doute parce que la réponse était plus complexe.

—« J'ai été créée par d'autres, et je n'ai pas eu le choix en ce domaine. »

Le Sourcier posa une main sur Regula et se pencha vers sa surface métallique.

—Pourquoi ces « autres » t'ont-ils créée ?

Quand il eut récupéré la bande suivante, Richard ne put s'empêcher de soupirer d'agacement.

—« Pour que j'atteigne mon objectif. »

—Pourquoi est-ce si important ? Qu'a-t-il de particulier, ton objectif ?

La machine ralentit puis s'arrêta.

Dans le silence revenu, Richard et ses compagnons se regardèrent, interloqués.

La conversation semblait terminée…

Mais non, Regula se remit en marche, hésitant cependant comme si elle n'était pas sûre de ce qu'elle devait faire. Une nouvelle bande fut engagée dans le circuit et arriva assez vite en bout de course.

—« Il est important parce que les prophéties ne sont pas toujours fiables. »

—Cette machine parle d'or, grogna Zedd.

Richard le foudroya du regard, puis il continua :

—Que veux-tu dire ? Pourquoi les prophéties ne sont-elles pas toujours fiables ?

La bande suivante ne tarda pas à arriver.

— « Parce que les prophéties vieillissent et se corrompent au fil du temps », traduisit Richard.

— Mais c'est toi qui les produis !

La réponse vint très vite :

— « Je fais ce que je dois faire, afin d'atteindre mon objectif. Toi aussi, tu dois jouer ton rôle. »

Richard jeta un regard soupçonneux à la machine.

— Mon rôle ? Quel est-il dans cette affaire ?

Quand la bande suivante arriva, les compagnons du Sourcier attendirent sa traduction, leur tension palpable.

— « Ton rôle est d'atteindre mon objectif. »

Richard s'éloigna de Regula.

— Mon rôle est de t'aider à atteindre ton objectif… qui est d'atteindre ton objectif ? C'est absurde ! Nous tournons en rond, voilà tout.

Regula ralentit et cessa de fonctionner.

— Dis-moi quelque chose d'utile ! cria Richard. Indique-moi un moyen d'arracher Kahlan aux molosses qui tenteront de me la prendre.

Pas de réponse.

Après un long et lourd silence, Nicci posa une main sur l'épaule de son ami.

— Richard, nous sommes tous épuisés, et ça ne mène à rien… Nous verrons plus tard… Retourne auprès de Kahlan. C'est la meilleure façon de la protéger.

— Tu as raison, je crois…

Le dialogue, pour autant que c'en fût un, avait été vain. Le Sourcier ignorait toujours si l'objectif de la machine était de produire des prophéties, ou si elle avait été créée pour autre chose. Pareillement, il ne savait pas qui l'avait fabriquée, pourquoi on l'avait enterrée ni pour quelle raison elle s'était brusquement éveillée.

Quelqu'un était-il vraiment en mesure de manipuler Regula ? Pour être franc, Richard en doutait. Il commençait même à se demander si l'histoire des « ténèbres » n'était pas une mauvaise plaisanterie. Cette machine était folle et malfaisante, et voilà pourquoi on l'avait enfouie sous le Jardin de la Vie.

—Mon garçon, tu es le Sourcier, dit Zedd, donc tu finiras par trouver la solution.

—Peut-être, fit Richard en se détournant de Regula, mais sûrement pas cette nuit. Nicci a raison, Kahlan m'attend…

Richard n'avait pas épuisé sa réserve de questions, mais il se faisait tard, et il avait besoin de repos. Après un moment passé près de Kahlan, il aurait l'esprit plus vif. S'il s'y prenait bien, il pourrait peut-être obtenir des débuts de réponse. Mais la suite de l'interrogatoire devrait attendre.

Alors que le petit groupe se dirigeait vers l'escalier, la machine se remit en marche. Passant très vite à plein régime, elle produisit une nouvelle bande.

Richard ne fit pas mine d'aller la récupérer. Fatigué de cet absurde jeu, il n'avait plus envie d'y jouer pour l'instant. Au fond, la bande pouvait bien attendre le lendemain.

Mais Zedd revint près de la machine, saisit la bande et la tendit à son petit-fils.

—Elle est froide… Tu nous la traduis?

À contrecœur, Richard fit ce que son grand-père lui demandait.

—«Ta seule chance est de laisser la vérité s'échapper», lut-il.

—Qu'est-ce que ça peut bien vouloir dire? s'écria Cara.

Le Sourcier ferma le poing sur la bande.

—C'est une fichue charade! Et vous savez tous très bien que je déteste ça!

Chapitre 73

Kahlan se réveilla, surprise de constater qu'elle oscillait de droite à gauche. Posant une main sur sa tête, qui la torturait toujours, elle fit la grimace en sentant que ses cheveux étaient humides. Du sang, devina-t-elle, même si la nuit était trop noire pour qu'elle puisse vérifier son hypothèse.

Mais il y avait une autre façon de procéder. Alors qu'elle se relevait difficilement, la jeune femme passa le bout de la langue sur un de ses doigts.

C'était bien ça !

Quand elle voulut déglutir, l'Inquisitrice s'aperçut que sa gorge était atrocement douloureuse. Percluse de courbatures, épuisée, elle frissonnait de froid alors que de la sueur ruisselait sur son front.

Se concentrant, Kahlan tenta de se remémorer les derniers événements. Alors qu'elle continuait inexplicablement à se balancer, mais sur ses jambes désormais, des fragments d'images lui revinrent.

Un choc plus violent que les autres la fit basculer en avant. Ayant eu le réflexe de tendre les bras, elle ne heurta pas tête la première le sol. Ou plutôt le parquet.

Non, c'était le plancher d'un chariot ! Elle se souvenait, à présent. Pour fuir les molosses, elle avait sauté dans un véhicule. Mais elle avait raté sa réception, se cognant la tête contre un objet inconnu.

Un chien jaillit soudain des ténèbres, s'accrochant au hayon du chariot. Par bonheur, il y resta suspendu, incapable de se hisser à l'intérieur du refuge de la jeune femme. Mais il luttait pour y parvenir, et s'il réussissait à passer la tête puis la moitié supérieure de son corps, il aurait une bonne chance de pouvoir basculer dans le véhicule.

Alors qu'il luttait pour atteindre sa proie, le molosse continuait à grogner afin de la terroriser.

D'un coup de pied, Kahlan décrocha une patte du chien du haut du hayon. Incapable de se tenir d'une seule patte, le molosse tomba en arrière et disparut dans la nuit.

D'autres souvenirs revinrent à l'Inquisitrice. Elle venait de vivre une dure épreuve, mais ce n'était rien comparé au sort de la pauvre Catherine.

Une infanticide, après avoir tenté de l'assassiner, avait prédit que la Mère Inquisitrice serait déchiquetée par des crocs. L'épouse de Philippe avait succombé ainsi…

D'où venaient les molosses qui poursuivaient Kahlan ? Et pourquoi la traquaient-ils ?

Ces questions n'intéressaient plus la jeune femme. Une seule chose comptait : fuir ! Fuir les tueurs à quatre pattes…

Plissant les yeux, la fugitive regarda vers l'avant du chariot avec l'espoir d'apercevoir le conducteur. Mais une masse sombre – la cargaison recouverte d'une bâche – lui obstruait la vue. Pour rejoindre le conducteur, il aurait fallu escalader l'obstacle, et dans son état, la jeune femme ne s'en sentait pas capable – surtout dans un chariot en mouvement.

Elle tenta d'appeler, mais le son qui sortit de sa gorge en feu n'était pas suffisant. Du coup, personne ne répondit. Le conducteur n'avait pas pu entendre, c'était logique. Brûlante de fièvre, Kahlan n'avait plus assez de force pour crier comme il l'aurait fallu.

Elle devait approcher…

Lorsqu'elle se fut relevée tant bien que mal, elle posa un pied sur un côté du chariot, afin d'essayer de contourner la cargaison.

Un chien bondit soudain, sa gueule manquant se refermer sur la cheville de Kahlan.

Toute la meute poursuivait le chariot, et rien ne la découragerait.

Un autre chien tenta l'aventure, par le flanc, celui-ci. En plus de s'accrocher au rebord, il réussit à y planter ses crocs. Heureusement, il avait du mal à trouver pour ses pattes arrière l'appui qui lui aurait permis de se hisser dans le chariot.

Cette fois, Kahlan visa la tête. Son coup de pied fit mouche, et le molosse, fou de rage, lâcha la bâche pour essayer de mordre son adversaire. Une erreur fatale, car il dut lâcher prise.

Un autre attaqua du côté opposé et faillit réussir son coup. Un troisième prit la relève.

Toujours avec les pieds, Kahlan continua à repousser ses agresseurs. Ils attaquaient sans trêve, se relayant pour épuiser leur proie.

Le chariot n'allait pas assez vite pour tenir les molosses à distance, mais il oscillait assez pour que l'Inquisitrice ait du mal à tenir debout. Chaque cahot favorisait les attaquants, car il faisait perdre de la précision à ses coups de pied.

La nuit n'était pas claire, mais la lune fournissait assez de lumière pour que Kahlan ait pu au moins reconnaître le palais au sommet de son plateau, s'il avait encore été dans les environs. Au minimum, elle aurait aperçu les lumières qui brûlaient en permanence derrière des dizaines de fenêtres.

Même si elle n'aurait su dire dans quelle direction allait ce chariot, Kahlan avait la certitude que les plaines d'Azrith étaient déjà derrière elle.

Alors qu'elle combattait les molosses, il lui apparut que c'était une bataille perdue d'avance. Quand elle repoussait un chien, deux autres prenaient sa place. Visant parfois la tête et parfois les pattes, la jeune femme avait évité le pire jusque-là, mais ça ne durerait pas éternellement. Et quand un ou deux molosses auraient sauté dans le chariot, l'affaire serait entendue.

Kahlan eut le cœur serré en pensant à Richard. Il ne saurait jamais ce qui lui était arrivé, ni où reposait sa dépouille déchiquetée.

S'imaginant dans le même état que Catherine, la Mère Inquisitrice, pourtant aguerrie par des années d'horreur, ne put s'empêcher de frissonner de peur. Au fond, il valait mieux que son cadavre soit à jamais perdu. Il ne fallait pas que Richard la voie comme ça.

Alors qu'elle décochait un bon coup de pied à un molosse, Kahlan s'avisa qu'un cheval attaché par une longe suivait le chariot. Assez loin en arrière, car la corde était longue, le pauvre équidé tentait de se tenir à distance des chiens.

Réfléchir n'était pas utile. Si elle voulait avoir une chance de fuir ou d'obtenir de l'aide, Kahlan n'avait pas d'autre solution. Ramassant son sac à dos, elle repoussa un nouveau molosse et approcha de la longe. Alors qu'elle se penchait pour la saisir, un nouveau chien bondit, ses mâchoires claquant de très peu dans le vide. Sans se laisser impressionner, la jeune femme prit la corde à deux mains.

Terrorisé par les molosses, le cheval résista aux efforts que produisit Kahlan pour le tirer vers elle. Calant une botte contre un montant du chariot, elle lutta et parvint à obtenir un début de résultat. Mais l'équidé luttait de toutes ses forces.

Concentrés sur Kahlan, les chiens ignoraient totalement le cheval. Mais le pauvre animal ne pouvait pas le savoir, et la peur le rendait fou.

Quand elle l'eut tiré aussi près du chariot que possible, Kahlan jeta un coup d'œil derrière elle et vit que deux molosses étaient en train de réussir leur coup. Emportés par leur élan, ils s'étalèrent d'abord sur le plancher, mais se redressèrent à la vitesse de l'éclair.

Son sac accroché à une épaule, Kahlan défit le nœud qui tenait la longe attachée au chariot, puis elle sauta sur un montant, s'accrochant à la corde comme si elle avait été un morceau de bois flotté au milieu d'un naufrage.

Le cheval galopait, sans doute à cause de la peur. Quand il arriva à hauteur du chariot, l'Inquisitrice sauta, survolant deux ou trois silhouettes noires qui tentèrent de la mordre au passage.

La réception fut approximative. À moitié couchée sur la croupe de l'équidé, Kahlan tendit les bras, referma les mains sur une solide crinière et se hissa dans une position plus classique.

Une fois en place, elle talonna sa monture avec l'intention de remonter jusqu'à l'avant du chariot, pour demander de l'aide au conducteur. Mais des molosses lui barrèrent la route tandis que d'autres attaquaient, tentant de mordre les jambes et les flancs du cheval.

De plus en plus terrifié, l'animal s'écarta du chariot. S'adaptant à sa nouvelle situation, Kahlan se coucha sur l'encolure de son sauveur et le lança au grand galop.

Le cheval mit tout son cœur à distancer la meute de chiens.

Mais ceux-ci ne renoncèrent pas pour autant à la poursuite.

Chapitre 74

—Quelque chose à signaler? demanda Richard à Berdine.

—Calme plat dans le couloir, seigneur Rahl... J'ai jeté un coup d'œil dans la chambre, où la Mère Inquisitrice dormait à poings fermés. Après, j'ai fait une petite ronde, histoire de m'assurer par moi-même que tout allait bien. Depuis, je monte la garde devant la porte. Votre femme est une malade facile à soigner. Je n'ai pas entendu un bruit.

Richard tapota l'épaule gainée de cuir rouge de la Mord-Sith.

—Merci, Berdine.

—La machine a délivré d'autres présages, seigneur?

—Tout un tas, mais je crains que ça ne nous serve pas à grand-chose.

—Parce qu'il nous manque une partie du lexique?

—C'est possible.

D'un dernier coup d'œil, Richard vérifia la position des hommes de la Première Phalange. Une configuration parfaite. Personne ne pouvait accéder à la chambre sans leur aval.

À pas de loup, le Sourcier entra dans la chambre où reposait Kahlan. Comme il avait réglé la lampe au minimum, il ne vit pas grand-chose, mais il allait devoir se débrouiller. S'il augmentait le réglage, ça risquait de réveiller la dormeuse.

Épuisé, Richard n'avait plus qu'une envie : dormir un peu. Bon sang ! pourquoi avait-il perdu des heures et des heures avec cette maudite machine ?

Afin de ne pas déranger Kahlan, ne valait-il pas mieux qu'il dorme dans un fauteuil ? Si elle se reposait, la fièvre ne serait bientôt plus qu'un mauvais souvenir. Surtout avec l'action bienfaisante du cataplasme de Zedd, une arme très efficace contre l'infection.

Ses propres égratignures étaient guéries depuis longtemps. En principe, celles de Kahlan auraient dû disparaître aussi – ou, en tout cas, ne pas revenir en plus grave après que Zedd les eut traitées.

Alors qu'il approchait d'un fauteuil, Richard vit qu'une couverture gisait sur le sol.

Kahlan l'avait-elle jetée sous l'influence de la fièvre ? C'était bien possible… La ramassant, il se dirigea vers le lit avec l'intention de recouvrir de nouveau la dormeuse.

Mais il s'immobilisa, soudain oppressé. Quelque chose clochait. Même dans un sommeil agité, Kahlan n'aurait certainement pas jeté la couverture si loin.

L'avertissement de la machine au sujet des molosses revint à l'esprit du Sourcier. Puis il revit la dépouille déchiquetée de Catherine.

Lâchant la couverture, il bondit vers le lit. Comme il le redoutait, Kahlan n'y était pas. Réglant la lampe au maximum, Richard constata que sa femme n'était plus dans la chambre.

Du coin de l'œil, il vit que la porte-fenêtre était ouverte. Pour se rafraîchir, Kahlan était peut-être sortie sur le balcon.

Avant de gagner le fond de la chambre, le Sourcier avisa son sac à dos, au pied du lit. Celui de Kahlan était à côté, il était bien placé pour le savoir, puisque c'était lui qui l'avait posé là. Sa femme pouvait l'avoir emporté avec elle sur le balcon, mais il n'y croyait pas beaucoup…

Craignant que Kahlan se soit sentie soudain plus mal, il sortit sur le balcon, s'attendant à l'y trouver évanouie.

Là encore, il ne vit rien.

Pris d'une terrible angoisse, il se pencha à la balustrade, craignant que la jeune femme ait basculé dans le vide. Sur le sol, beaucoup plus bas, il ne vit aucune forme claire qui aurait pu être...

Il préféra ne pas préciser cette pensée.

Alors qu'il allait retourner dans la chambre, Richard remarqua qu'il y avait un autre balcon à ce niveau. Les deux n'étaient pas reliés, mais sauter de l'un à l'autre semblait possible, pour une personne entraînée.

Plissant les yeux, le Sourcier vit qu'un escalier extérieur partait de l'extrémité la plus éloignée du second balcon.

La balustrade, sur son balcon, portait ce qui semblait être des empreintes de bottes.

Sautant sur la balustrade, Richard bondit, survola le gouffre et atterrit sur le second balcon. Ici, la porte-fenêtre était fermée et il n'y avait pas de lumière dans la chambre. Kahlan y était-elle entrée avant de refermer la porte-fenêtre et d'éteindre la lampe ? C'était peu probable. Si elle avait eu peur de quelque chose, pourquoi ne pas avoir appelé les soldats et les Mord-Sith qui montaient la garde devant sa porte ?

Se fiant à son instinct, Richard suivit le chemin que Kahlan avait presque certainement emprunté. Dévalant les marches, il arriva au bout d'un moment au pied du palais.

Même à la chiche lumière de la lune, le Sourcier n'eut aucun mal à repérer les empreintes de pas de sa femme. Il les aurait reconnues entre mille. Pour un guide forestier, une piste était aussi expressive, sinon plus, que le visage d'une personne.

Pour une raison inconnue, Kahlan avait descendu l'escalier, puis elle s'était mise à courir à toutes jambes.

Un détail particulièrement inquiétant... Que fuyait-elle donc ? Normalement, on aurait dû voir les traces de ses poursuivants, mais il n'y avait rien.

Tout ça n'avait aucun sens.

Qu'est-ce qui avait poussé Kahlan à fuir ? Et dans quelle direction était-elle partie ?

Chapitre 75

En règle générale, des jardins sillonnés de sentiers s'étendaient devant le palais, mais l'endroit où se trouvait Richard était une zone de déchargement des vivres et des biens qui arrivaient régulièrement des quatre coins de D'Hara. Si la majorité des visiteurs passait par l'escalier intérieur, la rampe d'accès était régulièrement empruntée par les chariots de marchandises et par les visiteurs les plus importants, qu'on accueillait dans la cour d'honneur attenante à la zone de déchargement. Ainsi, les invités de marque accédaient directement à l'aire résidentielle qui leur était réservée.

Là où était Richard, on avait aménagé des écuries et un nombre impressionnant de quais de déchargement.

Des dizaines de chariots finissaient d'être déchargés ou étaient en cours de chargement – car les artisans du palais exportaient une partie de leur production. Dans la cour d'honneur, on devait être en train d'atteler des chevaux aux carrosses et aux diligences des invités de marque, qui s'en allaient au milieu de la nuit comme des voleurs.

Bref, le secteur débordait d'activité. Mais dans un seul sens, car si les départs se succédaient, il n'y avait pas d'arrivée prévue à cette heure de la nuit.

Les derniers événements inquiétaient beaucoup Richard. La décision des souverains et des ambassadeurs – qui revenait tout bonnement à lui tourner le dos – semblait trop étrange pour qu'il n'y ait pas dans l'ombre quelque manipulateur aux intentions peu louables. Mais avant de démasquer son adversaire, Richard devait retrouver Kahlan, et vite!

Suivant la piste, il constata que sa femme avait continué à courir. Attentif à la moindre variation dans les empreintes, il établit également qu'elle avait jeté de fréquents coups d'œil en arrière sans ralentir pour autant. Si elle avait poursuivi quelqu'un, les traces auraient bien entendu été différentes.

Certes, mais ça restait incompréhensible, puisqu'il n'y avait pas l'ombre de l'empreinte d'un poursuivant! Pourtant, pour courir ainsi, Kahlan avait dû être poussée par la peur. Et pour ne pas laisser de piste, ses poursuivants auraient dû savoir voler, ce qui semblait bien improbable.

La jeune femme avait-elle fui des ennemis imaginaires? La fièvre l'avait-elle fait délirer? C'était possible, mais là encore, bien improbable.

Richard repensa au présage qui parlait de «molosses». Au moins, il n'avait pas relevé d'empreinte de chien.

Soudain, dans un fouillis d'ornières de chariot et de traces de sabots, la piste de Kahlan disparut purement et simplement.

S'agenouillant, le Sourcier examina la dernière trace de botte de sa femme. Quand on prenait appui ainsi sur la pointe des deux pieds, c'était pour sauter. En l'absence de signes d'une réception, quelques pas plus loin, la conclusion n'était pas difficile à tirer. Kahlan avait bondi dans un chariot ou dans un carrosse.

Les sangs glacés, Richard accepta enfin de voir la réalité en face. Sa femme était partie! Pour une raison qu'il ignorait, elle s'était levée, puis elle était sortie sur le balcon, d'où elle avait sauté sur celui d'en face. Après avoir dévalé les marches, elle avait couru et enfin bondi dans un véhicule sur le départ.

Le trafic étant pratiquement incessant, nul ne pouvait dire vers où était partie Kahlan, ni dans quel chariot ou quel carrosse elle avait sauté.

Était-elle avec un des invités qui venaient de partir? Avait-elle plutôt choisi un chariot de marchandises? Personne ne pouvait le dire. Un soir comme celui-ci, les possibilités étaient innombrables.

Kahlan pouvait être en route pour n'importe où.

Chapitre 76

Ayant repéré Richard, des sentinelles accoururent pour voir ce qui se passait. Du coin de l'œil, le Sourcier vit que d'autres soldats, à cheval, ceux-ci, approchaient aussi.

Le capitaine de la garde voulut parler, mais son seigneur fut plus rapide :

—La Mère Inquisitrice est descendue jusqu'ici il y a quelques heures, comme en attestent ses empreintes. Quelqu'un l'a-t-il vue ?

—La Mère Inquisitrice ? Non, seigneur Rahl. Mes hommes et moi, nous sommes en poste depuis la tombée de la nuit. Et si un de mes gars l'avait vue, il serait venu me le dire.

—Combien de véhicules sont-ils partis depuis le coucher du soleil ?

Le capitaine, un colosse blond, réfléchit quelques instants.

—Des dizaines, seigneur Rahl… Si vous voulez le nombre exact, je consulterai les manifestes et les laissez-passer.

—Bonne idée… Il faudra mobiliser assez de cavaliers pour qu'un détachement suive chacun de ces véhicules. Il faut les rattraper tous, puis les fouiller, même les carrosses des rois.

Le capitaine acquiesça, mais il ne parvint pas à cacher sa perplexité.

—Pour chercher quoi, seigneur Rahl ?

—Pendant la nuit, la Mère Inquisitrice a quitté sa chambre. Peut-être parce qu'on la poursuivait, mais plus probablement à cause d'hallucinations induites par la fièvre. Une fois arrivée ici, elle a sauté dans un véhicule en partance. Comme j'ignore lequel, il faudra la chercher dans la totalité des chariots, des carrosses et des diligences. Si des hommes la trouvent, qu'ils la ramènent au plus vite ici !

— Seigneur Rahl, savez-vous où elle a sauté dans un véhicule ? Cette information pourrait réduire notre champ d'investigation.

Richard désigna la dernière trace de botte.

— À l'endroit même où nous sommes…

Le capitaine se rembrunit.

— Tous les véhicules passent ici quand ils quittent le palais…

— Dans ce cas, il faudra tout vérifier. Capitaine, les cavaliers doivent partir le plus vite possible, avant que les véhicules aient couvert trop de distance…

Le militaire se tapa du poing sur le cœur.

— Je m'en occupe, seigneur Rahl !

— J'ai aussi besoin d'un cheval, et le plus vite possible !

Le capitaine siffla quelques notes – un code, à l'évidence –, et des hommes accoururent de toutes les directions. En un clin d'œil, Richard fut entouré par une centaine de soldats d'élite.

Quand les premiers cavaliers arrivèrent, Richard ne perdit pas de temps à répéter ses ordres. Étudiant les montures, il fit signe à un homme de lui céder une jument qui semblait à la fois résistante et rapide.

Le soldat sauta aussitôt à terre.

— Le capitaine vous communiquera mes ordres, dit Richard en glissant le pied dans un étrier. Moi, je dois partir.

— Tous les chariots seront fouillés, seigneur Rahl, assura l'officier. Vous allez accompagner un des détachements ?

La fouille des chariots était une précaution incontournable, mais Richard doutait qu'elle soit couronnée de succès. Toute cette affaire était bien plus compliquée qu'elle le paraissait, ça tombait sous le sens.

Tout avait commencé après la brève rencontre avec Henrik, sur le marché. Ensuite, les catastrophes s'étaient enchaînées. Et toutes avaient un lien avec les prophéties.

Les invités de marque filaient à la vitesse du vent parce qu'ils avaient décidé de se rallier à Hannis Arc, le gouverneur de la province de Fajin. Un grand zélateur des prédictions, disait-on…

Un des premiers présages – « La fierge prend le paon » – était lié à un jeu, le chaturanga, très en vogue dans la province de Fajin. Et le petit Henrik avait consulté une femme de pouvoir dans la trace de Kharga – une région des Terres Noires auxquelles appartenait… la province de Fajin.

Lorsqu'elle parlait de la Pythie-Silence de la trace de Kharga, la mère d'Henrik ne parvenait pas à cacher sa nervosité. Malgré tout son aplomb, l'abbé Dreier avait lui aussi tiqué lorsque Richard avait mentionné la femme de pouvoir.

Selon Nicci, les Pythies-Silence étaient mortellement dangereuses.

Et d'après sa mère, Henrik se sentait persécuté par des molosses…

Revenant à la réalité, Richard vit que le capitaine attendait toujours sa réponse.

—Non, je n'accompagnerai pas un détachement… Dites au général Meiffert et au Premier Sorcier que je pars pour la trace de Kharga – sans avoir le temps de les attendre. Je dois faire vite, et des compagnons de voyage me retarderaient.

—La trace de Kharga ? demanda un des soldats. Dans les Terres Noires ?

—Tu connais cet endroit, soldat ?

L'homme avança vers Richard.

—Assez pour vous déconseiller d'y aller, seigneur Rahl !

—Pardon ?

—Je suis originaire de la province de Fajin, et croyez-moi, la trace de Kharga n'est pas un endroit recommandable. Des gens désespérés s'y aventurent pour consulter des femmes aux sombres pouvoirs. La plupart de ces malheureux n'en reviennent jamais ! Dans les Terres Noires, les disparitions n'émeuvent personne, seigneur Rahl. Je suis parti pour m'engager dans l'armée d'harane, et j'ai eu l'honneur d'être accepté dans la

Première Phalange. Je ne retournerai pas « chez moi » pour tout l'or du monde.

Richard se demanda si l'homme n'était pas un peu trop superstitieux. Quand il était guide forestier, en Terre d'Ouest, il n'avait jamais vu de monstres ni de spectres dans la forêt. En revanche, il avait croisé une foule de gens convaincus que des horreurs hantaient les bois et qu'on n'y survivait pas après le coucher du soleil.

Cela dit, ces foutaises ne l'avaient jamais incité à fuir sa terre natale, ni à en médire…

— Même la guerre finie, tu n'as pas le mal du pays ?

— Seigneur Rahl, je ne sais pas grand-chose du don, mais pendant le conflit, j'ai vu des manifestations magiques terrifiantes. Dans les Terres Noires, c'est différent… Les Initiés, comme nous les appelons, ont recours à une magie noire intimement liée à la mort. Ça n'a aucun rapport avec ce qui existe ici.

— Sois plus précis, soldat.

L'homme regarda autour de lui comme s'il craignait que l'obscurité ait des oreilles.

— Les morts rôdent dans les Terres Noires !

— Que veux-tu dire ?

— Ce que je dis, seigneur Rahl… Les Terres Noires sont un enfer hanté par des charognards venus du royaume des morts. Si je dois y retourner un jour, ça me semblera toujours trop tôt, même si je viens de fêter mes cent ans !

De telles superstitions, chez un homme jeune qui avait traversé une guerre atroce et vu des horreurs qu'aucun être pensant ne devrait jamais être contraint de voir ? Voilà qui était étrange…

Richard se rappela soudain ce que lui avait dit Nicci. Face aux pouvoirs d'une Pythie-Silence, aucun d'entre eux ne pouvait se défendre. Et en plus d'être l'ancienne Maîtresse de la Mort, la jeune femme, à l'origine une Sœur de l'Obscurité, avait longtemps servi le Gardien. En d'autres termes, elle ne parlait pas à la légère de ces choses-là.

À l'idée que Kahlan puisse être partie pour les Terres Noires, Richard sentit son cœur se serrer. Hélas, son instinct lui soufflait que c'était bien le cas.

— Merci de m'avoir averti, soldat. Avec un peu de chance, j'aurai rattrapé la Mère Inquisitrice bien avant d'être entré dans les Terres Noires.

L'homme se tapa du poing sur le cœur.

— Revenez vite, seigneur Rahl. Et ramenez-nous la Mère Inquisitrice sans avoir eu besoin de vous aventurer dans ce repaire du mal.

Avant de talonner sa monture, Richard se tourna vers le capitaine :

— Nicci aussi doit être informée de ma destination… Dites-lui que la Mère Inquisitrice, selon moi, est en route pour la trace de Kharga, afin de rencontrer la Pythie-Silence. Ajoutez que je ferai tout pour la rattraper avant qu'elle soit arrivée à destination.

Un soldat accourut et jeta des sacoches de selle sur la croupe de la jument.

— Emportez au moins des vivres, seigneur Rahl !

D'instinct, Richard souleva légèrement l'Épée de Vérité pour s'assurer qu'elle coulissait bien dans son fourreau. Puis il remercia ses fidèles soldats d'un signe de tête et partit au galop vers la piste qui conduisait au pied du plateau.

Comme si la jument l'avait toujours eu pour maître, elle ne fit plus qu'un avec son cavalier.

Chapitre 77

Kahlan s'éveilla en sursaut et sonda la forêt qui l'entourait. À la lumière encore hésitante de l'aube, elle ne repéra pas les molosses au niveau du sol.

Mais ça ne voulait rien dire. Ils réapparaissaient toujours. C'était une question de temps, rien de plus.

La jeune femme avait à peine dormi quelques heures, et d'un sommeil qui n'avait rien eu de reposant. Au moins, elle n'était pas tombée de l'arbre où elle avait trouvé refuge pour la nuit.

Les journées de terreur se succédant, l'Inquisitrice avait fini par perdre toute notion du temps. Fuir sans arrêt était épuisant, même quand on parvenait à dormir un peu parce qu'on se sentait enfin plus fatiguée qu'apeurée.

Après le coucher du soleil, les molosses disparaissaient. Sans doute parce qu'ils partaient en quête de nourriture, puis peut-être aussi de repos.

Le premier soir, Kahlan avait espéré qu'ils s'étaient lassés de la traque. Les deux ou trois nuits suivantes, alors qu'elle était toujours dans les plaines d'Azrith, elle avait avancé toute la nuit, croyant saisir l'occasion de mettre quelque distance entre ses poursuivants et elle. Mais même en crevant sa monture jusqu'à l'aube, elle avait dû se rendre à l'évidence : au matin, les molosses étaient de nouveau là, résolus à ne pas lui lâcher les basques.

Le soleil se levant devant elle, sur la droite, et se couchant dans son dos, Kahlan avait déterminé qu'elle se dirigeait vers le nord-est. Grâce à ce repérage, elle savait où se trouvait le palais, par rapport à sa position actuelle. Plus d'une fois, elle avait tenté de décrire un demi-cercle pour revenir sur ses pas, mais à chaque occasion elle était tombée dans une embuscade tendue par les chiens. S'en sortant par miracle, elle avait dû reprendre la direction du nord-est – comme si les molosses l'y poussaient, si illogique que ça puisse paraître.

À certains moments, Kahlan avait eu la tentation de renoncer. Mais le souvenir du cadavre de Catherine l'en avait dissuadée. Au fond, si elle parvenait à garder de l'avance sur la meute, elle aurait une bonne chance de s'en tirer vivante, au bout du compte. En tout cas, tant qu'elle avançait, il restait de l'espoir.

Elle résistait aussi par amour pour Richard. La seule idée qu'il trouve ses restes déchiquetés lui donnait le courage dont elle manquait parfois.

Depuis qu'elle était sortie des plaines d'Azrith, abordant un terrain plus montagneux, il lui était pratiquement impossible de chevaucher de nuit. Si sa monture se cassait une jambe, les chiens n'auraient plus aucune difficulté à rattraper leur proie.

Le cheval étant sa planche de salut, la jeune femme en prenait grand soin. Si elle le perdait, tout serait fini. Cela dit, si elle le ménageait trop, les molosses combleraient la distance…

Kahlan baissa de nouveau les yeux. Sa monture était attachée à une branche basse de l'arbre, mais avec assez de mou dans sa longe pour qu'elle puisse se nourrir dans un rayon assez large. Ayant la corde à portée de la main, la fugitive pouvait toujours tirer le cheval à elle si elle devait lever le camp dans l'urgence.

Les molosses se fichaient de l'équidé. Ils voulaient Kahlan, pas sa monture. Du coup, ils lui fichaient une paix royale. Un comportement très étrange. Ne saisissant pas la situation, le cheval paniquait dès qu'il sentait les chiens à proximité.

Kahlan se pencha un peu pour localiser le cheval. Même si elle n'était pas du tout reposée, elle n'allait pas devoir tarder à partir. Si les chiens déboulaient, sa monture risquait de s'affoler et de se blesser – ou de se libérer et de filer sans elle.

Oui, l'heure de se remettre en route allait bientôt sonner.

Vivant sur un régime composé de biscuits de voyage, de fruits secs et de viande fumée, Kahlan avait oublié le goût que pouvait avoir tout autre genre de nourriture. Si elle s'était écoutée, elle n'aurait rien avalé, tant son estomac la torturait. Consciente qu'elle avait besoin de reconstituer ses forces, elle réussit à manger un peu.

La fièvre n'avait pas baissé, son bras lui faisait de plus en plus mal et la nausée était devenue son pire cauchemar. Depuis qu'elle s'était réveillée dans le Jardin de la Vie, la migraine ne lui laissait pas le moindre répit. Mais elle devait continuer, pour survivre et pour revoir un jour Richard.

Alors qu'elle scrutait les alentours, cherchant un signe des molosses, l'Inquisitrice aperçut entre les arbres une silhouette qui lui sembla humaine. Elle allait appeler au secours quand elle s'avisa que cette créature ne marchait pas, mais… glissait sur le sol, comme si elle ne le foulait pas.

À cet instant, les premiers rayons du soleil traversèrent la frondaison. À leur lumière, Kahlan constata que la « créature éthérée » était en fait un gros chien noir. Le chef de la meute, précisément…

Se demandant comment elle avait pu se méprendre à ce point, Kahlan sentit une décharge de terreur la foudroyer des pieds à la tête. Comme tous les matins, elle n'eut plus qu'une idée en tête : recommencer à fuir.

Tirant sur la longe, elle attendit que le cheval soit sous l'arbre, puis elle sauta sur son dos en utilisant une ou deux branches intermédiaires pour ralentir sa chute et adoucir sa réception.

Les molosses approchaient ! Alors qu'ils commençaient à grogner, Kahlan s'accrocha à la crinière du cheval et lui talonna les flancs.

La poursuite recommençait.

Chapitre 78

Alors qu'elle chevauchait dans une forêt de grands pins, Kahlan jetait très fréquemment des coups d'œil derrière elle pour vérifier la position des chiens. La frondaison des arbres géants occultait le ciel et leurs branches basses se trouvaient bien au-dessus de la tête de la fugitive. Sous un ciel plombé – on l'apercevait quand même de temps en temps par des trouées –, Kahlan aurait tout aussi bien pu chevaucher au crépuscule.

La rosée s'accumulait sur les épines de pin, formant de très grosses gouttes qui finissaient par tomber. Sursautant chaque fois que l'une d'entre elles s'écrasait sur sa tête, Kahlan était trempée jusqu'aux os, transie de froid et malade à crever. Se concentrer pour guider sa monture à travers les arbres lui coûtait un effort de plus en plus pénible.

Il n'y avait pas à proprement parler de piste – ou, s'il en existait une, elle n'était pas assez utilisée pour être encore visible.

Élevée dans un palais, Kahlan n'avait rien d'une femme des bois. Devenue Inquisitrice, elle avait voyagé sur les routes bien balisées qui reliaient les différentes cités des Contrées du Milieu. De plus, elle avait toujours eu un sorcier pour escorte. Tout ça semblait si loin qu'elle aurait juré se souvenir de la vie de quelqu'un d'autre.

En un sens, les molosses lui servaient de guides, puisqu'ils la poussaient inlassablement dans la même direction. La seule difficulté consistait à trouver un terrain praticable pour le cheval.

Même si les chiens n'étaient jamais bien loin, Kahlan prenait garde à ne pas lâcher la bride sur le cou à sa monture. Si elle s'éloignait de la piste, des ennuis inimaginables pouvaient lui tomber dessus. Une falaise à pic, une gorge infranchissable, un rideau de broussaille si dense qu'on ne pourrait pas le traverser… Dans tous les cas, ce serait une aubaine pour les chiens… et la fin du chemin pour Kahlan.

Non, elle ne crèverait pas au milieu d'une forêt inconnue, mise en pièces par des chiens qui abandonneraient ses restes aux charognards!

Pour garder une chance, elle devait rester sur la piste. Par bonheur, Richard lui avait appris à suivre les voies rarement utilisées et difficiles à repérer. Attentive à tous les petits détails qui l'aidaient à reconstituer le tracé de la piste, Kahlan regardait très souvent devant elle pour essayer d'estimer où la conduisaient les pas de son cheval.

Penser à Richard lui déchirait le cœur. Ces derniers jours, ça n'était pas arrivé souvent, parce qu'elle était obsédée par sa fuite désespérée. En un sens, ce n'était pas si mal…

Sa main et son bras lui faisaient mal, et sa tête l'élançait. Très fatiguée, elle avait de plus en plus de mal à tenir en selle et les poussées de fièvre risquaient à tout moment de lui faire perdre conscience.

Si ça arrivait, ce serait sans doute une façon miséricordieuse de mourir. Oui, pendant que les chiens la dévoreraient, il vaudrait mieux qu'elle ne s'aperçoive plus de rien…

Du dos de la main, Kahlan essuya la larme qui roulait sur sa joue. Richard lui manquait tellement. Il devait mourir d'inquiétude pour elle. Et dire qu'elle était partie sans même songer à lui permettre de comprendre ce qui s'était passé.

Plusieurs molosses jaillirent soudain des broussailles, sur le flanc droit de Kahlan, et bondirent avec l'intention de lui mordre la jambe. Paniquée, elle lança sa monture au galop.

Les arbres défilèrent à toute vitesse, des broussailles giflant au passage la cavalière et sa monture emballée. Un choc plus violent que les autres faillit désarçonner Kahlan.

Puis le cheval freina des quatre fers et s'immobilisa au bord d'un gouffre. Pour lui, le chemin s'arrêtait là, car il ne négocierait pas une pente si abrupte. Le pire s'était produit : s'écartant de la piste, Kahlan était piégée et ses poursuivants arrivaient.

Alors qu'ils aboyaient férocement, célébrant d'avance leur victoire, le cheval se cabra. En l'absence de selle, Kahlan tenta de s'accrocher à la crinière de l'animal, mais ses doigts se refermèrent sur le vide.

Elle glissa le long de la croupe de sa monture, tomba et atterrit rudement. Sonnée, elle reprit assez vite ses esprits, car elle s'était reçue sur son bras malade, et la douleur l'avait ramenée à la réalité.

Alors qu'elle tendait son bras indemne vers la longe, le cheval fila comme une flèche vers les bois. En une fraction de seconde, Kahlan le perdit de vue. En revanche, elle distinguait trop clairement les molosses qui fondaient sur elle.

Kahlan se tourna vers le gouffre et plongea quasiment dans le vide. Sautant de rocher en rocher, elle se retrouva engagée dans une folle descente où elle allait risquer cent fois de se briser le cou. Richard l'avait mise en garde contre ce genre d'exercice, mais elle avait bien trop peur pour se soucier de ce danger-là.

Derrière elle, les molosses dévalaient la pente comme s'ils se jouaient de la difficulté.

Toute prudence oubliée, Kahlan fonça droit devant elle. Atteignant par miracle le bas de la pente, elle s'étala sur le sol, emportée par son élan. Sans même prendre le temps de s'assurer qu'elle ne s'était rien cassé, elle se releva et repartit de plus belle.

Ici, le terrain était plat mais boueux. Avec la brume qui flottait entre les arbres, la visibilité se révéla quasi nulle.

Devant elle, la fugitive aperçut un épais rideau de broussaille. La route était-elle bloquée ?

Non, parce qu'elle n'avait pas perdu la piste, si miraculeux que ça puisse paraître. Il y avait une voie, au cœur de la végétation.

Dans le dos de Kahlan, un chien venait lui aussi d'atteindre le bas de la pente. Également emporté par son élan, il s'emmêla un peu les pattes mais se rétablit très vite et fonça vers sa proie.

L'Inquisitrice s'engagea dans l'étroit tunnel végétal. Courant à l'aveuglette, elle entendit les chiens grogner devant l'obstacle, puis s'y enfoncer à leur tour.

Après ce qui lui parut une éternité, Kahlan sortit des broussailles pour déboucher sur un terrain plus dégagé mais terriblement marécageux. Des arbres aux silhouettes fantomatiques émergeaient de la vase, leurs branches squelettiques couvertes d'une mousse brunâtre.

Tandis qu'elle luttait pour dégager ses bottes de la boue plus collante que de la glu, Kahlan se maudit d'avoir été obsédée par les chiens au point de ne plus se soucier du tout de suivre la piste.

Unique point positif, la gadoue ralentissait aussi les molosses. Tentant de faire des détours pour marcher au sec, ils perdaient pour l'instant du terrain.

Dès qu'elle eut de nouveau repéré la piste, Kahlan la suivit en sautant de racine en racine. Marcher dans la vase était bien trop dangereux – un obstacle invisible, et on avait vite fait de se fouler une cheville.

Alors que la piste était par endroits submergée, Kahlan remarqua que quelqu'un avait disposé des branches et des lianes sur le sol pour rendre praticables les passages les plus périlleux. Ainsi, une ébauche de passerelle serpentait au milieu de l'eau.

Ce chemin végétal devint de plus en plus structuré, fournissant à Kahlan une surface solide sur laquelle elle put se permettre de courir plus vite et d'un pied plus sûr.

Plus elle avançait, plus la passerelle prenait de la substance, allant même jusqu'à surplomber l'eau boueuse comme un authentique pont.

Kahlan regarda derrière elle et vit que les chiens passaient un sale quart d'heure. Sur l'entrelacs végétal, leurs pattes glissaient ou se prenaient dans les nœuds de racines. Alors que leur proie progressait de plus en plus aisément, ils connaissaient nombre de difficultés, et le résultat ne se fit pas attendre : en quelques minutes, Kahlan les eut semés et elle finit par ne même plus entendre leurs grognements.

La passerelle devint de plus en plus solide, avec par endroits une sorte de balustrade végétale des plus rassurantes.

Kahlan recouvra l'espoir pour la première fois depuis des heures. Elle venait d'entrer dans une zone habitée, ça ne faisait aucun doute. En plus de l'aider à semer les chiens, la passerelle si ingénieusement construite était tout simplement une voie royale vers le salut.

Chapitre 79

Kahlan s'émerveillait de plus en plus de la sophistication de la passerelle, qui s'était d'ailleurs transformée en un passage couvert éclairé par des bougies. Une voûte végétale occultait à présent le ciel, et ses « parois », comme le sol, étaient entièrement composées d'un entrelacs de lianes, de branches et de brindilles. À ce jour, l'Inquisitrice n'avait jamais vu une structure pareille.

Qui avait disposé des bougies pour faciliter la progression des visiteurs ? Kahlan l'ignorait, mais elle débordait de reconnaissance pour cette judicieuse attention. Enfin débarrassée des molosses qui la pistaient depuis des jours, elle allait bientôt pouvoir retourner au palais où elle retrouverait Richard.

La prophétie de la tueuse au couteau ne s'était jamais effacée de son esprit. Si on en croyait l'infanticide folle, Kahlan était destinée à mourir déchiquetée par des crocs. En agonisant, elle appellerait au secours, mais personne ne viendrait, parce qu'elle serait seule.

Mais voilà qu'elle avait atteint un endroit habité. La prophétie avait perdu la partie, ça tombait sous le sens. Bientôt, la fugitive ne serait plus seule, justement ! Enfin en sécurité, elle pourrait se reposer. À cette idée, elle sentait ses yeux se fermer tout seuls.

Depuis qu'elle avançait dans le tunnel végétal, la jeune femme s'était calmée, la panique cédant la place à une légère angoisse parfaitement compréhensible. Alors que déclinait la force qui l'avait poussée à se sublimer, elle sentait retomber sur elle la chape de plomb de la fatigue.

Depuis des jours, elle s'était nourrie un minimum et elle avait à peine dormi. La fièvre n'étant toujours pas tombée, le corps de l'Inquisitrice commençait à demander grâce. Mais elle n'était pas encore en sécurité, parce qu'elle n'avait toujours pas trouvé de l'aide.

Garder les yeux ouverts devenait un effort, et poser un pied devant l'autre tenait de l'exploit. Depuis un moment, elle ne soulevait plus les jambes, avançant comme une petite vieille.

D'abord lentement, elle traversa plusieurs salles où des morceaux de tissu pendaient du plafond, exposant une multitude d'objets bizarres ou des restes animaux. L'estomac retourné par l'odeur, elle se demanda à quoi pouvaient bien servir ces pièces, puis elle pressa le pas autant que ça lui était encore possible.

Au-delà de ces musées des horreurs, elle remonta toute une série de couloirs végétaux de plus en plus vivement éclairés par des bougies.

Soudain, elle s'immobilisa, persuadée d'avoir entendu un murmure.

—Mère Inquisitrice…

Oui, elle ne s'était pas trompée! Pourtant, il n'y avait personne, ni dans la salle où elle se trouvait, ni dans les couloirs qui en partaient.

Au troisième appel étouffé, elle eut l'impression que les sons venaient… d'une cloison, sur sa gauche. En approchant, elle vit une petite silhouette prisonnière de l'entrelacs végétal. C'était un petit garçon. Nu comme un ver.

Kahlan le reconnut et dut étouffer un petit cri de surprise. C'était Henrik, le gamin que Richard et elle avaient vu sur le marché en plein air.

—Mère Inquisitrice…

—Henrik? Que fais-tu ici?

—On m'a emprisonné… Par pitié, aidez-moi!

Sortant son couteau, Kahlan entreprit de couper les branches et les lianes qui entravaient le gamin, l'enfermant dans un cocon mortel. Tandis qu'elle écartait des broussailles, des épines lui piquèrent cruellement les doigts. Alors qu'elle secouait la main, puis suçait le sang qui coulait de la plus grosse plaie, elle vit que le pauvre Henrik aussi était couvert de blessures.

Elle recommença à couper les lianes, plus pressée désormais de libérer la petite victime.

— Merci, merci…, répéta Henrik, en larmes. Je m'excuse de ce que je vous ai fait, Mère Inquisitrice.

— Ce que tu m'as fait ? s'étonna Kahlan.

En travaillant, elle s'efforçait d'oublier la douleur causée par les épines, sinon elle n'aurait pas tardé à renoncer.

— Je vous ai griffée… Ce n'était pas volontaire, mais je n'ai pas pu m'en empêcher, et…

— Aucun problème, souffla Kahlan tout en tranchant la dernière branche qui retenait le petit prisonnier.

Mais pour le sortir de là, par où allait-elle le prendre, si elle voulait éviter de le faire souffrir ?

— Silence, Henrik, silence… Tout va bien.

Les innombrables blessures saignaient, mais elles ne semblaient pas mettre en danger les jours du pauvre petit. Pour l'instant du moins…

— Fuyez…, souffla Henrik.

— Qui t'a fait ça ? Que s'est-il passé ?

— Fuyez… Partez avant qu'on vous capture aussi.

Kahlan souleva délicatement le bras d'Henrik, le passa autour de ses propres épaules, puis dégagea l'enfant de sa prison.

Le gamin grimaça quand des épines barbelées lui arrachèrent la peau du dos. Quand elle eut enfin réussi à le dégager, l'Inquisitrice sortit une chemise de rechange de son sac à dos.

— Vous devez fuir, dit Henrik tandis que Kahlan lui posait le vêtement sur les épaules.

— Je ne peux pas… Des molosses m'ont pistée jusqu'ici. Si je reviens sur mes pas, ils me tueront.

— Des chiens vous ont poursuivie jusqu'ici ? s'étonna le gamin. Moi aussi ! Mais il est plus dangereux d'être là. Il faut partir. Courez !

Avant que Kahlan ait pu lui demander quelle mouche le piquait, Henrik détala, s'enfuyant dans la direction d'où elle venait.

—Fuyez! cria-t-il une dernière fois.

Kahlan le regarda disparaître au bout d'un couloir. Elle refusait de se jeter entre les pattes des chiens, et de toute façon, elle n'avait plus d'énergie. Au point de se demander si elle tiendrait encore longtemps sur ses jambes.

À cet instant, une femme en manteau à capuche qu'elle n'avait pas vue arriver la prit par le bras.

—Par là, dit-elle d'une voix bizarrement fluette.

—Qui êtes-vous? demanda Kahlan, ces quelques mots lui coûtant un effort terrible.

Une autre femme apparut et saisit son bras libre. Vêtue elle aussi d'un manteau à capuche, elle soutint Kahlan, comme l'autre inconnue, et le trio se dirigea vers une salle obscure.

Une aura bleue émanait des deux femmes. Un instant, Kahlan songea qu'elle venait de mourir et d'entrer dans le royaume des esprits. Mais elle renonça vite à cette fantaisie. Si étrange qu'il fût, ce lieu n'avait rien à voir avec l'au-delà.

Après les avertissements d'Henrik, l'Inquisitrice aurait donné cher pour pouvoir s'enfuir. Mais elle était à bout de forces.

—Nous t'attendions, dit la femme de droite en serrant plus fort le bras de Kahlan.

Les deux inconnues conduisirent leur «invitée» dans une salle pleine de cornues, de jarres, de bocaux et de petites boîtes. Les jarres en verre coloré étaient pour la plupart enchâssées dans la paroi végétale. Les autres objets, éparpillés sur le sol, ne semblaient pas avoir d'utilité discernable. Une fumée âcre montait d'une coupe peu profonde posée au milieu de la salle.

Alors que les deux femmes la tiraient précisément vers cette coupe, Kahlan détourna les yeux de l'étrange collection de récipients et se retrouva face à face avec une petite femme qui venait juste de se remettre debout.

Très frêle, cette inconnue-là avait un visage de garçon manqué et des cheveux mi-longs.

Se penchant, elle sourit à Kahlan.

Le sourire d'une bouche aux lèvres cousues !

Voyant la méchanceté qui faisait briller les yeux de la femme, l'Inquisitrice frissonna.

L'inconnue à la bouche cousue émit une série de couinements et de claquements de langue à l'intention d'une troisième silhouette qui venait de se matérialiser dans la salle.

Trois autres apparurent à la suite. Avec les deux qui tenaient Kahlan, ça en faisait six en tout.

Celle à qui avait « parlé » la femme à la bouche cousue inclina la tête.

—Je pars sur-le-champ, maîtresse. Je *lui* dirai que nous avons notre proie, qui marchera bientôt avec les morts-vivants.

Chapitre 80

Kahlan se répéta mentalement la phrase, qu'elle doutait encore d'avoir bien comprise.

« *Je lui dirai que nous avons notre proie, qui marchera bientôt avec les morts-vivants.* »

Après avoir prononcé ces mots, la femme éthérée traversa la paroi comme si elle était vraiment faite de brume. La suivant du regard, Kahlan vit qu'il y avait dans l'entrelacs végétal d'autres prisonniers comme Henrik. Certains étaient très proches de la « surface ». D'autres, trop profondément enfoncés dans leur prison, en devenaient presque impossibles à voir. Tous étaient nus et beaucoup ne respiraient plus.

La petite femme à la bouche cousue se tourna vers la coupe et y jeta une poignée de ce qui paraissait être une poussière argentée. Aussitôt, des étincelles et des éclairs tourbillonnèrent dans la salle, où apparurent des silhouettes grotesques – pas vraiment entières, en tout cas – qui se massèrent autour de Kahlan.

On eût cru à une assemblée de spectres, sauf que ces fantômes n'avaient pas grand-chose d'humain. En fait, on eût dit des caricatures morbides – des squelettes ambulants aux longs membres recouverts d'une peau parcheminée tendue à craquer comme s'il n'y avait pas de chair dessous. La tête de ces charognes à demi décomposées n'avait elle non plus pas grand-chose à voir avec celle d'un être humain. Leurs lèvres se retroussant dès qu'ils apercevaient Kahlan, ces monstres révélaient leur ignoble bouche garnie de petites dents acérées jaunâtres.

La femme à la bouche cousue prit Kahlan par le poignet.

La douleur tétanisa la jeune femme. Une souffrance terrible, mais qui n'était pourtant pas le pire. Au contact de l'inconnue, Kahlan éprouva une sensation de désespoir total.

Comme si la Faucheuse en personne venait de la toucher.

Alors que les monstres en manteau à capuche s'approchaient d'elle, l'Inquisitrice vit plus clairement leur visage à demi rongé par les vers. Lorsque des doigts ratatinés s'accrochèrent à sa robe, elle sut qu'elle devait agir très vite. Sinon, les infernales créatures lui infligeraient des tortures qu'elle préférait ne pas imaginer.

Mais la femme à la bouche cousue lui tenait le poignet !

Exactement ce qu'il lui fallait. Un contact…

Le temps sembla ralentir puis s'arrêter. À présent, il appartenait à Kahlan. La fatigue, la peur, la douleur, la nausée et le désespoir n'étaient plus que de lointains souvenirs.

En elle, il n'y avait aucune place pour la pitié.

L'instant présent lui appartenait.

Au cœur même de son être, là où se nichait son pouvoir inné d'Inquisitrice, Kahlan desserra les liens qui retenaient en temps normal la force dévastatrice qui l'habitait.

Un roulement de tonnerre silencieux fit vibrer l'air.

L'onde de choc ébranla toute la structure végétale.

Les prisonniers encore vivants dans la paroi hurlèrent de souffrance, leurs membres tremblant autant qu'il était possible dans leur tragique situation.

Lorsque le silence revint, la femme à la bouche cousue esquissa un sourire.

Le pouvoir de Kahlan n'avait eu aucun effet sur elle.

Pourtant, il fonctionnait sur tout le monde ! Tous les êtres humains, en tout cas. Certaines créatures magiques, ou des êtres semi-magiques, y étaient cependant insensibles.

Nicci avait affirmé qu'aucun d'eux ne pouvait se défendre face à la Pythie-Silence. Donc, la femme à la bouche cousue devait être Jit…

Et Kahlan était à bout de ressources. Déjà malade et affaiblie, elle venait, pour rien, de consumer ses dernières forces afin de déchaîner son pouvoir.

Des mains pourrissantes tiraient sur ses vêtements. Sifflant de haine, les créatures de cauchemar passaient à la curée. Si elles ne l'avaient pas serrée de si près, la tenant debout, Kahlan se serait sûrement déjà écroulée sur le sol.

Tandis que des monstres déshabillaient sa proie, la Pythie-Silence s'affairait devant sa collection de récipients. Elle ouvrit des jarres puis versa de mystérieuses poudres dans la coupe où brûlait un petit feu. Lorsque des étincelles jaillirent, elle s'empara d'un fin bâton et dessina des symboles dans d'autres coupes remplies de cendres.

Quand ses bourreaux la tirèrent vers la paroi, Kahlan éclata en sanglots. Un spectacle qui sembla réjouir les immondes assistants de Jit.

Tels des esprits du mal l'entraînant dans le royaume des morts, ces créatures décharnées s'apprêtaient à sceller son destin.

Des mains aux doigts pourris écartèrent les broussailles, les lianes et les branches. Lorsque Kahlan fut en place dans sa « niche », les mêmes mains enroulèrent autour de son corps les liens végétaux hérissés d'épines.

À demi inconsciente, Kahlan suivit vaguement la danse de mort des serviteurs de Jit qui l'enchâssaient dans ce qui serait sa dernière demeure.

Sentant qu'on la mordait, surtout à l'abdomen, l'Inquisitrice hurla de souffrance. Les dents pointues continuèrent à s'enfoncer dans sa chair comme si de rien n'était.

Pensant qu'elle ne reverrait plus jamais Richard, Kahlan hurla de rage et de chagrin.

Horrifiée, elle regarda les six femmes éthérées presser des coupes contre son ventre pour recueillir son sang.

Chaque mouvement enfonçant plus profondément les épines dans sa chair, Kahlan ne pouvait rien faire pour mettre un terme à cette folie.

Les femmes en manteau à capuche et les monstres se mirent à danser une sinistre farandole dans la salle en couinant dans l'étrange langage qu'utilisait la Pythie-Silence.

Dès qu'un de ses serviteurs lui apportait une coupe pleine de sang, Jit la buvait avidement entre ses lèvres cousues.

La farandole se centra autour d'elle, le martèlement des pieds squelettiques composant une mélopée lancinante et faisant vibrer le sol végétal.

Kahlan vit son sang ruisseler sur le menton de la Pythie-Silence. Partout où des gouttes s'écrasaient sur le tapis végétal, des cafards en émergeaient afin de festoyer en compagnie de Jit.

Sentant qu'elle s'évanouissait, Kahlan remercia les esprits du bien de l'arracher à la folie de ses bourreaux.

Chapitre 81

S ous une pluie fine et glacée, Richard étudiait l'entrée de
ce qui semblait être un tunnel végétal. Décidément, tout
ça semblait trop beau pour être inoffensif. À dire vrai,
tout le chemin balisé qui permettait de traverser le marécage – la
trace de Kharga, en d'autres termes – paraissait trop accueillant,
comme si on avait voulu inciter les visiteurs à le suivre.

Dans cette toile, où était cachée l'araignée ?

Kahlan avait emprunté ce chemin, il le savait, car il avait
suivi sa piste. Au bord du gouffre, il avait repéré l'endroit où elle
était tombée de cheval. Puis il y avait eu une folle descente et
une errance dans la boue, avant qu'elle retrouve la voie qu'elle
remontait depuis longtemps.

À voir ses empreintes, il était certain que sa femme tenait à
peine debout. Quand on zigzaguait ainsi, en s'arrêtant si souvent,
on était au bord de l'épuisement, ça tombait sous le sens.

Sans la mort de son propre cheval, Richard l'aurait rattrapée
depuis déjà longtemps. Tout ça à cause d'un sanglier qui avait
jailli des sous-bois et chargé le pauvre équidé. Même hors de la
saison du rut, les sangliers étaient agressifs. Celui-là avait éventré
le cheval.

Le Sourcier l'avait ensuite tué, mais il était trop tard, et il
avait dû se résigner à achever sa monture.

À pied, il avait bien entendu perdu du terrain sur Kahlan.
S'écarter de sa piste pour se procurer un autre cheval l'avait tenté

un moment, mais dans une région si déserte, cette recherche lui aurait fait perdre trop de temps – avec le risque qu'elle soit infructueuse.

Malade et affaiblie, Kahlan ne voyageait pas si vite que ça. Malgré son handicap, Richard ne s'était pas fait distancer de beaucoup. Mais il avait perdu toute chance de rattraper sa femme.

Alors qu'il étudiait toujours l'entrée du tunnel, des bruits de pas retentirent à l'intérieur. Quelqu'un courait vers la sortie. Une personne très petite et très légère, à en croire le son.

Un jeune garçon débaula à l'air libre.

Voyant qu'il avait sur les épaules une des chemises de voyage de Kahlan, Richard l'attrapa au vol par un bras.

Henrik était brûlant de fièvre.

—Que fiches-tu ici?

Le gamin cessa de se débattre.

—Seigneur Rahl?

—C'est moi, oui… Alors, que fais-tu ici?

—Jit, la Pythie-Silence, elle m'a capturé… J'étais prisonnier dans la paroi, avec les autres…

—Pardon? De quoi parles-tu?

Richard vit que le torse du gamin était couvert de blessures, comme ses bras et ses jambes.

—Les familières de Jit m'ont attaché avec des branches et des lianes hérissées d'épines… La Mère Inquisitrice m'a libéré. Je lui ai dit de fuir, mais je crois qu'elle a été prise au piège…

Richard tenta de comprendre ce qui était arrivé et de décider ce qu'il devait faire. Entrer pour voler au secours de Kahlan s'imposait, mais c'était exactement ce qu'attendait la Pythie-Silence. Et s'il se faisait prendre, ça n'aiderait pas sa femme.

—Tu ferais quelque chose pour moi? demanda Richard à Henrik, le prenant par les épaules.

—Quoi, seigneur Rahl?

—D'autres personnes avancent vers cet endroit. Je voudrais que tu ailles à leur rencontre pour leur dire que…

—Mais les chiens me tueront!

— Les chiens ?

— Les molosses, oui… C'est parce qu'ils me poursuivaient que j'ai dû quitter ma mère. Et c'est aussi à cause d'eux que la Mère Inquisitrice est venue jusqu'ici.

Ainsi, c'était ça la clé de l'énigme ? Une illusion ?

— Henrik, ces chiens n'existent pas. La Pythie-Silence a utilisé sa magie pour te conduire jusqu'à elle. Tu te souviens de nous avoir griffés ?

— Je n'ai pas fait exprès, mais…

— Je sais, je sais… Ta mère t'a emmené voir la Pythie-Silence parce que tu étais malade. C'est Jit qui t'a forcé à nous griffer. Et ensuite, les chiens t'ont poussé vers elle. C'est ça ?

— Oui, je crois… Jit a récupéré la peau qu'il y avait sous mes ongles, mais elle a seulement trouvé celle de la Mère Inquisitrice. Il ne restait plus le plus petit fragment de la vôtre.

Oui, maintenant, tout était clair. Jit avait besoin de fragments de peau pour quelque rituel de magie noire.

— Henrik, aucun chien ne te poursuit. C'était une ruse, pour te forcer à revenir. Tu ne les reverras plus. La Pythie-Silence n'a plus de raison de te terroriser.

— Si vous le dites, seigneur Rahl, souffla Henrik, pas vraiment convaincu.

— Tu as le droit d'avoir des doutes, mais moi je suis sûr de mon fait. À présent, écoute bien : tu dois rebrousser chemin et aller à la rencontre de mes amis. Quand tu les auras trouvés, guide-les jusqu'ici. Je vais aller au secours de Kahlan, mais j'aurai besoin d'aide quand je ressortirai de la tanière de Jit. Peux-tu faire ce que je te demande ?

— Oui, seigneur Rahl ! Après, vous me pardonnerez ce que je vous ai fait ?

— Je ne t'en ai jamais voulu. Une personne malfaisante s'est servie de toi, donc tu n'y es pour rien. Allez, file, parce que le temps presse !

Henrik partit au pas de course.

Richard étudia encore un peu le tunnel. Puis il commença à l'escalader.

Chapitre 82

Presque plié en deux, Richard avançait sur le «toit» de l'immense réseau entièrement constitué de branches et de lianes entrelacées. Par bonheur, la structure était assez solide pour supporter son poids et elle ne craquait pas sous ses pieds. Mais la bruine la rendait terriblement glissante, surtout aux endroits où de la mousse la recouvrait. Avançant lentement, le Sourcier parvint à se rétablir chaque fois qu'il dérapa.

Le réseau de tunnels était incroyablement étendu. Très souvent, il débordait du marécage pour aller se perdre dans la forêt. Au cœur de ce labyrinthe, comment localiser Kahlan? Surtout du premier coup? Car le Sourcier était certain qu'il n'aurait qu'une chance…

Autour de la structure, de grands arbres aux branches lestées de véritables rideaux de mousse émergeaient d'une vase où devaient rôder de monstrueux prédateurs. Par endroits, les tunnels végétaux étaient arrimés à plusieurs de ces arbres, sans doute pour assurer leur stabilité et leur équilibre. Dans ces zones-là, les lianes qui pendaient des branches formaient un voile si dense que Richard dut plusieurs fois utiliser son épée pour se frayer un chemin. Plus loin, il lui fallut quasiment ramper pour passer sous des branches basses.

Les «toiles» de mousse, en revanche, se révélèrent assez faciles à déchirer.

Richard aurait aimé progresser plus vite, mais la discrétion était une part essentielle de son plan, et elle s'accommodait rarement de la vitesse.

Dans le marécage, des cris d'animaux se faisaient écho à l'infini. Baissant les yeux sur la vase, Richard aperçut sous la surface des silhouettes noires qui l'incitèrent à se montrer encore plus prudent. S'il tombait, il aurait peu de chances de s'en sortir vivant.

Un peu partout, des aigrettes blanches perchées sur des racines scrutaient l'eau en quête d'un poisson un peu trop téméraire. Mais sous la vase, d'autres prédateurs guettaient les oiseaux eux-mêmes…

En chemin, Richard dut soigneusement contourner un gros serpent à anneaux rouges et jaunes qui l'aurait probablement ajouté avec plaisir à son menu.

S'immobilisant, le Sourcier tendit l'oreille. Au milieu des bruits du marais, il crut entendre des voix psalmodier. Intrigué, il s'agenouilla et plaqua une main contre la voûte végétale pour assurer son équilibre. Oui, même s'il ne reconnaissait pas les mots, c'était bien une sorte de litanie. Mais d'où venait-elle exactement ?

De sa vie il n'avait jamais entendu des sons pareils.

Se baissant davantage, Richard vit que des volutes de brume sourdaient du treillis végétal. De la fumée ? Dépassant une plaque de mousse, il se pencha encore plus et n'eut plus aucun doute. C'était bien de la fumée, mais pas celle d'un feu normal. Non, il s'agissait plutôt du résultat de la combustion de certains composants utilisés dans des rituels magiques.

Dans l'odeur âcre de cette fumée, le Sourcier sentit les relents de puanteur d'une charogne – ou plutôt, d'une infinité de charognes.

Cependant, il ne trouva pas de cheminée. La fumée s'échappait par les interstices entre les branches, tout simplement. Ici, on entendait plus clairement l'étrange litanie dont il ne comprenait pas un mot.

Richard dégaina très lentement son épée. Avec le boucan qu'ils faisaient, les gens qui s'agitaient sous lui ne pouvaient pas trop l'entendre, mais il ne voulait prendre aucun risque.

La note métallique retentit sur un ton si étouffé qu'elle ne risquerait pas de le trahir.

Inutile d'être devin pour savoir que ce qui se déroulait dans la structure, sous ses pieds, n'augurait rien de bon. Après avoir accompli sa mission, Henrik avait été forcé de retourner dans la tanière de Jit, et il en était ressorti couvert de sang. Grâce aux fragments de peau récupérés sous les ongles du gamin, Kahlan avait elle aussi été attirée dans la trace de Kharga, et ce n'était certainement pas parce que Jit voulait la connaître et devenir son amie.

Inutile de vivre d'illusions. Un combat à mort attendait le Sourcier.

La fureur de l'épée vint se mêler à celle de Richard, fou de rage à l'idée que sa femme puisse être prisonnière dans cet enfer. Était-elle même encore vivante? Pour le découvrir, il devait reprendre un peu le contrôle de ses sentiments et passer à l'action.

Nicci les avait tous prévenus : contre la Pythie-Silence, ils étaient désarmés. Donc, inutile de compter sur l'Épée de Vérité. Ayant déjà vécu des situations où son arme ne lui servait à rien, Richard était bien placé pour prendre au sérieux la mise en garde de Nicci.

Mais l'avertissement valait pour Jit, pas pour ses complices. Et il semblait y en avoir beaucoup là-dessous.

Pour vaincre, il allait falloir compter sur l'effet de surprise, la vitesse d'exécution et une extrême violence.

Richard passa l'épée dans le creux de son bras afin qu'elle entaille légèrement sa chair et boive un peu de son sang.

Une goutte de fluide vital coula jusqu'à la pointe de l'arme.

— Ma lame, ne me trahis pas aujourd'hui…

Conscient que la rapidité serait essentielle, Richard saisit son arme à deux mains, la leva au-dessus de sa tête, puis l'abattit entre ses pieds largement écartés. Tranchant les branches et les lianes, il ne tarda pas à se ménager un passage.

Mais il avait fait un boucan d'enfer – d'où la nécessité d'enchaîner au plus vite les actions.

Plaquant les poings contre sa poitrine, la lame tenue verticalement – le meilleur moyen de ne pas se blesser en sautant –, il se laissa tomber dans l'ouverture.

Et se réceptionna au milieu d'une bande de fous.

Chapitre 83

Richard amortit souplement sa chute, puis brandit son épée. Sur un côté, il distingua des silhouettes en manteau à capuche nimbées d'un halo bleu. D'autres créatures, battant des bras hystériquement, dansaient en rond en tapant du pied. C'étaient elles, constata-t-il, qui psalmodiaient l'étrange litanie.

À première vue, ces spectres n'avaient guère de rapports avec un être humain. En y regardant mieux, ils faisaient penser à des cadavres décomposés. Les sons émis par ces monstres lui glaçant les sangs, le Sourcier serra plus fort la poignée de son épée.

Dans la salle enfumée, l'odeur du sang frais parvenait à couvrir la puanteur pourtant ignoble de la mort.

Debout au centre de la pièce, une petite femme tourna ses grands yeux noirs vers l'intrus.

Richard vit qu'elle avait les lèvres cousues par de fines lanières de cuir.

Les mains couvertes d'immondices impossibles à identifier, l'inconnue au visage souillé de crasse avait des traces de sang rouge sur le menton. Elle en buvait, comprit Richard en remarquant la coupe qu'elle serrait contre sa poitrine.

Ce n'était pas une inconnue, mais Jit, la Pythie-Silence en personne.

Kahlan était au fond de la salle, à l'endroit où se tenaient les silhouettes brillantes. Plissant les yeux, Richard vit que sa femme était emprisonnée dans la paroi végétale. Sans les branches et les lianes qui la maintenaient, elle n'aurait sûrement pas été debout, parce qu'elle avait perdu conscience.

De la paume de sa main gauche, Richard écarta Jit de son chemin afin de pouvoir rejoindre Kahlan. Après la mise en garde de Nicci, il n'avait aucune intention d'utiliser son arme contre la Pythie-Silence.

Les silhouettes brillantes se tournèrent vers le Sourcier, leurs yeux jaunâtres à moitié pourris brillant de haine. Dans les profondeurs de leur capuche, Richard vit un rictus de fureur tordre leur répugnant visage déjà mangé aux vers et couvert de pustules et de verrues.

Tendant leurs mains ratatinées, ces ignominies tentèrent d'arrêter le Sourcier.

L'Épée de Vérité fendit l'air à la vitesse de l'éclair. Mais les créatures se désintégrèrent sur son passage… pour se rematérialiser, indemnes, tout de suite après.

Richard remarqua à peine le curieux phénomène. Concentré sur Kahlan, il eut le cœur serré en découvrant qu'elle était couverte de plaies, exactement comme Henrik. Sur son abdomen, des morsures très récentes saignaient à flots.

Abusé par le sang, Richard n'avait pas vu tout de suite que sa bien-aimée était nue.

Voyant ce qu'on lui avait fait, il perdit toute notion de logique et s'abandonna à une rage bouillante. Alors que sa lame fendait l'air, les créatures ignobles et grotesques cessèrent de danser pour se précipiter sur lui.

Il les tailla en pièces, faisant exploser leur crâne et éclater leur torse empli de fluides écœurants.

Des éclats d'os, des membres tranchés et des dents pointues comme des aiguilles volèrent dans les airs. Mais à mesure que le Sourcier démembrait des créatures, d'autres se jetaient sur lui, leurs ongles lui entaillant la chair.

Richard mobilisa toutes ses forces, frappant si vite qu'il semblait par moments manier plus d'une lame. Des têtes et des mains tranchées s'empilèrent à ses pieds. Quand il passa à l'offensive, son épée taillada aussi la paroi végétale, brisant des jarres et des cornues.

Des éclats de verre et des fragments de branches et de lianes retombèrent en pluie dans la salle. Hélas, malgré tous les efforts du Sourcier, l'Épée de Vérité ne parvenait pas à venir à bout des créatures hystériques. Rien d'étonnant, en fait, puisqu'il en arrivait sans cesse de nouvelles par les couloirs.

Les étranges silhouettes brillantes attaquèrent, déchirant la chemise de Richard. Submergé par le nombre, il ne put pas les empêcher de s'accrocher à ses bras. Son arme neutralisée, les monstres à moitié décomposés se vengèrent en le mordant et le griffant sauvagement.

Richard dégagea un de ses bras et tenta de saisir à la gorge une des silhouettes brillantes, mais elle se volatilisa dans un grand éclat de rire pour se rematérialiser la seconde d'après et lui saisir le poignet. Dévoilant ses crocs, elle bondit pour le mordre, mais il réussit à s'écarter et les mâchoires de son adversaire claquèrent dans le vide.

Ses forces décuplées par la rage, Richard réussit à échapper à toutes les mains qui le tenaient. Se trouvant soudain face à face avec Jit, il la vit lever le bras et lui jeter au visage ce qui semblait être une poignée de poussière noire.

Le choc fut aussi violent que si elle l'avait frappé avec une barre de fer. Richard tomba à genoux et lâcha son épée. Prudent, un des monstres s'en empara et l'éloigna de lui.

Des dizaines de mains ratatinées se refermèrent sur les épaules et les bras du Sourcier. Des dents pointues déchirèrent sa chemise, la réduisant en lambeaux. Quand ce fut fait, les créatures s'en prirent à sa chair.

Presque incapable de bouger, Richard constata que sa vision se brouillait.

Jit émit une série de couinements aigus. Aussitôt, les créatures soulevèrent leur proie et entreprirent de l'emprisonner à son tour dans la paroi, à côté de l'endroit où était enchâssée Kahlan.

Richard voulut appeler sa femme, mais pas un son ne sortit de sa gorge. Pis encore, il avait du mal à respirer, car la « poussière » de Jit lui avait mis les poumons en feu.

Tandis que les monstres lui enroulaient des lianes autour des jambes, le Sourcier sentit la douleur des centaines d'épines qui s'enfonçaient dans sa chair. Il allait finir prisonnier de la paroi, comme Kahlan et des dizaines d'autres malheureux qu'il distinguait sur tout le périmètre de la salle.

Une ignoble créature, le corps entièrement couvert d'un limon puant, mordit Richard au ventre. Une autre abomination approcha alors pour collecter le sang dans une coupe.

Lorsque le récipient fut plein, elle l'apporta à Jit.

La Pythie-Silence le porta à ses lèvres et but avidement. Sa bouche étant cousue, l'opération n'avait rien de facile, et du fluide vital dégoulina sur son menton.

Plusieurs créatures squelettiques entourèrent Jit, comme si elles voulaient former autour d'elle un cercle de vénération et une haie protectrice. On eût dit des sbires du Gardien acharnés à le défendre.

Des cafards émergèrent du sol pour venir se repaître des gouttes de sang qui s'écrasaient aux pieds de la Pythie-Silence.

Soudain, Jit lâcha quelques mots dans son bizarre langage.

Une des silhouettes brillantes vint se camper devant Richard et lui brandit sous le nez un index décharné.

— Comme la Mère Inquisitrice, tu seras bientôt un mort-vivant. Voilà ce qu'a dit ma maîtresse.

Richard se souvint de ce que lui avait révélé le soldat originaire des Terres Noires. Des vérités qu'il avait prises pour des superstitions, sur le moment…

Mais pourquoi la Pythie-Silence avait-elle les lèvres cousues ?

Chapitre 84

Soudain, tout devint limpide.

Richard venait de comprendre le dernier message de Regula.

Mais il n'aurait su dire si ça allait lui servir à quelque chose.

Même si ses jambes et sa taille étaient emprisonnées par les lianes, ses bras restaient libres et il sentait que leur force revenait. Se tournant autant qu'il le pouvait, il parvint à toucher le visage de Kahlan. Un moyen de lui faire savoir qu'il était là et ne l'abandonnerait pas. Mais sa femme ne réagit pas.

S'il n'agissait pas très vite, tout serait perdu.

Les créatures qui dansaient dans la salle, piétinant allégrement les membres et les os brisés de leurs semblables, paraissaient trouver amusantes les démonstrations de tendresse du prisonnier. Elles l'imitèrent même en ricanant, comme pour lui dire de profiter du peu de temps qui lui restait pour faire ses adieux à sa bien-aimée.

Jit avait recommencé à verser divers ingrédients dans la coupe peu profonde où crépitaient des flammes. De temps en temps, elle saisissait un fin bâton orné de plumes pour dessiner des sortilèges dans des plateaux pleins de cendres.

Des silhouettes émergeaient de la fumée au gré des invocations de la Pythie-Silence. Grotesquement déformées, ces créatures de cauchemar paraissaient tout droit sorties des plus immondes fosses du royaume des morts.

Pendant que Jit s'affairait et que les ignobles créatures se moquaient de lui, Richard commença discrètement à former de petites boules avec les lambeaux de sa chemise qu'il pouvait récupérer.

Lorsqu'il en eut obtenu deux de la bonne taille, il se tourna de nouveau vers Kahlan et fit mine de lui caresser le visage, comme la première fois. Se contorsionner ainsi mettait ses jambes à la torture, à cause des épines, mais il n'avait pas le choix.

Les monstres ricanaient, de plus en plus amusés par le spectacle.

De la main gauche, la droite dissimulant ce qu'il allait en réalité faire, Richard glissa une des boules dans une oreille de Kahlan. Lorsque la bourre de tissu fut bien en place, il recommença l'opération avec l'autre oreille.

Une créature avança, prit les poignets du Sourcier et le força à se remettre dans sa position d'origine. Alors qu'on recommençait à le ligoter dans sa niche végétale, Richard confectionna deux autres boules avec sa main droite, encore libre, puis il se les enfonça dans les oreilles.

« Ta seule chance est de laisser la vérité s'échapper. »

Tel était le dernier message de Regula.

Richard devait faire à la Pythie-Silence quelque chose qu'elle n'avait pas prévu. Lorsqu'elle se tourna vers lui, il lui sourit.

Tous les monstres reculèrent, stupéfiés par cet étrange comportement. L'inconnu les terrifiait, une réaction universellement répandue.

Richard sourit de nouveau à Jit pour lui faire comprendre qu'il savait quelque chose qu'elle ignorait.

La vérité, voilà ce qu'il savait !

La Pythie-Silence le foudroya du regard.

Mais il fallait qu'elle s'approche !

— Tu m'as capturé, dit Richard, son sourire s'élargissant. Si tu laisses partir Kahlan, je ferai tout ce que tu voudras.

Une des silhouettes brillantes – manchote, constata Richard – brandit son unique index sur le prisonnier.

— Nous n'avons pas besoin de toi, dit-elle.

—Si, si! s'écria Richard avec une absolue conviction, et sans cesser de sourire. Tu dois connaître la vérité.

—La vérité? répéta la silhouette manchote.

Elle se tourna pour « parler » à Jit.

La Pythie-Silence écouta, le front plissé, puis avança vers le Sourcier. Il était bien plus grand qu'elle, mais ça ne lui faisait pas peur.

Une grosse erreur.

Malgré ses lèvres cousues, Jit eut un rictus haineux comme Richard n'en avait jamais vu de sa vie.

De sa main droite toujours libre, il dégaina le couteau qu'on n'avait pas cru bon de lui retirer. Sentir qu'il tenait une lame réconforta et stimula le Sourcier. Pour lui, c'était souvent synonyme de salut. Et cette lame-ci coupait comme un rasoir…

La Pythie-Silence ne craignait pas l'arme de Richard. Non sans raison, puisque l'Épée de Vérité n'aurait pas pu lui faire de mal.

Frapper Jit avec une lame aurait été suicidaire, Richard le savait. Protégée par sa magie noire, la Pythie-Silence n'avait rien à craindre de l'acier.

En tout cas, elle en était persuadée.

Là encore, une erreur grossière…

Chapitre 85

Avant que la Pythie-Silence ait le temps de deviner ce qu'il mijotait, Richard fit voler sa lame devant le visage de son ennemie. Sans la blesser, surtout, ni même y penser, afin de ne pas activer ses protections magiques. S'il n'avait aucune intention de lui taillader la chair, ses défenses n'entreraient pas en action.

Avec une incroyable précision, il se contenta, utilisant la pointe de la lame, de couper les unes après les autres les fines lanières de cuir qui scellaient les lèvres de Jit. Pour réaliser cet exploit sans faire couler de sang, il fallait être un authentique maître de la lame.

La Pythie-Silence écarquilla les yeux.

En même temps, sa bouche s'ouvrit.

Sa mâchoire inférieure s'affaissa, comme si elle n'avait pas su la tenir fermée.

Alors, un cri jaillit de sa gorge – si puissant et si destructeur qu'il sembla déchiqueter la trame même du monde des vivants.

Un hurlement venu du royaume des morts.

Tandis que tous les récipients explosaient, les créatures de cauchemar se plaquèrent les mains sur les oreilles.

Comme charriés par un vent infernal, des fragments de verre, des morceaux de poteries et des débris végétaux volèrent dans les airs puis commencèrent à tourbillonner tout autour de la salle. Bientôt entraînées par ce cyclone, les créatures squelettiques, très rapidement démembrées, devinrent de simples composants de cette ronde macabre.

Le cri continua, accélérant la vitesse de rotation du vortex démoniaque.

Les mains plaquées sur les oreilles, les silhouettes brillantes hurlèrent de douleur et de peur. Mais pour elles, il était trop tard. Comme les monstres, elles furent entraînées dans le tourbillon mortel.

Du sang coulait des oreilles des prisonniers encore vivants, mais désormais à l'agonie.

Les créatures de cauchemar commencèrent à se désintégrer, comme si elles n'avaient jamais été que des figurines de sable, de poussière et de boue. Arrachés à leur torse, leurs membres bientôt réduits en poudre se mêlèrent à l'ignoble bouillie qui tournait à une vitesse folle sur toute la circonférence de la salle.

Des cris d'agonie vinrent se joindre au hurlement de Jit.

Les silhouettes brillantes se désunirent comme un nuage de fumée dispersé par le vent.

Des éclairs déchirèrent le vortex de plus en plus puissant et destructeur. L'air lui-même sembla gronder comme le tonnerre.

Au centre du maelström, la tête renversée en arrière, Jit continuait à crier – ou, plutôt, à hurler à la mort.

Car elle se vidait de sa vie.

Son ignoble vie, toute faite de corruption, de haine, de perversité, de mépris de la beauté et d'adoration servile de la mort. Avec son cri, on eût dit qu'un immense et antique égout se vidait de toute sa pourriture et sa puanteur.

Ce hurlement était la mort incarnée, rien de moins.

La vérité s'échappait de l'âme morte de la Pythie-Silence, emportant avec elle son semblant de vie.

Confrontée à sa vraie nature, Jit comprenait enfin qu'elle était depuis toujours une créature morte et pourrissante. Le simple fait de vivre était incompatible avec une nature si radicalement morbide.

Avec elle, la mort ne se montra ni tendre ni respectueuse.

Tandis que sa putréfaction intérieure s'échappait à l'air libre, le visage de la Pythie-Silence commença à fondre. Ses veines explosèrent, ses muscles se déchirèrent de l'intérieur et sa peau éclata, révélant des os aussi pourris que tout le reste.

Et cette torture ajoutait de la puissance à son cri d'agonie.

Cette infection atteignit Richard, lui vrillant les nerfs et le forçant à hurler de souffrance. Le cri de la Pythie-Silence, impitoyable, mettait à la torture chaque fibre de son être.

La mort libérée de sa prison s'emparait de tout ce qu'elle trouvait sur son passage.

Juste avant de basculer dans l'inconscience, Richard comprit que les protections qu'il avait improvisées, pour ses oreilles et celles de Kahlan, n'étaient pas suffisantes face au raz-de-marée de haine et de malveillance qu'il avait déclenché.

Il n'avait pas été à la hauteur, et Kahlan allait en payer le prix.

Avant de perdre connaissance, il sentit rouler sur sa joue une larme dédiée à sa bien-aimée et à leur amour à tout jamais perdu.

Chapitre 86

—S'il survit, marmonna Cara, je l'étranglerai de mes mains.

Nicci sourit, mais l'idée que Richard puisse mourir lui glaça les sangs. C'était impensable! Que serait le monde sans lui?

Alors que des soldats à la mine sinistre l'étendaient près de Kahlan, à l'arrière du chariot, la magicienne posa une main sur la poitrine de son ami.

Richard et sa femme étaient enroulés dans des couvertures désormais poisseuses de sang. Mais le cœur du Sourcier battait, et sa poitrine se soulevait plus ou moins régulièrement. Kahlan aussi était vivante. Ils s'en étaient tirés tous les deux, et pour l'instant, rien d'autre ne comptait.

—Il survivra, assura Nicci. Oui, ils se remettront tous les deux.

Un miracle, considérant l'état de la salle où Nicci et ses compagnons avaient trouvé les deux jeunes gens. Les dégager de leur prison végétale avait été une des pires épreuves qu'ait endurées l'ancienne Maîtresse de la Mort.

—Et ça, c'est quoi? demanda soudain Zedd.

Nicci prit la petite boule de tissu que lui tendait le vieil homme.

—Franchement, je n'en sais rien… Où avez-vous trouvé ça?

—Dans son oreille… Et il a la même chose dans l'autre…

Le sorcier récupéra la deuxième boule et la montra à Nicci.

Celle-ci se pencha sur Kahlan, et retira de ses oreilles deux boules de tissu identiques mais un peu plus petites.

Refermant le poing dessus, la magicienne sourit.

—Que savez-vous des Pythies-Silence, Zedd?

—J'ai dû en entendre parler dans ma jeunesse, mais ça ne m'a pas marqué… Richard a interrogé l'abbé Dreier à ce sujet, mais il ne nous a pas dit grand-chose. Pourquoi cette question?

—Oui pourquoi? grogna Cara, qui semblait d'humeur à tordre le cou d'à peu près n'importe qui.

Nicci désigna la pente qui conduisait au marécage. Sans Henrik, ils n'auraient jamais atteint la structure végétale à temps pour sauver Richard et Kahlan. Mais par bonheur, il les avait guidés.

Zedd avait recouru au feu de sorcier pour détruire cet endroit maudit, y compris la dépouille sanguinolente de la Pythie-Silence. Il ne restait plus que des cendres.

—On dit que le cri d'une Pythie-Silence, si elle pouvait ouvrir entièrement la bouche, serait celui du Gardien lui-même et entraînerait dans le royaume des morts tous ceux qui l'entendent et la femme qui le pousse. Le hurlement d'une Pythie-Silence, c'est la mort, y compris pour elle. Voilà pourquoi leur mère leur coud les lèvres dès leur plus jeune âge.

—Et le père laisse faire une abomination pareille? s'indigna Cara.

—Comme certaines araignées, expliqua Nicci, les Pythies-Silence séduisent un mâle, s'accouplent puis le tuent et le vident de son sang.

—Charmant…, souffla la Mord-Sith.

—Comment sais-tu tout ça? demanda Zedd.

—Avez-vous oublié que j'étais une Sœur de l'Obscurité? Quand on sert le Gardien, on apprend beaucoup de choses, sur la mort et ses serviteurs.

—Donc, récapitula Zedd, tu penses que Richard et Kahlan sont vivants parce qu'ils avaient les oreilles bouchées?

Nicci se pencha et posa deux doigts sur le front de Kahlan.

—Voyez vous-même…

Zedd imita la magicienne.

—Que sentez-vous?

Le vieil homme fronça les sourcils.

—Eh bien… Des ténèbres, dirait-on… Fichtre et foutre! c'est ce que j'ai senti quand j'ai tenté de la soigner!

Nicci se réjouit que le sorcier ait les mêmes sensations qu'elle. Ça faciliterait ce qu'ils allaient devoir faire ensemble.

—C'est la marque de la mort qu'une Pythie-Silence porte en elle.

—La mort est en eux? s'écria Cara. Ils sont condamnés?

—Pas si on me laisse intervenir, dit Nicci. Mais ils n'ont pas été seulement touchés par la magie de la Pythie-Silence. Son cri aussi les a souillés.

—Vous pouvez les sauver, bien sûr…

Dans l'esprit de Cara, ce n'était pas une question, mais Nicci fit comme si elle n'avait pas saisi la nuance.

—J'en suis presque sûre, parce que la Pythie-Silence est morte. S'ils avaient encore un lien avec elle, ce serait plus délicat… Richard a dû couper les fines lanières qui scellaient les lèvres de Jit. Par bonheur, il a eu l'idée de boucher les oreilles de Kahlan et les siennes. Ça n'a pas bloqué entièrement le son – et la mort – mais les dégâts auraient été dix fois pires sans ça.

—Donc, ils sont infectés par la mort que la Pythie-Silence portait en elle? demanda Zedd. Et c'est ça que j'ai senti?

—J'ai peur que oui.

—Mais tu peux les sauver, bien sûr, dit le vieil homme sur le même ton que Cara.

—Je crois, oui… Pour une ancienne Sœur de l'Obscurité, ce devrait être faisable. Mais pas ici. Il me faut un champ de protection.

—Le Jardin de la Vie! s'écria Cara.

Nicci sourit puis fit un petit signe à Benjamin, qui donna un ordre au conducteur.

—C'est pour ça que je veux les ramener le plus vite possible, confirma la magicienne tandis que le chariot s'ébranlait. Avec Zedd, je pourrai les maintenir en vie pendant le voyage,

495

mais pour les guérir nous devrons être dans le Jardin de la Vie. (Elle désigna Henrik, assis à côté du soldat qui conduisait le véhicule.) Il a été atteint, et il faudra s'occuper de lui, mais c'est moins grave, parce qu'il n'a pas entendu l'appel de la mort.

Sous un ciel si bas qu'on se serait cru au crépuscule, le détachement de cavalerie commandé par Benjamin prit position autour du chariot.

Peu réputée pour sa patience, surtout quand il était question de son seigneur, Cara ne cacha pas sa mauvaise humeur.

— Pourquoi ne pouvez-vous pas les guérir maintenant? Pourquoi attendre d'être dans le Jardin de la Vie?

— Cara, ils ont été souillés par la mort. Pour faire ce qui s'impose, nous aurons besoin d'un champ de protection qui les isole. Pour les guérir, nous devons les débarrasser de l'empreinte de la mort. Si nous le faisions ici, le Gardien le sentirait, il viendrait et il les emporterait. Voilà pourquoi il faut attendre.

— Oui, c'est logique, concéda la Mord-Sith.

— L'ennui, marmonna Zedd, c'est que la machine à présages est aussi dans le Jardin de la Vie.

— Vous avez une meilleure idée? lança Nicci.

— Je crains que non…

— De toute façon, c'est la machine qui les a sauvés. Vous vous rappelez son dernier message? « Ta seule chance est de laisser la vérité s'échapper. » Regula a indiqué à Richard le moyen de détruire une Pythie-Silence. Je n'en avais pas la moindre idée… Heureusement, il a compris à temps!

— Tu crois que ça s'est passé comme ça? demanda Zedd.

— Sinon, pourquoi aurions-nous trouvé des bouchons dans leurs oreilles?

Le vieil homme eut l'ombre d'un sourire.

— Ce garçon comprend vite, quand il faut… Mais pourquoi la machine lui a-t-elle fait ce cadeau?

— La réponse ne vous semble pas évidente?

— Plaît-il?

Alors qu'ils se plaçaient chacun d'un côté du chariot, Nicci coula un regard de côté au vieil homme.

496

—La machine a besoin de lui.

—Besoin de lui ?

—Oui, pour atteindre son objectif…

—Je me souviens… Quel que puisse être ce fichu objectif !

Nicci posa une main sur la poitrine de Richard et lui envoya un réconfortant petit filament de Magie Additive, lui faisant savoir qu'il n'était pas seul pour lutter contre le murmure de la mort qui retentissait en lui.

Zedd fit de même avec Kahlan.

Richard prit une inspiration plus profonde que les autres. Il avait capté le message. Même s'il ne pouvait pas répondre, au plus profond de lui-même il avait conscience que ses amis combattraient avec lui.

Nicci sentit un peu de sa tension disparaître. Après un voyage terrifiant, Richard et Kahlan étaient encore vivants, et pour l'instant ça suffisait. Sachant où il était allé, la magicienne n'aurait jamais cru revoir son ami vivant. Désormais, les deux époux étaient en sécurité. Et au palais, Zedd, Nathan et elle les guériraient totalement.

Avec la meilleure volonté du monde, Nicci n'aurait su trouver les mots pour exprimer son soulagement. Cela dit, elle était toujours furieuse contre Richard. Ne l'avait-elle pas mis en garde contre les Pythies-Silence ? Mais il avait fallu qu'il parte à l'aventure, bien entendu !

Aurait-il pu agir autrement et abandonner Kahlan ? Peut-être pas, mais à part Richard, quel homme s'aventurerait dans la tanière d'une Pythie-Silence pour sauver sa bien-aimée ?

Oui, quel homme ?

—Ils ne sont pas mignons, couchés côte à côte comme ça ? s'extasia Cara qui chevauchait à côté du chariot.

Sursautant, la Mord-Sith devint soudain aussi rouge que son uniforme de cuir.

—Si vous leur répétez ça un jour…, siffla-t-elle entre ses dents.

Pour la première fois depuis des jours, Nicci sourit de bon cœur.

—Je serai muette comme une tombe, promit-elle.

—C'est préférable pour vous…, grogna Cara. (Elle tendit le cou vers la tête de la colonne.) Général, ne pourrions-nous pas aller un peu plus vite ? Il faut les ramener au palais, et pas dans dix ans !

Benjamin tourna la tête, sourit à sa femme et se tapa du poing sur le cœur. Puis il talonna sa monture.